HOE BLIJF JE EEUWIG LEVEN

Alok Jha

HOE BLIJF JE EEUWIG LEVEN

35 ECHT INTERESSANTE TOEPASSINGEN VAN
WETENSCHAP

WinklerPrins

Uitgeverij Unieboek | Het Spectrum bv, Houten - Antwerpen

INHOUD

INLEIDING

Hoe kom je erachter hoeveel druk een gas uitoefent op de zijkant van een vat? Je begint met een enkel gasmolecuul dat rondvliegt in een vat, je berekent hoe hard dit molecuul tegen de zijkant aanbotst. Vervolgens vergroot je het model om te berekenen hoeveel kracht of druk er per oppervlakte-eenheid uitgevoerd wordt door triljoenen moleculen. Het is zo eenvoudig dat tieners van vijftien het zouden kunnen. Geloof je me niet? Ik heb het op mijn vijftiende gedaan.

Op een ochtend in de winter, achttien jaar geleden, begreep ik eindelijk waar het allemaal om draait bij de natuurwetenschappen. Tot die tijd had ik het gevoel dat er een soort zwarte doos was met ingewikkelde wetten en beschrijvingen van hoe dingen werkten. Ik was ervan overtuigd dat de natuurwetten waren opgegraven, net als modderige fossielen. (Ik kwam er nooit achter hoe ze dat deden. Gingen ze in de grond spitten, net als archeologen? En waar was dat dan?) En bovendien was alles al gevonden. Al het werk was al gedaan, ik moest gewoon hele lijsten feiten leren zodat ik mijn examens zou halen.

Het was niet zo dat ik niet geïnteresseerd was in de wereld om me heen. Ik las boeken over het ontstaan van de sterren, liet kranten branden met een vergrootglas, verzamelde insecten en probeerde thuis allerlei stoffen met elkaar te mengen zoals alle kinderen doen. Maar ik had het idee dat die nieuwsgierigheid helemaal niets te maken had met wat er op school gebeurde. Bij elke natuurkunde-, biologie- en scheikundeles ging het om het bekijken van weer een andere vergelijking, regel of definitie die uit de zwarte doos werd gehaald.

De redding kwam voor mij van mijn natuurkundeleraar op de middelbare school. Hij behandelde nauwkeurig alles wat in de studieboeken stond, maar daarnaast leerde hij ons ook waar het bij de natuurwetenschappen werkelijk om gaat. Vaak gaf hij ons een opdracht, bijvoorbeeld: bereken hoe heet het oppervlak van de zon is met behulp van de temperatuur van de atmosfeer van de aarde. En dan liep hij de klas uit en zei dat we hem maar moesten komen halen als iemand het antwoord had gevonden. Hij gaf onze nieuwsgierigheid alle ruimte. Een klasgenoot was er bijvoorbeeld van overtuigd dat er bij het verpulveren van een pepermuntje een zwak blauw licht vrijkwam. En dus verzamelde de leraar de hele klas in de donkere kamer van de fotografieclub om te zien of het waar was. Die dag lukte het ons niet om het te bewijzen, maar onze nieuwsgierigheid werd erdoor geprikkeld en we kwamen met vreemde vragen die door onze leraar geduldig werden beantwoord.

In die twee jaar vroeg hij aan ons om te doen wat Robert Boyle, Joseph Gay-Lussac en Jaques Charles tweehonderd jaar eerder voor het eerst met behulp van de basisregels hadden gedaan: bepaal hoe druk, temperatuur en volume met elkaar zijn verbonden. We probeerden zelfs om erachter te komen hoe Albert Einstein op het idee van het foto-elektrisch effect kwam, wat het begin van de kwantumtheorie inluidde. En dat lukte ons ook nog. Deze mensen, de grote namen van de natuurwetenschappen, onsterfelijk gemaakt in de namen die gegeven werden aan natuurkundige constanten en natuurwetten, hadden decennia besteed aan het vinden van hun antwoorden. Maar wij konden hun logica volgen. En wat nog beter was, doordat het ons lukte om die vergelijkingen op te lossen of antwoorden te vinden op schijnbare raadsels, werd het iets van onszelf. De zwarte doos begon open te gaan en de beslissende stap werd gezet door mijn eigen verbeelding.

Bij de natuurwetenschappen gaat het allemaal om het oplossen van problemen en in veel gevallen draaien die problemen om het stellen van de juiste vragen. Misschien wil je weten waarom kernbommen zo krachtig zijn of wat er gebeurde in de seconde na de big bang. Misschien heb je twee nachten lang omhoog liggen kijken naar de sterren en vroeg je je af of er daar ergens ook leven is. Wellicht wil je gewoon weten hoe elektriciteit in de stopcontacten bij je thuis terechtkomt. Of je wilde weten of we ons zorgen moeten maken over het broeikaseffect of hoe de vele verschillende levensvormen op aarde zijn geëvolueerd gedurende 4,5 miljard jaar. Misschien wil je wel weten hoe we erachter zijn gekomen dat de aarde 4,5 miljard jaar oud is.

Door de natuurwetenschappen zijn er antwoorden op deze (en nog heel veel andere) vragen gekomen en dat is een van meest opmerkelijke en meest creatieve gezamenlijke prestaties uit de geschiedenis van de mens. Ze hebben ons de gereedschappen gegeven voor het oplossen van een aantal van de grootste raadsels van het universum.

Toen ik vijftien was vond ik de natuurwetenschappen fascinerend, ik wist zeker dat er meer moest zijn dan cijfers en regels. Maar heel veel anderen vinden deze vakken saai en moeilijk, en ze zijn blij dat ze er vanaf zijn na de middelbare school. Naar hun idee is het iets voor nerds. Voor al diegenen die dit soort ideeën nog steeds koesteren: ik hoop dat dit boek jullie laat zien wat de natuurwetenschappen werkelijk zijn, namelijk het opmerkelijke verhaal van de menselijke verbeelding.

HOE KLOON JE EEN SCHAAP

- o HET BEGINT MET EEN CEL
- o DE MOEILIJKE BIOLOGIE VAN HET KLONEN
- o NA DOLLY
- o KLONEN SNELLEN TE HULP

In 1997 kreeg een heel gewoon Schots zwartkopschaap een heel bijzonder lam. Het klinkt onwaarschijnlijk, maar de komst van dit lam zorgde voor tienduizenden woorden in kranten, wetenschappers van over de hele wereld waren erdoor gefascineerd en mensen werden gedwongen om hun eigen geweten te onderzoeken. De geboorte van Dolly was het begin van een nieuw tijdperk in de natuurwetenschappen en deze gebeurtenis bracht een volledig nieuwe reeks van morele vragen met zich mee waar we als samenleving antwoorden op moeten vinden. De reden? Dolly was een kloon van een volwassen schaap.

HET BEGINT MET EEN CEL

Op papier lijkt klonen eenvoudig. Neem een cel van het individu dat je wilt klonen en haal er het DNA uit. Stop dat in een onbevrucht ei waaruit het eigen DNA is weggehaald. Met een trucje, gewoonlijk een stroomstoot, zorg je ervoor dat de cel zich gaat delen en vervolgens laat je de zich delende cel in het laboratorium een paar uren of dagen groeien. Als dat goed gaat, wordt het groeiende embryo in een surrogaatbaarmoeder geplaatst en moet je maar hopen dat het embryo een baby wordt.

We kunnen nu de geboorte van levende lammeren melden uit drie nieuwe celpopulaties uit een borstklier van een volwassen schaap, een foetus en een embryo.

IAN WILMUT

In werkelijkheid is het proces van *somatic cell nuclear transfer* (SCNT), zoals de standaard kloontechniek wordt genoemd, veel moeilijker. De wetenschappers van het Roslin Institute in Edinburgh, die Dolly maakten, en collega's in moleculaire biologielaboratoria overal ter wereld waren al decennialang bezig om de SCNT-techniek te doorgronden voor het succes in 1997. Ze bekeken alles zorgvuldig, van kikkers tot muizen, er werd geprikt in embryocellen in verschillende stadia en deze werden ontleed om erachter te komen hoe een enkele cel kan uitgroeien tot een volledig organisme.

De moleculaire biologie begon heel eenvoudig in de tuinen van een Oostenrijkse monnik die Gregor Mendel heette. In de negentiende eeuw was hij de eerste persoon die erfelijkheid systematisch bestudeerde door bij te houden hoe de verschillende zichtbare kenmerken van erwten, zoals de kleur van de bloem of hoe de erwt eruitzag: glad of gerimpeld, veranderden gedurende opeenvolgende plantengeneraties. Hij stelde dat zichtbare kenmerken 'overdrachtsfactoren' hadden die ouderplanten doorgaven aan hun nakomelingen in zaden. Mendel wist niet wat deze factoren waren, maar in het begin van de twintigste eeuw begonnen wetenschappers bewijzen te verzamelen dat de overdracht iets te maken had met het DNA in de kern van de cellen.

Hoe dit molecuul de informatie doorgeeft, werd onthuld toen Jim Watson en Francis Crick, die in Groot-Brittannië werkten, in 1952 kwamen met een mogelijke structuur voor DNA: een dubbele spiraalmolecuul die bestaat uit een reeks van nucleotiden, gegroepeerd in genen. Het menselijke genoom bevat ongeveer 25.000 genen: dit zijn de 'factoren' van Mendel, die de erfelijke informatie doorgeven.

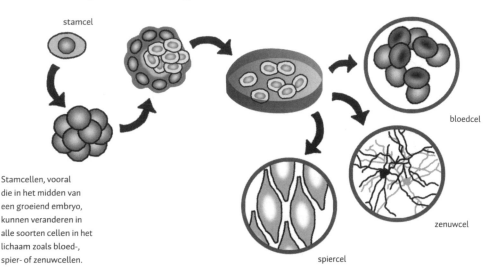

stamcel

bloedcel

Stamcellen, vooral
die in het midden van
een groeiend embryo,
kunnen veranderen in
alle soorten cellen in het
lichaam zoals bloed-,
spier- of zenuwcellen.

zenuwcel

spiercel

Elke fysieke eigenschap (en bij dieren sommige niet-fysieke) wordt van ouder op kind doorgegeven door middel van de informatie die opgeslagen is in het DNA. Dit is zonder twijfel het beroemdste molecuul in de natuurwetenschappen. De strengen van de dubbele spiraal liggen in de kernen van levende cellen. Ze bevatten nette reeksen van vier nucleotidebasen: C, G, A en T, die de onderdelen binnen in de cellen de instructies geven die ze nodig hebben om elk eiwit te maken dat het organisme nodig kan hebben. Alles, van de chemische signalen die alledaagse levensfuncties regelen tot de fysieke materialen waar spieren, bladeren en botten van zijn gemaakt, komt van de instructies die opgeslagen zijn in het DNA van een organisme. Bij dieren bevat elke cel (met uitzondering van de eitjes en zaadjes) een volledige DNA-reeks, hoewel niet alle onderdelen van het volledige genoom actief zijn in alle cellen.

Terwijl een organisme groeit, worden verschillende delen van het genoom geactiveerd in verschillende delen van het lichaam op verschillende momenten. Bij een jongen die in de puberteit komt, zorgen instructies vanuit de hersenen (in de vorm van hormonen) er bijvoorbeeld voor dat er in het lichaam veranderingen optreden: de stembanden worden langer, de spiermassa wordt groter en haar begint te groeien op nieuwe plaatsen.

DE MOEILIJKE BIOLOGIE VAN HET KLONEN

Bij normale seksuele voortplanting ontstaan nakomelingen door het vermengen van de helft van het DNA van het ene individu met de helft van het DNA van een ander individu. In alledaagse termen betekent dit dat een jong het product is van de combinatie van de helft van het DNA van de moeder met de helft van het DNA van de vader. Bij het klonen vindt er geen vermenging plaats en krijgt het jong DNA van één ouder. De eerste kopie van een dier door middel van deze methode werd gemaakt door de peetvader van het klonen, de Duitse embryoloog en Nobelprijswinnaar Hans Spemann in 1938. Hij kloonde salamanders met behulp van manipulatietechnieken van de celkern, en hij kwam ook met het idee van SCNT, hoewel hij op dat moment niet de technische mogelijkheden had om het uit te voeren.

SCNT werd uiteindelijk met succes uitgevoerd met Amerikaanse luipaardkikkers in 1952. Na muizen en konijnen werd het eerste schaap gekloond in 1986. Als basis werden embryo's in een vroeg stadium gebruikt door de Deense wetenschapper Steen Willadsen, die later ging samenwerken met Ian Wilmut. Deze Britse embryoloog werd later de Vader van Dolly genoemd en zorgde in 1997 voor de vele krantenkoppen. Voor het maken van Dolly kwamen de wetenschappers van het Roslin Institute er proefondervindelijk achter dat het donor-DNA voor een kloonprocedure afkomstig moest zijn van een cel die aan het begin staat van de celdelingscyclus. Dit DNA werd in het lege eitje geïnjecteerd met een dunne glazen naald. Een elektrische schok bracht het samengestelde eitje in een stadium waarin het met delen kon beginnen.

Het proces is berucht om de inefficiëntie. Tijdens vroege experimenten met schapen wilden onderzoekers testen of het samengestelde eitje überhaupt zou 'werken'. Daarom namen ze het DNA uit 244 natuurlijk bevruchte embryo's en dit werd geïmplanteerd in nieuwe leeggemaakte eitjes. Maar 34 van deze eitjes ontwikkelden zich tot een stadium waarin ze in een baarmoeder geïmplanteerd konden worden en uit deze 34 embryo's werden in 1995 maar vijf dieren geboren. Drie daarvan stierven snel na de geboorte, maar twee overleefden het, ze werden Megan en Morag genoemd.

Nadat ze hadden bewezen dat de technologie zou kunnen werken, gingen de onderzoekers op grote schaal aan de slag met het klonen. Ze gingen DNA gebruiken van volwassen cellen in plaats van embryocellen. Embryo's bevatten in de beginfase stamcellen die zich nog niet

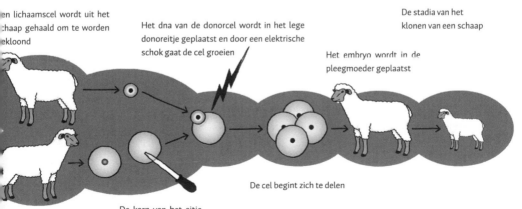

en lichaamscel wordt uit het schaap gehaald om te worden gekloond

Het dna van de donorcel wordt in het lege donoreitje geplaatst en door een elektrische schok gaat de cel groeien

De stadia van het klonen van een schaap

Het embryo wordt in de pleegmoeder geplaatst

De cel begint zich te delen

en eitje wordt bij een donorschaap weggehaald

De kern van het eitje wordt verwijderd

gespecialiseerd hebben. Met andere woorden, ze hebben nog geen instructies gekregen om te veranderen in bijvoorbeeld hart-, lever-, bot- of spiercellen. Het lijkt daarom niet al te moeilijk om alle cellen die nodig zijn voor een volledig organisme te laten groeien uit deze embryonale stamcellen.

Maar hoe zit het met het gebruik van volgroeide gespecialiseerde cellen van een volwassen dier? In bijvoorbeeld een huid-, bot- of hartcel is een groot gedeelte van het DNA niet actief omdat de instructies die in dat DNA zijn opgeslagen, niet nodig zijn voor het dagelijkse functioneren van die cel. Zou het DNA binnen zulke volgroeide cellen op een bepaalde manier in regressie kunnen worden gebracht zodat al het niet-actieve genetische materiaal wordt geactiveerd? Na 277 pogingen leidde het werk van het Roslin Institute tot de vorming van Dolly, een lam dat groeide uit het DNA van een borstcel van een volwassen dier. (Wetenschappers die zich bezighouden met de uiterste grenzen van de kennis hebben ook gevoel voor humor. Dit toonden ze aan door het schaap te vernoemen naar de rondborstige Amerikaanse countryzangeres Dolly Parton.)

NA DOLLY

Nadat Dolly had aangetoond dat het mogelijk was om zoogdieren te klonen uit volwassen cellen, begon de race om het reproduceren van de SCNT-techniek in andere dieren. Tot nu toe zijn er schapen, geiten, honden, paarden, koeien, muizen, katten, konijnen en gaur (een soort rund) gekloond. In 2007 kwamen onderzoekers met het eerste gekloonde embryo van een primaat: het lukte om een kloon te maken van een makaak.

Het is gebleken dat het moeilijker is om mensen te klonen. Na Dolly duurde het bijna tien jaar voordat het lukte om menselijke embryo's te klonen, maar tot nu toe is geen enkel embryo lang in leven gebleven. In elk geval hebben de ethische kwesties die te maken hebben met het klonen van mensen in veel landen geleid tot een verbod op de technologie. De Verenigde Naties namen in 2005 een niet-bindende resolutie aan waarin werd opgeroepen om wereldwijd het klonen van mensen te verbieden. Maar als je het aan de wetenschappers vraagt, zullen ze je vertellen dat het maken van nieuwe mensen met gebruik van het klonen nooit het onderwerp van het onderzoek is geweest. Het zogenaamde 'reproductieve klonen' van mensen zal technisch moeilijk zijn en misschien is het wel onmogelijk. Ian Wilmut schrijft in zijn boek *Na Dolly* dat het niet zeker is dat we het proces ooit genoeg zullen kunnen doorgronden voor het foutloos klonen van een mens.

Het klonen krijgt heel veel aandacht van wetenschappers omdat het veel medische mogelijkheden biedt. Er is geen enkele serieuze wetenschapper die beweert dat we levende klonen zouden moeten produceren. In plaats daarvan zou na de SCNT-procedure het eitje de kans moeten krijgen om een paar dagen te groeien totdat het stamcellen produceert waarna het gekloonde embryo vernietigd wordt. Deze techniek, die technisch gezien identiek is aan de eerste paar dagen van het reproductieve klonen, wordt 'therapeutisch klonen' genoemd.

KLONEN SNELLEN TE HULP

Therapeutisch klonen zorgt dat er hoop ontstaat voor de ontwikkeling van behandelingen die verder gaan dan wat tegenwoordig mogelijk is. Een voorbeeld is het maken van specifieke weefsels en organen voor transplantaties. Stamcelbehandelingen zouden kunnen beginnen met het nemen van een DNA-monster van een patiënt dat in een leeggemaakt eitje wordt geplaatst. Wanneer dit samengestelde eitje zich begint te delen, zouden de stamcellen van het embryo na een paar dagen geoogst kunnen worden. Deze stamcellen, die genetisch identiek zijn aan die van de patiënt, zouden dan gebruikt kunnen worden om een orgaan of weefsel te laten ontstaan dat nodig is, of voor het vervangen van hersencellen bij lastige ziektes zoals Alzheimer en Parkinson. Dergelijke transplantaten zouden niet afgestoten worden door de patiënt en het aantal gedoneerde organen dat nodig is in ziekenhuizen, zou drastisch afnemen.

Wetenschappers hebben ongelooflijke successen geboekt. De beroemde Brits-Egyptische hartchirurg Sir Magdi Yacoub van het Imperial College in Londen heeft delen van het menselijke hart gemaakt uit stamcellen. Maar er moet nog heel wat onderzoek worden uitgevoerd voordat men erover gaat denken om therapeutisch klonen te gebruiken in ziekenhuizen. Het verwijderen van bruikbare stamcellen uit menselijke embryo's is moeilijk en er zijn tegenstanders. Veel religieuze groeperingen keren zich tegen het idee dat een embryo, in hun ogen een menselijk leven, vernietigd moet worden om het werk te kunnen doen. Het stamcelonderzoek kent ook een weg die nog betreden moet worden: het verzamelen van kennis van de complexe chemische en omgevingssignalen die nodig zijn om jonge stamcellen te laten veranderen in specifieke lichaamscellen.

Er zijn maar weinig beperkingen voor wat betreft de mogelijkheden als het klonenonderzoek op de juiste manier en in het openbaar uitgevoerd kan worden. Een idee op het randje (ethisch en technisch) is de genetische modificatie van dieren voor het produceren van 'vermenselijkte' versies van organen. Dit idee, dat xenotransplantatie wordt genoemd, is een actief onderzoeksgebied. Van alle dieren die met succes zijn gekloond, zijn varkens de dieren waarvan het weefsel het meest lijkt op dat van mensen (primaatweefsel ligt genetisch nog dichter bij dat van mensen, maar het is veel moeilijker om primaten te klonen en de reproductie duurt langer). Het idee ten aanzien van de varkens is dat er klonen worden gemaakt die genetisch zijn veranderd om de genen uit te schakelen die ervoor zouden kunnen zorgen dat het menselijke immuunsysteem een getransplanteerd orgaan afstoot. Britse wetenschappers hebben vooruitgang geboekt op dit gebied. In de afgelopen jaren hebben ze laten weten dat ze erin zijn geslaagd om de activiteiten van twee van zulke genen in varkensweefsel te temperen. Sommige onderzoekers zijn zelfs zo optimistisch dat ze binnen tien jaar onderzoeken met mensen verwachten.

Maar net als alle mogelijkheden op het gebied van het klonen, zal elk gebruik weer een nieuwe lading ethische kwesties oproepen. Zou een varken moeten sterven zodat jij kunt blijven leven? Wat nog belangrijker is: zou jij willen dat er een varkenshart in je lichaam klopt?

HOE JE EEN EPIDEMIE LAAT BEGINNEN

- HOE EPIDEMIEËN BEGINNEN
- DE ZIEKTEKIEMTHEORIE
- VERSCHILLENDE SOORTEN ZIEKTEKIEMEN
- HOE ZIEKTEKIEMEN WERKEN
- HOE HET LICHAAM REAGEERT
- JE VOORBEREIDEN OP EEN AANVAL
- DE MICROBEN VECHTEN TERUG

In de film *Twelve Monkeys* roeit een terrorist in zijn eentje het grootste gedeelte van de wereldbevolking uit met alleen maar een doosje met medicijnflesjes dat hij met zich meeneemt in een vliegtuig. Elk flesje bevat pathogenen die zich heel snel over de wereld zullen verspreiden doordat geïnfecteerde passagiers naar hun bestemmingen zullen doorreizen. Het is een alarmerend, maar zeer geloofwaardig verhaal. Het is nu mogelijk om binnen een dag overal naartoe te reizen op de hele wereld, daardoor is het ook mogelijk om vervelende dingen zo ver en zo snel te verspreiden. Als mensen ergens naartoe gaan, reizen de ziektekiemen die ons ziek kunnen maken of doden, met hen mee.

HOE EPIDEMIEËN BEGINNEN

Voordat vliegtuigen onze wereld verruimden, kreeg een ziekte-uitbraak in een deel van de wereld te maken met natuurlijke grenzen die de verspreiding tegenhielden. Iedereen die geïnfecteerd was, werd beter of stierf, terwijl ze dicht bij de plek bleven waar ze de ziekte hadden opgelopen. Ze kwamen met relatief weinig mensen in contact en zo werd voorkomen dat ze de infectie doorgaven. Na een tijdje, als quarantainemaatregelen goed werden uitgevoerd, konden de ziektekiemen nergens meer naartoe en was er niemand meer die geïnfecteerd kon worden: de ziekte verdween en de uitbraak was onder controle.

Tegenwoordig vormen internationale epidemieën een groot risico. Iemand die besmet is met een griepvirus kan in Beijing op een vliegtuig stappen voordat hij last van symptomen krijgt. Twaalf uur later komt hij in Londen aan waar hij familie en vrienden ontmoet, en pas na twee of drie dagen merkt hij dat hij koorts krijgt. In de tussentijd zijn er contacten geweest met honderden mensen, op de luchthaven, in het vliegtuig, met personeel, passagiers en ook met vrienden. Een aantal van deze mensen wordt ook besmet en zij dragen het virus weer verder met zich mee tot in alle uithoeken van de wereld. Honderden infecties worden er snel duizenden, tienduizenden en daarna miljoenen.

DE ZIEKTEKIEMTHEORIE

Het besef dat ziektekiemen (alles inclusief bacteriën, virussen en parasieten) ziekte veroorzaken, is waarschijnlijk de belangrijkste bijdrage die de biologie aan de volksgezondheid heeft geleverd. Het idee van ziektekiemen in verband met ziekte werd voor het eerst door de Italiaanse arts Girolamo Fracastoro ontwikkeld in de zestiende eeuw. Het eerste vage besef van hoe ze eruitzagen (of wat het precies waren) kwam pas met de ontwikkeling van de microscoop in het begin van de zeventiende eeuw toen de Nederlander Antonie van Leeuwenhoek in water en op mensentanden 'animalcules' zag: hele kleine 'dingen' die rondzwommen en die daarvoor nog nooit waren opgemerkt. Toen de microscopen steeds beter werden, kreeg men er steeds betere beelden van en begon men beter te begrijpen wat de animalcules van Van Leeuwenhoek waren.

In 1835 toonde de Italiaanse bioloog Agostino Maria Bassi aan dat een schimmel de muscardineziekte veroorzaakte in zijderupsen. In 1850 zag de Franse natuurkundige Casimir Joseph Davaine staafvormige structuren die hij 'bacteridia' noemde, in het bloed van dieren die door miltvuur waren gestorven.

Hoewel er steeds meer bewijzen kwamen, werd de ziektekiemtheorie door artsen niet gemakkelijk geaccepteerd. Het mag dan nu wel overduidelijk lijken dat microben ziektes veroorzaken, maar denk ook even aan de Hongaarse verloskundige Ignaz Semmelweis. Tijdens zijn werk in het Algemeines Krankenhaus in Wenen in 1847 merkte hij op dat vrouwen die een baby kregen met hulp van artsen of medische studenten, twee keer zoveel kans hadden om kraamvrouwenkoorts te krijgen als vrouwen die bij de geboorte werden geholpen door vroedvrouwen. Deze ziekte kwam vaak voor in ziekenhuizen in het midden van de negentiende eeuw en kon fataal zijn. Het sterftecijfer kon tot 35 procent oplopen.

Semmelweis merkte op dat de koorts vooral optrad als de dienstdoende arts direct na een autopsie bij een geboorte assisteerde. Hij kwam met het idee dat de kraamvrouwenkoorts een infectieziekte was en dat de ziekte iets te maken had met de dode lichamen van de autopsies. Daarom moedigde hij artsen aan om na een autopsie hun handen te wassen met een chlooroplossing. Een eenvoudige procedure die ervoor zorgde dat het sterftecijfer van moeders na de geboorte veel lager werd in zijn ziekenhuis. Maar de medische wereld buiten het ziekenhuis stond in die tijd sceptisch tegenover het ziektekiemenidee. Ze verwierpen de theorie van Semmelweis terwijl hij steeds wanhopiger probeerde om zijn boodschap te verspreiden. Hij schreef openbare brieven aan vooraanstaande artsen, noemde ze moordenaars, en zelfs zijn vrouw dacht op een gegeven moment dat hij gek geworden was. Semmelweis werd in 1865 opgenomen in een krankzinnigengesticht. Kort daarna stierf hij door bloedvergiftiging. Het zou nog decennia duren voordat zijn ideeën werden geaccepteerd.

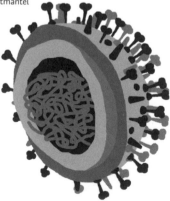

Een influenzavirus:. Het rna-materiaal is zichtbaar (in het midden) en wordt omringd door een eiwitmantel

Ondanks het werk van Semmelweis bleven ziekenhuizen over het algemeen onhygiënische plaatsen totdat de Franse scheikundige Louis Pasteur stelde dat er drie manieren waren om ziektekiemen te vernietigen: door hitte, door chemicaliën of door filtratie. De Britse chirurg Joseph Lister experimenteerde met antiseptische behandelingen voor wonden met carbolzuur en hij sproeide ook carbolzuur over operatieapparatuur.

Zo probeerde hij te voorkomen dat er bacteriën in de wonden terechtkwamen. Beide technieken zorgden ervoor dat gangreen veel minder vaak voorkwam bij zijn patiënten dan eerder het geval was. De techniek van antiseptische operaties werd aan het eind van de negentiende eeuw in brede kringen toegepast. Postuum werd Semmelweis erkend als een vroege pionier van antiseptische technieken. De ziektekiemtheorie raakte ingeburgerd.

VERSCHILLENDE SOORTEN ZIEKTEKIEMEN

Hoewel de ziektekiemtheorie algemeen werd geaccepteerd met het aanvaarden dat er bacteriën bestonden, begonnen wetenschappers zich af te vragen of er naast bacteriën ook nog andere factoren waren. In 1896 stelde de Nederlandse bioloog Martinus Beijerinck dat in water opgeloste microben, zo klein dat ze met een microscoop niet zichtbaar waren, ook ziektes zouden kunnen overbrengen. Deze microben zouden door de filters heen komen die waren ontwikkeld om bacteriën tegen te houden. Toen wetenschappers ontdekten dat bijvoorbeeld de veroorzakers van de tabaksmozaïekziekte door filters heen konden komen, noemde Beijerinck deze deeltjes 'filtreerbare virussen'. Hij vroeg zich af of er een soort besmettelijke vloeistof bestond die het veroorzaakte. Snel kwam men erachter dat filtreerbare virussen aandoeningen zoals griep, hondsdolheid, koepokken, mond-en-klauwzeer, gele koorts en koortsuitslag veroorzaakten.

Het geluk is met degenen die zich mentaal hebben voorbereid.

LOUIS PASTEUR

Tegenwoordig weten we dat er geen levende vloeistof bestaat, we noemen deze deeltjes gewoon virussen, maar toen de ziektekiemtheorie zich ontwikkelde, was het woord virus (Latijn voor gif of giftig principe) een algemene term voor alles wat een ziekte veroorzaakte of overbracht. Maar na 1930 werd virus als aparte term gebruikt, naast de term bacteriën. Pas in het begin van de jaren dertig kreeg men met de ontwikkeling van de elektronenmicroscoop beelden te zien van de virussen. Deze onthulden dat virussen een regelmatige structuur hebben en dat er heel veel verschillende vormen en groottes zijn. Van eenvoudige staafjes tot ingewikkelde structuren met staarten. Onderzoek liet ook zien dat ze niet kieskeurig zijn ten aanzien van wat ze infecteren: de Frans-Canadese bioloog Félix d'Herelle ontdekte dat er bacteriofagen bestaan: virussen die bacteriën infecteren.

HOE ZIEKTEKIEMEN WERKEN

Anders dan bacteriën die uit complete cellen bestaan die in leven blijven zolang ze een voedingsbron hebben, parasiteren virussen op een gastheer en kunnen ze zichzelf niet vermenigvuldigen. Gewoonlijk bestaan ze uit een eiwitmantel om een streng van genetisch materiaal heen. Er wordt gediscussieerd over de vraag of ze eigenlijk wel als levend kunnen worden aangemerkt. Als een virus een cel infecteert, injecteert het zijn DNA en de cel doet wat hij altijd doet wanneer hij dit soort moleculen tegenkomt: hij maakt er een kopie van. Terwijl de cel steeds meer kopieën van het virus maakt, leidt dit af van waar het de cel eigenlijk om gaat, namelijk zichzelf in leven houden. Uiteindelijk, als de cel helemaal vol zit met kopieën van het virus, barsten de kopieën uit de cel en gaan ze verder met het infecteren van meer cellen.

Gedurende dit proces, dat 'lysis' wordt genoemd, sterft de lichaamscel. Terwijl steeds meer cellen sterven, begint het geïnfecteerde organisme hier last van te krijgen en de symptomen duiden dan op een ziekte. De symptomen van de meeste virusinfecties kunnen het hele lichaam treffen. Een griepvirus zorgt bijvoorbeeld voor een loopneus, hoest en pijnlijke ledematen. De symptomen van bacteriële infecties zijn vaak meer plaatselijk. Bij een geïnfecteerde wond treedt er pijn op rond de wond, bij een bacteriële keelinfectie doet de keel vaak aan één kant pijn. Maar er zijn ook bacteriën, clostridiumbotulinum bijvoorbeeld, die gifstoffen afscheiden die overal in het lichaam schade aan kunnen richten. Een voorbeeld hiervan is spierverlamming.

HOE HET LICHAAM REAGEERT

Maar als ze zo ongelooflijk veel trucjes kennen, hoe is het dan mogelijk dat al deze kleine deeltjes ons nog niet volledig hebben uitgeroeid? Dat komt omdat de meeste multicellulaire organismen (waaronder wijzelf) het geluk hebben dat ze een immuunsysteem hebben dat vreemde binnendringers tegenhoudt. Bij mensen bestaat het immuunsysteem uit witte bloedcellen die door het hele lichaam op zoek zijn naar alles wat afwijkend lijkt te zijn. Verschillende soorten witte bloedcellen doen verschillende dingen. Sommige overspoelen binnendringende deeltjes, andere produceren antistoffen die ziektekiemen kunnen doden. Als het immuunsysteem de infectie van een bepaalde ziektekiem heeft uitgeschakeld, zal het onthouden hoe de ziektekiem in de toekomst aangepakt moet worden omdat de betreffende antistoffen in de bloedsomloop zullen blijven circuleren.

Maar het immuunsysteem heeft wel twee kanten. Vaak reageert het heftig op een ziektekiem die symptomen van een aandoening veroorzaakt, zoals hoge koorts en ontstekingen, en soms kan deze heftige reactie verwoestender zijn dan de directe schade die de microbe oplevert. De slachtoffers van de dodelijkste grieppandemie in de geschiedenis, de Spaanse griep in 1918, gingen dood toen hun lichamen te maken kregen met een beschermingsmechanisme: een immuunreactie die niet meer te beteugelen was. De longen van patiënten raakten snel ontstoken en vulden zich met bloed en andere vloeistoffen waardoor ze uiteindelijk stikten. Die griepversie hield huis onder mensen overal ter wereld, de schatting is dat er 50 miljoen mensen werden gedood voordat de ziekte uiteindelijk weer verdween.

JE VOORBEREIDEN OP EEN AANVAL

Het immuunsysteem kan voorbereid worden zelfs voordat iemand geïnfecteerd wordt met een microbe. In 1800 ontwikkelde de Engelse wetenschapper Edward Jenner het eerste vaccin. Daarvoor was er al bewijs dat een eerdere infectie met een goedaardige ziekte van koeien die koeienpokken werd genoemd, mensen beschermde tegen de pokken die veel dodelijker waren. Jenner bevestigde dat dit waar was. Louis Pasteur breidde deze techniek uit voor andere ziektes die door bacteriën en virussen werden veroorzaakt. Hij verzwakte het vogelcholeravirus om de kwaadaardigheid ervan te verminderen en ontwikkelde vaccins voor miltvuur en hondsdolheid. Verzwakte pathogenen worden nu regelmatig gebruikt om mensen een klein beetje ziek te maken om zo voor immuniteit te zorgen. Sommige ziektes zijn in het wild volledig uitgeroeid door middel van zorgvuldige controle en vaccinatie. Mensen krijgen bijvoorbeeld geen pokken meer en het pokkenvirus wordt alleen nog maar bewaard in een klein aantal laboratoria in de hele wereld. Het wordt exclusief gebruikt voor wetenschappelijk onderzoek.

Medicijnen vormen een andere reden waarom we niet uitgeroeid zijn door wilde bacteriën en virussen. De Schotse bioloog Alexander Fleming ontdekte het eerste antibioticum in 1928. Hij zag dat een schimmel die per ongeluk op een petrischaaltje was gaan groeien, antibacteriële eigenschappen had. Hij ontdekte dat de schimmel een chemisch stofje produceerde. Dit stofje werd uiteindelijk penicilline genoemd en werd op grote schaal gebruikt in de Tweede Wereldoorlog om de levens van soldaten te redden. Het duurde langer om medicijnen te ontwikkelen voor het bestrijden van virussen. Tot de ontwikkeling van de eerste antivirusmedicijnen in de jaren zestig voor de behandeling van herpes, was er maar weinig dat gedaan kon worden voor iemand die getroffen werd door een virusinfectie. Vaccinaties verkleinen de kans dat je door een virus zou worden getroffen, maar als iemand een infectie had opgelopen, konden artsen alleen maar de symptomen bestrijden, terwijl het virus zijn gang ging. In de afgelopen decennia hebben een beter begrip van de structuur van virussen en genetica wetenschappers geholpen bij het ontwerpen van medicijnen om virussen aan te vallen en ervoor te zorgen dat de virussen zich niet kunnen kopiëren in een gastheer.

DE MICROBEN VECHTEN TERUG

Voor elke immuunreactie die de effecten van een virus uitschakelt, voor elk medicijn dat een bacteriesoort uitroeit, zal er een andere ziektekiem ontstaan die resistent is tegen de bestrijders. Deze evolutionaire strijd tussen ziekteverwekkers en de levende wezens die erdoor worden aangevallen, is al miljoenen jaren aan de gang. De genomen van beide kanten werden in de loop der tijd hierdoor steeds verbeterd. Terwijl bacteriën zich vermenigvuldigen, kunnen er willekeurige mutaties plaatsvinden waardoor sommigen ongevoelig worden voor bepaalde antibiotica. Als er een ziektekiem is ontstaan die resistent is, kan deze resistentie zich snel verspreiden door een populatie en uiteindelijk kunnen bepaalde medicijnen hierdoor waardeloos worden. Dat er veel te veel antibiotica worden gebruikt, helpt hier ook niet echt bij, het leidt tot een groter aantal resistente ziektekiemen.

Waar we ons het meeste zorgen over moeten maken, is dat er op een dag in de nabije toekomst een superziektekiem zou kunnen ontstaan die resistent is tegen alle antibiotica. Onze eenzame terrorist die een epidemie wil veroorzaken die bijna iedereen doodt, zal een superziektekiem moeten vinden die nog nooit in het wild is opgedoken zodat niemand er van nature immuun voor is. Door na te gaan welke zaken ervoor zorgen dat individuele ziektekiemen resistent zijn tegen bepaalde medicijnen, zou hij er ook voor kunnen zorgen dat zijn epidemie resistent is tegen alle medicijnen. Niemand zou een dergelijke epidemie tegen kunnen houden of bestrijden. Dan zou hij op het vliegtuig stappen en kunnen toekijken hoe de ziekte zich helemaal vanzelf ongehinderd verspreidt.

HOE BLIJF JE EEUWIG LEVEN

De Duitse filosoof Martin Heidegger had gelijk toen hij over de onvermijdelijke dood schreef: 'Zodra een mens geboren is, is hij oud genoeg om te sterven.' Maar hoe sterft een levend wezen? Als het niet, zoals de denkers in de klassieke oudheid dachten, de wil van de goden is of omdat een bepaalde levenskracht wordt uitgedoofd in een lichaam dat bestaat uit aards materiaal, kan de dood dan nauwkeurig gedefinieerd worden in biologische termen? Wat betekent het, op het niveau van hormonen, cellen en moleculen, dat iets oud wordt en uiteindelijk het aardse ongerief volledig achter zich laat? En wat kunnen we doen om het tegen te houden?

WAAROM LEVEN DODELIJK KAN ZIJN

Het leven is zwaar voor het lichaam. Al die jaren waarin slechte dingen worden gegeten, gevochten wordt tegen ziektes, er stress is, botten worden gebroken, er wordt gezonnebaad, men weigert om groentes te eten en er talloze andere dingen zijn die ons leven vullen... dit alles eist zijn tol van het lichaam. Alle soorten menselijke cellen zijn op korte termijn opmerkelijk goed in het repareren van zichzelf. Als er gevaar is, wordt een heel stelsel van interne mechanismes actief om indringers te vernietigen, botten weer aan elkaar te laten groeien, beschadigingen van de huid op te lappen of het DNA te repareren binnen in de kern van de cel.

Maar het is onmogelijk dat onze toch al zwaar belaste cellen alles op kunnen lossen. Een biologische definitie van de dood is simpelweg het uiteindelijke resultaat van deze nooit eindigende uitputtingsslag: als iets ouder wordt, ontstaan er steeds meer fouten en de reparatiemechanismen kunnen die fouten gewoon niet allemaal oplossen. Misschien leidt de beschadiging van een stuk DNA tot een dodelijke kanker. Of misschien zorgen een heleboel kleine fouten, die elk op zich wel op te lossen zijn of onschuldig zijn, er met elkaar voor dat het lichaam op een bepaald moment vatbaar is voor een ziekteverwekker. Als de beschermende onderdelen van het lichaam niet snel genoeg met elkaar kunnen samenwerken, is de dood onvermijdelijk.

AFNAME

De fysieke toestand van ons lichaam is in de loop der tijd, van botten, spieren en hart tot de hersenen en het immuunsysteem, afhankelijk van alles, van erfelijkheid tot de omgeving die we uitgekozen hebben om in te leven. Toegang tot medicijnen is ook belangrijk, en zelfs het niveau van de schoolopleiding blijkt van invloed te zijn op de levensduur. Maar leeftijd zelf is een eigen risicofactor voor de dood. Er wordt nauwelijks aan getwijfeld dat oud worden de grootste risicofactor is voor het oplopen van ziektes die het leven verkorten, van dementie tot kanker.

Na het dertigste levensjaar begint het menselijke lichaam zichzelf te stroomlijnen. De individuele ervaring van veel mensen van het ouder worden is misschien tegenovergesteld (hoeveel mensen van rond de 35 kunnen zeggen dat ze nog hetzelfde figuur hebben als tien jaar daarvoor?), maar de feiten zijn duidelijk: tussen dertig en tachtig zal een persoon 40 procent van zijn spiermassa kwijtraken, en de vezels die achterblijven zijn zwakker dan de jeugdige voorgangers.

Zo waren al de dagen van Methusalem negenhonderd negen en zestig jaren; en hij stierf.
BIJBEL (GENESIS 5:27)

Hetzelfde geldt voor onze botten. De kracht en de massa van het skelet nemen toe tot begin dertig, waarna mannen per tien jaar ongeveer 1 procent van hun botmassa verliezen. Dit cijfer is hetzelfde voor vrouwen, maar rond de menopauze loopt het botverlies op tot ongeveer 1 procent per jaar. Dit onrustbarende botverlies gaat na een paar jaar minder hard en wordt hetzelfde als bij de mannen, maar de effecten ervan zijn angstaanjagend: in vijf jaar tijd kan het skelet van een vrouw na de menopauze vijftig jaar ouder worden vergeleken met het skelet van een man van dezelfde leeftijd. Zwakkere botten breken gemakkelijker. Zwakkere spieren houden in dat iemand minder goed in staat is om op de juiste manier te reageren om een val te voorkomen of om weg te springen voor een naderende auto of fiets. Beide voorbeelden kunnen verwoestende gevolgen hebben, omdat het steeds langer duurt en meer moeite kost om de noodzakelijke reparaties uit te voeren wanneer het lichaam ouder wordt.

Kanker treft alle leeftijdsgroepen, maar het absolute sterftecijfer gaat omhoog met de leeftijd. In een land als Groot-Brittannië krijgen elk jaar meer dan 140.000 mensen boven de zeventig de diagnose kanker te horen en meer dan 100.000 ervan zullen door kanker sterven. In deze leeftijdsgroep komen long-, prostaat-, borst- en darmkanker het meest voor. In alle delen van de wereld worden de mensen steeds ouder en de verwachting is dan ook dat deze cijfers alleen maar zullen stijgen.

GEPROGRAMMEERD OM TE STERVEN?

Lichaamscellen zijn zich voortdurend aan het delen. Dit is heel duidelijk wanneer baby's in kinderen veranderen en kinderen volwassenen worden. Maar de lichaamscellen van een volwassene worden ook regelmatig vervangen, ten dele om de plaats in te nemen van de cellen die sterven doordat ze zijn beschadigd terwijl we ons dagelijkse leven leiden. Een van de meest schadelijke dingen voor een lichaamscel is iets wat zichzelf maakt: een vrije radicaal. Dit is een zeer reactief molecuul, een bijproduct van de metabolische reacties die binnen in cellen plaatsvinden, waardoor voedsel wordt veranderd in bruikbare energie. Vrije radicalen jagen door het lichaam en beschadigen alles waar ze mee in contact komen. Van de eiwitten die de structuren en enzymen vormen, tot de vetten die de cellen omringen, en zelfs het DNA in de celkern. Beschadiging van de eiwitten kan leiden tot verschillende symptomen, afhankelijk van de plek waar de vrije radicalen toeslaan. In een nier kunnen ze nierfalen veroorzaken, ze kunnen stijfheid van bloedvatwanden veroorzaken, terwijl beschadiging van DNA leidt tot een cel die niet in staat is om de eiwitten te produceren die het nodig heeft om goed te kunnen werken.

Terwijl cellen hun functies uitvoeren, of ze nu deel uitmaken van bloed, lever, huid of spier, zullen ze uiteindelijk schade oplopen door vrije radicalen, giftige stoffen of door andere fysieke redenen. Ze zullen minder efficiënt worden in wat ze doen. Veel cellen zullen sterven. Er zijn altijd nieuwe cellen nodig met nieuwe onderdelen ter vervanging van de zieke of stervende cellen. In een proces dat mitose wordt genoemd, zal een gezonde lichaamscel zich in een aantal dagen splitsen in tweeën – elke cel is een exacte kopie van het origineel. De twee nieuwe cellen kunnen nu het dubbele werk uitvoeren.

Telomeren (de zwarte uiteinden van deze chromosomen) voorkomen dat een normale lichaamscel zich te vaak deelt.

Maar bij celdelingen zijn er ook problemen. In cellen die heel vaak zijn gesplitst, stapelen mutaties van het dna zich op doordat geen enkel kopieerproces in een dergelijk complex molecuul ooit perfect kan zijn. De meeste mutaties hebben geen effect op het functioneren van een cel, maar zo nu en dan kan DNA-beschadiging leiden tot ongebreidelde celsplitsing en kanker. Daarom hebben cellen meerdere ingebouwde beperkingen voor het aantal keren dat ze kunnen splitsen. Een mechanisme, het wordt *apoptosis* genoemd, wordt geactiveerd wanneer een cel zo zwaar beschadigd is dat deze niet meer gerepareerd kan worden. Deze ingeprogrammeerde zelfmoord van een cel betekent dat de cel uit het lichaam verdwijnt voordat deze nog meer schade aan kan richten.

Bij het mechanisme dat voorkomt dat te veel gevaarlijke mutaties zich opstapelen in het DNA, zijn ook de uiteinden van de chromosomen binnen in de cellen betrokken, ze worden *telomeren* genoemd. Elke keer wanneer een cel zich deelt, wordt het DNA gekopieerd, maar de telomeren die vastzitten aan de chromosomen zoals het plastic aan het uiteinde van veters, worden korter. Als de telomeer te kort is geworden, kan de cel zich niet meer delen. De telomeren worden korter na elke splitsing en dit houdt in dat er een beperking is aan het aantal keren dat een cel zich kan splitsen, en, wellicht, ook een limiet aan de leeftijd van een cel. Als een lichaamscel zich niet meer kan delen, na het aantal gegeven splitsingen, zal de lichaamscel uiteindelijk sterven of blijven werken op een veel lager niveau dan het optimale niveau.

Als je bedenkt dat er miljoenen lichaamscellen zijn, is het niet moeilijk om in te zien dat het lichaam hieronder zal lijden. Of de telomeren de tikkende klokken zijn van onze levensduur, is nog niet volledig bewezen. Experimenten met draadwormen die genetisch gemanipuleerd werden zodat ze langere telomeren hadden, toonden aan dat ze een langere levensduur hadden, maar of het verband tussen telomeren en de veroudering van cellen oorzakelijk of toevallig is, is nog steeds een punt van discussie.

HET ONVERMIJDELIJKE TERUGDRAAIEN

De dood mag dan onvermijdelijk zijn, maar de weg ernaartoe hoeft niet kort of pijnlijk te zijn, wat voor obstakels we ook tegenkomen op ons levenspad. De moderne geneeskunde heeft al opmerkelijke successen geboekt door het verlengen van onze levensduur en dat blijft maar doorgaan: morgen tegen deze tijd is je levensduur al weer verlengd met bijna vijf uur. Aan het begin van de twintigste eeuw werd iemand van zestig gezien als iemand die aan de rand van het graf stond. Honderd jaar later zijn mensen van zestig nauwelijks oud genoeg om met pensioen te gaan.

Naast de vele behandelingen die al beschikbaar zijn voor ziektes zoals kanker, hoge bloeddruk en diabetes, werken wetenschappers ook aan een reeks medicijnen tegen de afname van lichaamsweefsels. Er zijn al medicijnen die kunnen voorkomen dat spieren en botten zo snel minder worden en onderzoeksteams werken aan manieren om de groei van deze vitale onderdelen van het lichaam veilig te stimuleren, zodat oudere mensen gezondere levens kunnen leiden.

Stamcellen – de cellen van het lichaam die kunnen veranderen in elk type weefsel in het lichaam – zijn ook veelbelovend. Schade aan organen door een ongeluk of een ziekte zou op een dag gerepareerd kunnen worden door voor een patiënt op maat gemaakte cellen, maar dit zal nog wel een aantal decennia duren. Op de nog langere termijn zullen er mogelijk geneesmiddelen worden ontwikkeld voor hersenziektes. Voor dementie bestaat op dit moment geen geneesmiddel en er zijn maar weinig aanknopingspunten, maar wie weet wat de volgende generatie van brainscanners en neurologische medicijnen op zal leveren?

TIPS VOOR EEN LANGER LEVEN

Alle genoemde behandelingen richten zich op de symptomen in plaats van op de veroorzakers van het verouderingsproces. Kunnen we iets doen om de gestage opmars van de dood te stoppen of te vertragen? Het onderzoek hiernaar is fragmentarisch en niet overtuigend. Genetisch onderzoek toont aan dat er geen instructie in ons DNA aanwezig lijkt te zijn die aangeeft wanneer we moeten sterven.

Maar er zijn wel diverse genen die verantwoordelijk zijn voor zeer verschillende lichaamsfuncties die een cumulatief effect hebben op het verouderingsproces. Hier volgt een aantal intrigerende aanwijzingen. Het is mogelijk dat het helpt als je minder gaat eten. Tijdens experimenten bleek dat ratten die maar weinig calorieën kregen, fysiologisch jonger waren. Ze kregen op latere leeftijd ziektes en hun levensduur werd met maximaal 30 procent verlengd. Men denkt dat de ratten doordat ze minder calorieën kregen, in een soort stagnatietoestand kwamen waarin groei en veroudering tijdelijk werden vertraagd.

Experimenten met gisten leveren ook interessante aanwijzingen op voor een langer leven. Wetenschappers slaagden erin om gistcellen zes keer langer te laten leven dan normaal door de acties te blokkeren van twee genen. Het ene bepaalt hoe goed gist in staat is om voeding om te zetten in energie, terwijl het andere gen een rol speelt in het leiden van de energie naar groei- en reproductieprocessen. Tot nu toe zijn er minstens tien genen ontdekt in gisten die een effect lijken te hebben op hoe gist verouderd. Ondanks deze uitkomst hoeven we waarschijnlijk niet te benadrukken dat mensen veel complexer zijn dan gisten.

Andere, meer extreme ideeën, om het leven te verlengen tot duizend jaar of nog langer zijn onder andere gentherapie om beschadigingen te herstellen en het implanteren van bacteriën in mensen voor het opruimen van afval en vrije radicalen, die zich opstapelen in de cellen terwijl die cellen hun dagelijks werk doen.

Maar het uitstellen van de dood is niet alleen maar een geval van hoge concepttechnologie dat er na enkele decennia zou kunnen zijn. Erin slagen om een langer en gezonder leven te leiden draait om eenvoudige kwesties zoals de kwaliteit van het onderhoud. Begin met een lichaam van hoge kwaliteit (en dat betekent dat je groenten eet, niet rookt en veel beweegt in je jongere jaren). Er is dan geen reden waarom je niet lang door zou kunnen gaan, tot nu toe niet eeuwig, maar wel tot voorbij je honderdste.

Percentage van mensen in een populatie die in leven bleven tot een bepaalde leeftijd. De gemiddelde levensverwachting ging omhoog van 68 in 1901 naar 77 in 2003.

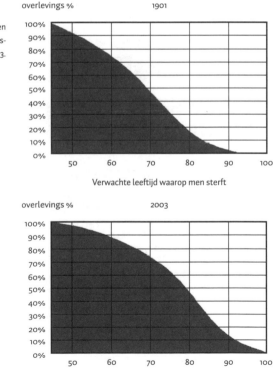

overlevings %   1901

Verwachte leeftijd waarop men sterft

overlevings %   2003

Verwachte leeftijd waarop men sterft

HOE WE ZIEKEN GEZOND KUNNEN MAKEN

- WAT IS EEN MEDICIJN?
- MOLECULAIRE ACTIE
- PROBLEMEN DIE ONS LICHAAM BEDREIGEN
- JEZELF BEHANDELEN ZONDER MEDICIJNEN
- EEN MEDICIJN OP MAAT GEMAAKT VOOR JOU?

Sommige mensen nemen bijna instinctief een aspirine als ze maar een beetje hoofdpijn krijgen. Je weet hoeveel je moet nemen, waarvoor je het moet nemen en je verwacht dat het snel werkt zonder slechte bijwerkingen. Maar waar het medicijn vandaan komt en waar het uit bestaat, zal je waarschijnlijk niet interesseren. Hippocrates van Kos, de vader van de westerse geneeskunde, dacht ook zo over het poeder dat hij van de wilgenboom maakte in 450 v.Chr., maar het ontwikkelen van medicijnen is uitgegroeid tot een machtige industrie waarin heel veel geld omgaat. En ze beweren dat ze alles kunnen genezen, van erectiestoornissen tot kanker.

WAT IS EEN MEDICIJN?

Het actieve ingrediënt in aspirine is een aangepaste versie van de chemische stof *salicine* die acetylsalicylzuur wordt genoemd. Het Duitse bedrijf Bayer ontwikkelde de stof tot een medicijn dat op de markt gebracht werd aan het begin van de twintigste eeuw. Aspirine werd heel populair na de Spaanse griepepidemie in 1918. Hoewel er in de afgelopen eeuw op grote schaal andere pijnbestrijdingsmedicijnen werden geïntroduceerd, zoals paracetamol en ibuprofen, is aspirine tegenwoordig nog steeds populair, gedeeltelijk vanwege het feit dat er meerdere toepassingsmogelijkheden zijn. Aspirine heeft antistollingseigenschappen in het bloed waardoor het nuttig is bij het voorkomen van hartaanvallen en beroertes, en experimenteel wordt het gebruikt als bescherming tegen leverbeschadiging en als middel om te voorkomen dat iemand dood gaat door bijvoorbeeld borst- of darmkanker.

De artsen in de oudheid kenden al duizenden medicinale mengsels, maar in de moderne farmacologie staat de vraag centraal hoeveel van een bepaalde chemische stof veilig gegeven kan worden aan een persoon en hoeveel nodig is, gedurende hoeveel tijd, om een bepaald probleem op te lossen. Alles wat te koop is bij de plaatselijke apotheek, heeft een lange reis gemaakt vanuit het laboratorium van de biochemicus. Omdat ze de gezondheid behoorlijk kunnen beïnvloeden, worden medicijnen door regeringsinstanties gecontroleerd en mogen ze pas verkocht worden na uitgebreide testprocedures om erachter te komen of ze veilig en effectief zijn. Er is heel veel geld voor nodig en het duurt vele decennia voordat een medicijn op de markt gebracht kan worden.

Vroeger was dat niet het geval. Voordat regeringen zich gingen bemoeien met medicijnen en controle gingen uitoefenen op de veiligheid ervan, gebruikten mensen regelmatig krachtige medicijnen zoals digitalis, nitroglycerine en kinine voor hartziektes of insuline voor diabetes. Tijdens de Tweede Wereldoorlog werd het gebruik van antibiotica gemeengoed

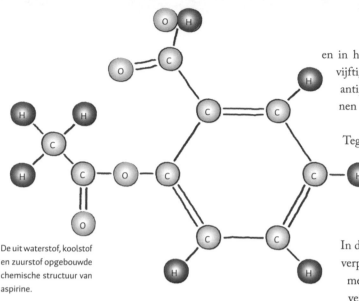

De uit waterstof, koolstof en zuurstof opgebouwde chemische structuur van aspirine.

en in het begin van de jaren vijftig was het gebruik van antipsychotische medicijnen al gewoon geworden.

Tegenwoordig wordt alles wat als medicijn wordt verkocht, onderworpen aan een goedkeuringssysteem. In de meeste landen is het verplicht dat een mogelijk medicijn getest wordt op veiligheid en effectiviteit tijdens verschillende stadia van klinische testen. Tijdens het beginstadium wordt het medicijn onder andere getest op giftigheid en veiligheid door het aan dieren te geven. Hierna volgen testperiodes met mensen die de aandoening die door het medicijn moet worden aangepakt, wel of niet hebben. Dit onderdeel kan meerdere jaren doorgaan, afhankelijk van de aandoening en de behandelingsmethoden waarmee het nieuwe medicijn wordt vergeleken.

Dit onderdeel kan ook dubbelblind worden uitgevoerd zodat niemand weet wie het nieuwe medicijn krijgt en wie de controlebehandeling. Door middel van de klinische testen kunnen onderzoekers gegevens verzamelen over hoe effectief het nieuwe medicijn is en zien of er onverwachte gevaren zijn die het medicijn met zich meebrengt en die niet konden worden voorspeld door laboratoriumproeven of met dierproeven.

MOLECULAIRE ACTIE

Farmaceutica zijn chemische stoffen die in het lichaam worden gebracht en invloed uit kunnen oefenen op de normale biologische functies van het lichaam. Elke dag bruist ons lichaam van de chemische reacties die allemaal bedoeld zijn om een bepaalde stap in het stofwisselingsproces uit te voeren. Sommige van deze reacties maken de energie vrij die nodig is voor het openen en sluiten van receptoren, dat zijn eiwitmoleculen die ingebed zijn in de buitenkant van celwanden. Receptoren staan specifieke chemische signaalstoffen, zoals hormonen, neurotransmitters of kleine eiwitten, toe om zich te hechten.

Als een molecuul vastzit aan een receptor, een beetje alsof het een sleutel is die in een slot past, zal het een reactie van de cel oproepen. Bij een hersencel kan het de afgifte van dopamine, een hormoon dat van doorslaggevend belang is bij het reguleren van alles, van een plezierig gevoel tot het maken van herinneringen en de fijne beheersing van de spieren, veroorzaken. Een cel heeft veel soorten receptoren die elk afgestemd zijn op een specifiek chemisch signaal. Medicijnen hechten zich ook aan de receptoren. Ze doen dat met dezelfde reden als elk ander signaalmolecuul: er moet een reactie worden opgeroepen. Een medicijn kan uitgekozen worden voor een bepaalde taak omdat het overeenkomt met een bepaald signaalmolecuul (het kan een gelijksoortige vorm hebben als de moleculaire 'sleutel' die nodig is om in het specifieke receptor-'slot' te passen) en een reactie kan oproepen.

Medicijnen voor hoge bloeddruk beïnvloeden de onderdelen die de ziekte veroorzaken, zoals de hartslag en hoe gemakkelijk de bloedvaten uitzetten en samentrekken. Cholesterolmedicijnen richten zich op de stofwisseling en de vorming van cholesterol. Diabetesmedicijnen proberen om de gevoeligheid van spieren en vet te vergroten voor de werking van insuline, terwijl ze de afgifte van het hormoon zelf door de alvleesklier beter reguleren.

PROBLEMEN DIE ONS LICHAAM BEDREIGEN

Zelfs na alle veiligheidstesten kunnen moderne medicijnen uitgebreide bijwerkingen hebben. Het zijn tenslotte krachtige chemische stoffen en alles wat wordt gebruikt om een probleem in een bepaald deel van het lichaam te behandelen, zal niet alleen maar in dat deel blijven. Dit kan ongewenste effecten hebben zoals misselijkheid, hoofdpijn, koorts of ernstigere allergische reacties. In Groot-Brittannië is de schatting dat 5 tot 10 procent van de ziekenhuisopnames het gevolg is van slecht reageren op medicijnen.

Soms komen medicijnen door de klinische testen, worden ze goedgekeurd en blijken ze later toch problemen te veroorzaken. Het pijnbestrijdingsmiddel Vioxx, gemaakt door farmaceutisch bedrijf Merck, werd goedgekeurd als middel om artritis en andere soorten pijn te behandelen. Wereldwijd kregen ongeveer 80 miljoen mensen dit medicijn of vergelijkbare middelen voorgeschreven. Maar in 2004 haalde Merck het medicijn van de markt, omdat men zich zorgen maakte over het feit dat gebruik van het middel op de langere termijn het risico van hartaanvallen of beroertes zou kunnen vergroten.

JEZELF BEHANDELEN ZONDER MEDICIJNEN

Vanwege de mogelijke problemen die krachtige chemische stoffen met zich meebrengen, is het de moeite waard om na te denken over de therapeutische effecten die het denken met zich mee kan brengen. Een placebo is een nepmedicijn dat door artsen wordt gegeven en dat meetbare effecten kan hebben op het welbevinden van een persoon. Het is niet iets van charlatans die niet weten wat ze doen, het placebo-effect is een fenomeen dat vaak is onderzocht en dat opgenomen is in de geneeskundige praktijk. Placebo's zien eruit als normale medicijnen, het zijn pillen of injecties, maar ze bevatten geen actieve ingrediënten. Bij de klassieke behandeling wordt een placebo aan een patiënt gegeven en wordt hem of haar verteld dat ze door deze pillen zullen opknappen. Er wordt niet verteld dat de 'medicijnen' die worden voorgeschreven, niet meer zijn dan suikerpillen. Als de patiënt zich na de behandeling beter voelt, zou dit het gevolg kunnen zijn van een subjectief gevoel: omdat hij of zij een behandeling heeft ondergaan, moet het wel hebben gewerkt.

Het placebo-effect is niet perfect. De arts moet zijn patiënt misleiden en dit roept ethische vragen op: wordt er wel rekening gehouden met wat het beste is voor de patiënt? En of een placebo werkelijk een fysiologisch effect heeft, is moeilijk vast te stellen. In meerdere wetenschappelijke artikelen kon het niet overtuigend worden bewezen. Maar toch blijkt uit experiment na experiment dat placebo's soms net zo krachtig kunnen zijn als medicijnen, terwijl ze het voordeel hebben dat er maar weinig of helemaal geen bijwerkingen zijn. Een placebopil die als stimulerend middel wordt gegeven, zal de hartslag en bloeddruk verhogen, maar gepresenteerd als ontspannend middel, is het fysiologische effect ervan het tegenovergestelde. Een alcoholplacebo kan een gevoel van dronkenschap oproepen en zorgen voor coördinatieverlies. Het uiterlijk van een placebo kan ook van invloed zijn: blauwe pillen zijn betere ontspanningsmiddelen, terwijl de rode beter werken als stimulerend middel. Grote pillen kunnen het placebo-effect vergroten, pillen lijken vaker te werken dan tabletten en injecties lijken effectiever dan pillen.

EEN MEDICIJN OP MAAT GEMAAKT VOOR JOU?

Er gaat heel veel geld om in het maken en de verkoop van medicijnen. Heel veel ideeën zijn tot nu toe voortgekomen uit observatie van gewone mechanismen van een ziekte of van de effecten die microben hebben op het lichaam. Ze zijn niet gericht op specifieke individuen en kunnen zeer uiteenlopende effecten hebben bij verschillende mensen. Dat hoeft niet problematisch te zijn, het kan gaan om twee mensen die een verschillende dosis van een medicijn nodig hebben om hetzelfde effect te bereiken. In extreme gevallen kun je echter met een bepaald medicijn het ene individu goed behandelen, terwijl hetzelfde medicijn bij iemand anders een heftige allergiereactie veroorzaakt.

In een poging om deze verschillen te begrijpen zijn wetenschappers gaan kijken naar het menselijke genoom, de DNA-reeksen die onze individuele lichamen coderen en die voor een groot deel bepalen hoe onze individuele stofwisseling omgaat met verschillende medicijnen.

De menselijke genetische variatie is heel groot op het niveau van individuele mutaties en er zijn versies van genen voor alles, van haarkleur tot het regelen van de stofwisseling. Deze variaties vormen kleine verschillen in de genetische code tussen mensen en gewoonlijk zijn het geen indicators voor ziekte of abnormaliteit. Maar vele zullen tevoorschijn komen in heel kleine fysiologische manifestaties, in hoe efficiënt bepaalde receptoren of onderdelen van de stofwisselingsketen werken bijvoorbeeld. In zekere zin hebben dokters hier al een tijd rekening mee gehouden. Door te kijken naar de familiegeschiedenis kunnen ze patiënten vertellen dat ze een hoger risico hebben op het krijgen van bepaalde ziektes. Bovendien hebben ze ons altijd al geadviseerd dat we gezond moeten eten en regelmatig moeten sporten om de schade van vetzucht te vermijden.

Er zijn twee factoren die genetica in de afgelopen jaren relevanter hebben gemaakt voor de geneeskunde: in wetenschappelijke tijdschriften wordt voortdurend geschreven over nieuwe en betere kennis van de verbanden tussen genetische variatie en veelvoorkomende aandoeningen; en de kosten van het lezen van het DNA gaan snel naar beneden. Deze twee factoren samen luiden een tijdperk in waarin artsen precies zullen weten wat voor DNA-varianten een patiënt heeft. Deze kennis, samen met de bekende factoren zoals leeftijd, gewicht en allergieën, stelt dokters in staat om een bepaald medicijn voor te schrijven waarvan de kans dat het werkt, veel hoger is.

Maar het duurt wel even voordat wordt gevonden wat in de grote hoeveelheid informatie die voortkomt uit genetische analyse, gezocht wordt. Sommige ziekten worden veroorzaakt door een enkele DNA-mutatie, maar daar zijn er maar een paar van. Bij de meeste ziektes is er een complexe interactie tussen heel veel verschillende genen en leefstijlfactoren. Vroege resultaten van het in kaart brengen van varianten zien er veelbelovend uit: ze lijken nu al nuttig te zijn voor het vaststellen van de dosis van medicijnen zoals het antistollingsmiddel warfarin. Andere voorbeelden zijn onder andere genenvarianten die te maken hebben met het maken en verwerken van cholesterol, waardoor sommige mensen minder vatbaar zijn

Farmacogenetica, dat vanuit mijn perspectief een van de meest veelbelovende gebieden van op maat gemaakte geneeskunde is, blijkt ook extreem complex te zijn, en dat hadden we kunnen weten.
FRANCIS COLLINS

voor de effecten van medicijnen zoals statine. In zulke gevallen zou een arts een medicijn kunnen voorschrijven dat beter geschikt is.

De miljoenen chemische reacties die plaatsvinden in onze lichamen, voeren een opmerkelijke choreografie uit om ervoor te zorgen dat we blijven functioneren. Het is complexe biochemie die elk klein onderdeeltje maakt van het grotere geheel dat we leven noemen. Zo nu en dan kunnen een of meerdere zaken fout gaan of werken ze niet goed. Gelukkig vinden we steeds verfijndere manieren om deze fouten op te sporen en op te lossen, om deze problemen te beheersen en onze biochemie zo aan te pakken dat we ons beter voelen.

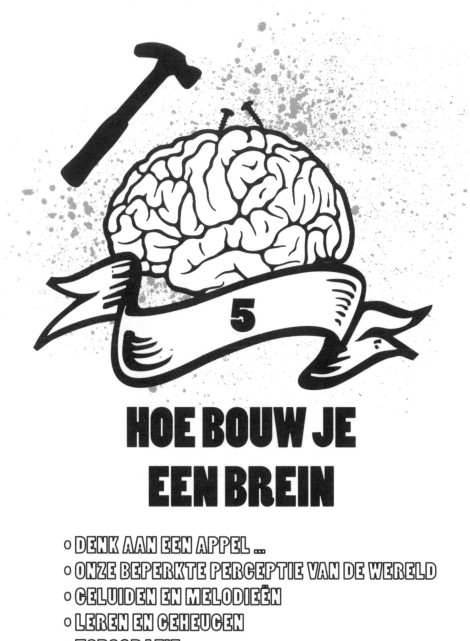

HOE BOUW JE EEN BREIN

- ○ DENK AAN EEN APPEL ...
- ○ ONZE BEPERKTE PERCEPTIE VAN DE WERELD
- ○ GELUIDEN EN MELODIEËN
- ○ LEREN EN GEHEUGEN
- ○ TOPOGRAFIE
- ○ BOUWBLOKKEN
- ○ GRENZEN

Het menselijke brein is een massa vetweefsel en water, die er niet bepaald indrukwekkend uitziet en iets meer dan een kilo weegt. Maar door dit weke orgaan zijn we anders dan alle andere dieren op aarde. Met recht kunnen we zeggen dat ons brein het hoogtepunt vormt van het biologische evolutieproces. Dit pakket van vezels en verbindingen waar elektriciteit doorheen zoeft, heeft onze soort het vermogen gegeven om literaire meesterwerken te schrijven, gouden medailles te winnen op de Olympische Spelen, de kwantumfysica te ontdekken en op de maan te lopen.

DENK AAN EEN APPEL...

Heel eenvoudige dingen kunnen veroorzaakt worden door bepaalde complexe fysiologische activiteiten in de hersenen. Als je bijvoorbeeld aan een appel denkt, zul je meteen aan een rond voorwerp denken dat gemakkelijk in een hand past. Het kan rood of groen zijn of een combinatie van die twee (wellicht is het ook nog een beetje roodbruin), en misschien voel je hoe je mond zich een beetje samentrekt als je eraan denkt hoe zuur de appel kan zijn als je erin bijt.

Het is leerzaam om je af te vragen hoe het komt dat je aan al deze dingen denkt, hoe het je is gelukt om de herinneringen en de kennis naar boven te brengen die bij de appel horen. Bestaat er misschien een 'appelneuron' waarin alles wordt opgeslagen wat je moet weten, en dat geactiveerd wordt wanneer je het fruit ziet of eraan denkt? Dit suggereert dat er in al onze geheugens neuronenverzamelingen zouden moeten zijn waarin de relevante informatie voor elk voorwerp wordt opgeslagen. Er zou dan een neuron zijn voor je favoriete liedje, een neuron voor elke vriend, eentje voor je moeder.

Maar er is een probleem met dat idee. Een appelneuron zou een hele lading eigenschappen moeten 'herkennen', inclusief grootte, vorm, smaak en reuk, en het zou ook in staat moeten zijn om al die gegevens in te passen in het algemene concept dat je zou kunnen hebben van fruit, voedsel en honger. En dan hebben we het nog niet eens over de herinneringen aan appels die je kunt hebben of over de Apple-computer of het Apple-platenlabel van de Beatles, die ineens in je hoofd opduiken. En hoe zit het met gedachten over de appeltaart die je moeder maakt? Worden die aparte neuronen voor appel, moeder en appeltaart tegelijkertijd actief? Of is er een ander, apart, neuron voor 'mijn moeders appeltaart'? En waar komt die slagroom nou ineens vandaan?

Het is een zootje. Neurowetenschappers denken echter dat alle informatie (van kennis van voorwerpen of geuren tot aangeleerde vaardigheden en de dierbare herinneringen aan vakanties in je jeugd) wordt opgeslagen in netwerken van neuronen. Om nog specifieker te zijn: in de verbindingen tussen de synapsen. Elke dag worden nieuwe verbindingen gemaakt en verbindingen worden verbroken, afhankelijk van de ervaringen die we opdoen en de gewoontes die we oppikken. Hoe vaker we een synaps gebruiken, hoe sterker die wordt. Synapsen die worden verwaarloosd, gaan verloren. Netwerken in verschillende delen van de hersenen die elk verantwoordelijk zijn voor een ander aspect van perceptie of van een zintuig, werken op elk moment parallel om het beeld te vormen van de wereld om ons heen.

ONZE BEPERKTE PERCEPTIE VAN DE WERELD

Als licht je ogen treft, gaat het door je hoornvlies, wordt het op je netvlies scherpgesteld door de lens en vervolgens wordt het verwerkt door gespecialiseerde cellen die fotoreceptoren worden genoemd. Een aantal van de 125 miljoen fotoreceptoren die aan de achterkant van het oog zitten, absorberen het licht en sturen elektrische signalen naar de dichtstbijzijnde neuronen. De signalen gaan via de oogzenuw naar de visuele cortex in de hersenen. De linkerhelft van het beeld van elk oog wordt verwerkt in de rechterhelft van de hersenen en de rechterhelft van elk beeld wordt verwerkt in de linkerhersenhelft.

Rechter gezichtsveld

Linker gezichtsveld

Beelden aan de rechterkant van ons gezichtsveld worden verwerkt door de linker hersenhelft en andersom.

Primaire visuele cortex

Hoe visuele informatie wordt verwerkt in de hersenen, wordt nog niet helemaal begrepen, maar wetenschappers weten wel dat het heel veel werk is: ongeveer een kwart van het werk dat hersenen doen bestaat uit het omgaan met de invoer die via de ogen binnenkomt. En toch laten we ons gemakkelijk voor de gek houden. Goocheltrucs bijvoorbeeld gooien ons zorgvuldig geconstrueerde mentale plaatje van de wereld volledig door elkaar. Voorwerpen lijken te zweven in de lucht en munten en kaarten verdwijnen voor onze ogen omdat onze hersenen selectief zijn voor wat betreft de keuze van de stukjes zintuiglijke informatie die moeten worden verwerkt.

Wetenschappers weten dat we alleen informatie van hoge kwaliteit ontvangen van het gebied waar we ons op richten, recht voor je, in het midden van ons gezichtsveld. Als je een arm voor je uitstrekt, zie je die arm scherp voor je in het midden van je gezichtsveld, maar al het andere is behoorlijk vaag. Dit compenseren we door onze ogen rond te laten gaan om de gaten op te vullen en om een beter plaatje te vormen van de wereld om ons heen. Onze hersenen filteren een heel groot gedeelte van de zintuiglijke invoer die binnen komt stromen, uit onze omgeving weg. Je kunt naar iets kijken zonder je daar bewust van te zijn als je aandacht ergens anders op is gericht.

GELUIDEN EN MELODIEËN

Ons gezichtsvermogen is in zekere zin beperkt en het kost veel moeite om alle informatie te verwerken, maar bij geluid gaat het allemaal om een zorgvuldige verwerking. De onderdelen van de hersenen die deze zintuiglijke informatie verwerken, bevatten miljoenen neuronen die verschillende soorten geluid herkennen. Sommige reageren op zuivere tonen, andere op complexe muzikale noten. Sommige neuronen worden actief als we frequenties horen die omhoog gaan, andere als het geluid kort is in plaats van lang. Andere neuronen combineren de informatie die verwerkt werd in andere delen van de hersenen zodat we een woord of geluid herkennen. Hoewel geluiden worden verwerkt in beide hersenhelften, hebben onderzoekers ontdekt dat de linkerhersenhelft geneigd is zich te specialiseren in het begrijpen en produceren van spraak. Als het linkerdeel van de auditieve cortex wordt beschadigd, is het mogelijk dat iemand nog wel kan horen maar taal niet meer begrijpt.

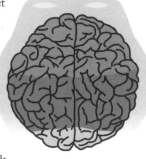

LEREN EN GEHEUGEN

De hersenen slaan informatie op in herinneringen en leren is het biochemische proces waarbij herinneringen worden vastgelegd of worden veranderd. Het vermogen om te leren en alledaagse feiten en gebeurtenissen te herinneren, wordt declaratief geheugen genoemd. Het wordt bestuurd in de cerebrale cortex. De informatie gaat naar dit deel via de prefrontale cortex waar tijdelijke informatie is opgeslagen en die ook actief is wanneer we aan oude herinneringen denken. Herinneringen aan gebeurtenissen en persoonlijke ervaringen, het episodisch geheugen, worden in netwerken van neuronen opgeslagen in de mediale temporale kwab en verschillende onderdelen houden de 'wat, waar en wanneer'-informatie bij van gebeurtenissen die worden onthouden.

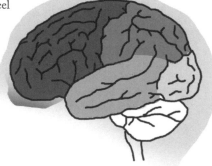

Bij de vorming van een herinnering worden de synapsen tussen neuronennetwerken versterkt. Wetenschappers van de University of California in Los Angeles hebben zelfs gezien hoe deze netwerken werden gemaakt, al was het dan alleen maar in de relatief eenvoudige hersenen van zeeslakken. Tot nu toe heeft nog niemand gezien hoe een mens een herinnering maakt, maar de manieren om actieve hersenen te bekijken worden steeds beter en dus zal het niet lang duren voordat het wel zichtbaar wordt.

De hersenschors bestaat uit vier kwabben (met de klok mee vanaf het donkergrijze deel boven): frontale, pariëtale, occipitale en temporale kwabben. Het onderste witte gebied is het cerebellum (de kleine hersenen).

TOPOGRAFIE

Het buitenste gedeelte van de hersenen, de hersenschors, bestaat uit vier onderdelen: de occipitale, temporale, pariëtale en frontale kwabben. In deze gebieden worden veel van de hogere motorische en gevoelsfuncties bestuurd zoals horen, zien en spraak. De interne structuur van de hersenen is meer gevarieerd. In de hersenen aan de voorkant worden de cognitieve taken uitgevoerd, die we associëren met de hogere intellectuele vermogens, inclusief denken, plannen en het oplossen van problemen. Helemaal in het midden van de hersenen ligt de thalamus, een regelstation dat alle informatie coördineert die vanuit de verste uithoeken van het lichaam de hersenen binnenkomt. Vlak onder de thalamus ligt de hypothalamus, de schakelkast voor het reguleren van interne systemen. Hiervoor wordt informatie gebruikt die geleverd wordt door het autonome zenuwstelsel. Het reageert dan met instructies door zenuwimpulsen terug te sturen, of de hypofyse krijgt de instructie om hormonen af te geven. Daaronder ligt de hippocampus die een rol speelt in het geheugen, en de amygdala, een van de meest primitieve onderdelen van de hersenen, die een rol speelt bij emoties en het waarschuwen voor gevaren in onze omgeving. Aan de achterkant van de hersenen, vlak boven de aansluiting met het ruggenmerg, liggen de pons en het verlengde merg, die betrokken zijn bij de regulatie van de ademhaling en hartslag. Erachter ligt het cerebellum, de kleine hersenen. Het cerebellum helpt bij de coördinatie van bewegingen en bij cognitieve processen waar uiterst nauwkeurige timing nodig kan zijn.

Geloof is een krachtige component geweest van de menselijke natuur, die eigenlijk een beetje is verwaarloosd. Maar marketingmensen, politici en religieuzen hebben er de laatste twee millennia munt uit geslagen.
PETER HALLIGAN

De hersenen communiceren met de rest van het lichaam door middel van het zenuwstelsel, een netwerk van cellen die vergelijkbaar zijn met hersencellen en die zich als een sluier hebben uitgespreid tot in onze vingertoppen en de uiteinden van onze tenen. Je moet dit zien als de verlenging van de hersenen in het lichaam. Door middel van elektrische signalen verzamelen de hersenen informatie van alle ledematen en organen, ze verwerken de informatie, komen met een reactie en sturen instructies terug. Willekeurige lichaamsbewegingen en de zintuigen zoals tastzin en pijn, worden bestuurd door het perifere zenuwstelsel dat verbonden is met de hersenen via het ruggenmerg. Het centrale zenuwstelsel (hersenen en ruggenmerg) is ook verbonden met de organen via het autonome zenuwstelsel.

BOUWBLOKKEN

De basiseenheid van de hersenen, en van grote gedeeltes van het zenuwstelsel, is de neuron of zenuwcel. Alles wat we denken, voelen en ons herinneren, elke bewuste en onbewuste actie, en elke beweging die we maken, komt in de basis neer op de talloze verbanden tussen groepen van neuronen ergens in het lichaam. Neuronen lijken veel op de andere cellen in het lichaam (ze hebben een celkern en mitochondria voor de stofwisseling), maar ze zijn anders omdat ze uitlopers hebben, axonen en dendrieten. Een axon kan zich wel een meter uitstrekken door het lichaam. Ze verbinden neuronen over lange afstanden van het ruggenmerg naar bijvoorbeeld de kleine teen. Axonen geleiden van de zenuwcel af, dendrieten geleiden er (meestal) naartoe. Aan het uiteinde van een axon ligt de celkern van een andere neuron of een dendriet van een andere neuron, die een eindje verderop ligt. Deze plekken, waar de verbinding wordt gemaakt, worden synapsen genoemd. Neuronen communiceren door het versturen van elektrische signalen met een snelheid van honderden kilometers per uur langs hun axonen over een afstand van een millimeter tot een meter. Als het signaal het uiteinde van de axon bereikt, komen er neurotransmitters vrij, de chemische boodschappers van het zenuwstelsel. De chemische moleculen verspreiden zich over de ruimte tussen de synapsen en hechten zich vast aan receptoren op het oppervlak van de doelcel. Dit zou een ander neuron kunnen zijn, maar ook een spier-, klier- of orgaancel.

Alle lichaamscellen zijn bedekt met heel veel verschillende receptoren, met allemaal een eigen vorm en ze worden alleen maar geactiveerd door de chemische boodschapper die past op hun vorm. De receptoren functioneren als de poortwachters van een cel en als ze geactiveerd zijn, voeren ze een bepaalde actie uit. Als het doel een neuron is, kan de receptor ervan de cel vertellen dat het elektrische signaal dat net werd ontvangen, doorgestuurd moet worden; als het om een spiercel gaat, kan de geactiveerde receptor ervoor zorgen dat een spiereenheid zich samentrekt; als het om een orgaancel gaat, kan het de instructie geven om snel een chemische reactie op gang te brengen.

De chemische circuits die neuronen met elkaar verbinden, vormen de sleutel tot het antwoord op de vraag hoe de hersenen informatie opslaan, hoe gedrag en impulsen werken en voor het begrijpen van de biologische basis van hersenziektes. Een tekort aan do-pamine (een neurotransmitter) kan leiden tot de ziekte van Parkinson, waarbij mensen last krijgen van spierbevingen en stijfheid, en zich niet meer goed kunnen bewegen. Er wordt een verband gelegd tussen lage niveaus serotonine en depressie.

Cellichaam

Dendrieten

Axonen

Neuronen kunnen 1 meter lang zijn en verbonden zijn met heel veel andere cellen en organen.

Door middel van hormonen kunnen de hersenen ook boodschappen sturen naar de andere delen van het lichaam. Deze stoffen zijn in het endo-criene systeem wat de neurotransmitters zijn in het zenuwstelsel. De hersenen hebben receptoren voor alle soorten van de belangrijkste hormonen en gebrui-ken deze chemische stoffen voor het sturen van een aantal van de basisgedrags-functies in het lichaam zoals seks, emotie, reactie op stress, groei, reproductie en stofwisseling.

GRENZEN

Het ontdekken van de fysieke structuur van de hersenen, waar men al tientallen jaren aan heeft gewerkt, is nog maar pas het begin. Hoe zetten de hersenen het gezoem van de elek-trische activiteit om in ons ervaren van de wereld? Betere brainscanners en krachtigere computers die modellen van neuronennetwerken kunnen maken, beginnen met het be-antwoorden van deze vraag. Ze brengen de neurowetenschappen naar de volgende cruciale stap in het begrijpen van onze hersenen: hoe zorgt deze massa *wetware* ervoor dat we ons menselijk voelen?

HOE JE ZONNESTRALEN VERANDERT IN EIKENBOMEN

- BLADEREN, WORTELS EN STAMMEN
- VAN EIKEL TOT BOOM: EEN TIJDLIJN
- LEVEN VAN DE ZON
- EEUWENOUDE WAKERS

Bomen zijn het bewijs dat biologische aanpassingen door middel van evolutie zeer succesvol kunnen zijn. Terwijl ze bewegen in de wind en het zonlicht mooi gefilterd door hun dikke met bladeren bedekte kronen op de grond valt, zijn bomen symbolen van rust, kracht en geduld. Maar onder die buitenkant is een boom een drukke werkplaats: cellen delen zich, door de bladeren stromen elektrische impulsen, geavanceerde hydraulische systemen verplaatsen elke dag grote hoeveelheden water tegen de zwaartekracht in en chemische reacties die van levensbelang zijn voor al het leven op aarde, vinden elke seconde plaats.

BLADEREN, WORTELS EN TAKKEN

Elke boom kan in drie hoofdonderdelen worden verdeeld: de wortels, de takken en de bladeren. Elk onderdeel heeft een specifieke functie om de boom gezond te houden, ervoor te zorgen dat de boom genoeg eten krijgt en kan groeien. De wortels die zich ondergronds verspreiden in een netwerk dat net zo complex en uitgebreid is als de takken boven de grond, gaan op zoek naar water en naar opgeloste voedingsmineralen in de grond. Een hoofdwortel gaat recht onder de boomstam naar beneden en vertakt zich vervolgens eindeloos en in alle richtingen tot ondergrondse takken en twijgjes. De kleinste onderdelen van de wortels zijn zo dun als haren. Ze hebben heel dunne celwanden en ontstaan elk voorjaar opnieuw zodat water en mineralen gemakkelijker uit de bodem opgenomen kunnen worden. In de herfst, als de groeifase van de boom voorbij is, sterven de haarwortels af.

De kern van de boom bestaat uit kernhout (donkergrijs) dat omringd wordt door spinthout (inclusief de jaarringen), daarna het floëem en de bast aan de buitenkant.

Het gedeelte van de eik boven de grond staat rechtop door de verhoute stam die feitelijk de grootste en belangrijkste tak is in het takkennetwerk van de boom. De dikste takken groeien rechtstreeks uit de stam, deze takken vertakken zich in steeds kleinere versies van zichzelf. Al deze structuurelementen zijn op dezelfde manier opgebouwd: een dubbele laag bast voor de bescherming, cambium, spinthout en kernhout.

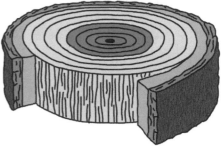

De bast beschermt het binnenste van de stam en van de takken tegen beschadigingen die veroorzaakt kunnen worden door voorwerpen of dieren die tegen de boom aan komen. De bast zorgt er ook voor dat de boom niet uitdroogt. De bekende buitenste laag bestaat uit dode cellen, net als de epidermis (opperhuid) van onze eigen huid. Maar de binnenbast leeft, hierdoorheen worden voedsel en water naar de rest van de boom getransporteerd. Dit onderdeel, het floëem, is het vatenstelsel van de boom, het deel dat glinstert als je een stukje van de buitenste bast van een boom afhaalt. In het cambium groeit de boom al naar gelang het seizoen. Hier worden bastcellen en houtcellen geproduceerd tijdens groeiperiodes, die worden afgewisseld met rustperiodes. De resultaten van deze cyclus zijn de karakteristieke jaarringen in bomen. Een eikenboom kan elk jaar tussen 1,5 en 2,5 cm dikker worden, afhankelijk van hoeveel water en voedingsstoffen er beschikbaar waren in dat seizoen. Maar deze ringen doen veel meer dan alleen maar laten zien hoe oud een boom is of hoeveel een boom is gegroeid in een bepaald jaar. Wetenschappers hebben gegevens van jaarringen gebruikt om de veranderingen in koolstofdioxide in de atmosfeer op te sporen in de loop van de geschiedenis en voor het dateren van belangrijke veranderingen in de omgeving zoals droogtes, overstromingen of vulkaanuitbarstingen. Jaarringen bestaan alleen maar in bomen die te maken hebben met wisselende seizoenen. In tropische regenwouden waar de omstandigheden het hele jaar door min of meer hetzelfde zijn, met bijna constant zonlicht en regenval, staan bomen die geen jaarringen hebben.

Onder het cambium ligt een laag cellen die xyleem (hout) wordt genoemd. Het houtgedeelte van de boom is te verdelen in spinthout en kernhout. Door het spinthout wordt de sapstroom getransporteerd, een mengsel van hormonen, mineralen en suikers opgelost in water van de wortels naar de bladeren. Naast het hout wordt ook het sap van bomen zoals berken of ahorns (ahornsiroop) door mensen gebruikt. Het suikersap is ook voedzaam voedsel voor vele insecten en vogels. Het kernhout zorgt voor de interne sterkte van de boom. Het zijn dode cellen die ervoor zorgen dat de boom rechtop kan staan. Het kernhout is meestal donkerder dan het levende spinthout dat eromheen ligt, en het is veel minder gevoelig voor aantasting dan de andere delen van een boom.

De bladeren ten slotte zijn de voedselfabrieken van de boom. De bekende gelobde langwerpige eikenbladeren bestaan uit cellen met een omhulsel van cellulose die chloroplasten (bladgroenkorrels) bevatten, miniatuurfabriekjes waarin fotosynthese plaatsvindt. Bij dit proces worden suikers gemaakt uit koolstofdioxide en water met behulp van licht.

VAN EIKEL TOT BOOM: EEN TIJDLIJN

De eik is een plant die bloeit, deze bomen behoren tot de *angiospermae*, de bedektzadigen: planten die zaden maken in vruchten of noten. Bomen zoals coniferen, die zaden produceren die niet bedekt zijn, behoren tot de andere grote groep planten, de *gymnospermea* (naaktzadigen). De meeste coniferen hebben naalden of bladeren die op schubben lijken en het zijn altijdgroene planten die hun naalden het hele jaar houden. Ze groeien in koudere klimaten en hebben vaak zachter hout dan de bomen die tot de bedektzadigen horen. De laatsten verliezen hun bladeren, groeien in de meer gematigde klimaten en het hout van deze bomen is veel harder.

Als het weer goed is geweest voor de boom, kan een volwassen eik in een jaar rond 50.000 eikels produceren. Elke eikel begint als een katje in het voorjaar, een dun sliertje bloemen. Eikels bevatten de zaden (en daardoor de genetische informatie) voor een nieuwe eikenboom en ook wat voedingsstoffen die nodig zijn om te kunnen starten met het nieuwe leven. Dit alles is verpakt in een stevig omhulsel om het te beschermen.

Eikels bevatten veel koolhydraten, eiwitten, vetten en mineralen, zodat de embryonale plant in de eikel de beste kans heeft om te ontkiemen. Maar de combinatie van voedingsstoffen is ook aantrekkelijk voor dieren. Het is zelfs zo dat eikels een belangrijke voedingsbron zijn voor de wilde dieren in het bos. Gaaien, eekhoorns, everzwijnen, herten, beren, eenden en duiven verorberen grote hoeveelheden eikels.

Als een eikel die aan de boom hangt, erin slaagt om de vraatzucht van de wilde dieren in de buurt te overleven, zal deze op de grond vallen en als de omstandigheden, inclusief water, zuurstof, temperatuur en licht, precies goed zijn, zal het zaad binnen in de eikel ontkiemen. Dit proces begint als het zaad veel water opneemt. Hierdoor breekt de zaadhuid open. Door deze opening kunnen de verschillende kiemen naar buiten komen. Binnen in de eikel zit een embryonale plant. Als de embryonale cellen worden geactiveerd tijdens het ontkiemen, beginnen ze zich te vermeerderen; hiervoor wordt voedsel uit de eikel gebruikt.

Terwijl het kiemplantje groeit, gaat eerst de wortel de grond in, het begin van een belangrijk netwerk waarmee de eik stevig in de aarde komt te staan. Het hele kleine stammetje drukt zichzelf omhoog door de opening in de zaadhuid en breekt door het aardoppervlak heen, op zoek naar een lichtbron voor de kleine blaadjes zodat deze met de fotosynthese kunnen beginnen. Terwijl de plant zijn eigen voedsel begint te maken met behulp van zonlicht (en dus niet meer afhankelijk is van de kleine voedselvoorraad in de eikel), zal het stammetje langer worden en langs de hele stam ontstaan knoppen. Uit elke knop zal een takje groeien dat later een dikkere tak wordt. Deze takken zullen zich weer gaan vertakken zodat er steeds meer takken, twijgen en bladeren ontstaan. De stam zal ondertussen steeds dikker en groter worden dankzij de groei in het cambium.

Aan de bovenkant van de eik groeien duizenden bladeren, ze vormen de kroon van de volwassen boom. Een volgroeide eik kan per jaar ongeveer 250.000 bladeren laten groeien (en weer loslaten) en elk blad speelt een belangrijke rol bij bijvoorbeeld het regelen van het stofwisselingssysteem bij het verplaatsen van voedingsstoffen door de boom.

Water verdampt uit hele kleine gaatjes aan de onderkant van de bladeren, dit zijn de huidmondjes (*stomata*). Voor het aanvullen van het vocht dat verloren gaat, wordt er via de wortels water omhoog gezogen. Vloeistoffen worden zo verplaatst, maar de verdamping van water via de bladeren zorgt er ook voor dat de boom niet oververhit raakt. Een eik kan elke dag ongeveer 1500 liter water opzuigen. De bladeren voeren ook een van de belangrijkste processen uit: het maken van al het voedsel dat de boom nodig heeft door middel van fotosynthese.

LEVEN VAN DE ZON

De brandstof voor alle groeiprocessen in de eik bestaat uit enkelvoudige suikers die gemaakt worden in de bladeren. Fotosynthese is een van de meest opmerkelijke en ook meest nuttige chemische kettingreacties die ooit zijn geëvolueerd voor het in stand houden van leven. En niet alleen voor het leven van de eik waar we het hier over hebben of zelfs voor de levens van ontelbaar vele andere plantensoorten en algen die het proces zelf uit kunnen voeren. Vrijwel alle energie die gebruikt wordt om leven te vormen en te onderhouden op onze planeet, is op een bepaald moment afhankelijk van fotosynthese.

Water wordt uit de grond geabsorbeerd door haarwortels en gaat via de bladeren verloren door verdamping.

Bladcellen in de eik bevatten bladgroenkorrels. Dat zijn minifabriekjes waar energie wordt verwerkt. Het bladgroen absorbeert zonne-energie, deze energie wordt gebruikt om kooldioxide en water om te zetten in glucose, zuurstof en water. Er kunnen wel honderd bladgroenkorrels in elke bladcel zitten en elke bladgroenkorrel bevat een groen pigment dat chlorofyl wordt genoemd. Wanneer licht op het blad valt, wordt het licht geabsorbeerd door een van de vele reactiecentra in de bladgroenkorrels en daarna wordt het licht opgeslagen op een van de volgende twee manieren.

Een gedeelte van de energie wordt gebruikt om adenosinetrifosfaat te maken, een molecuul dat opgeslagen kan worden door de plant en snel weer afgegeven kan worden als energie voor basale stofwisselingsfuncties. De lichtenergie die nog is overgebleven, wordt via het chlorofyl gebruikt om water op te splitsen in waterstof en zuurstof, een proces waarbij ook heel veel elektronen vrijkomen. De zuurstof gaat de lucht in (de meeste zuurstof in de atmosfeer van de aarde is daar terechtgekomen via dit proces in planten), terwijl waterstof en elektronen worden gebruikt om koolstofdioxide uit de buitenlucht om te zetten in glucose. Als deze suiker is opgelost in water kan het via het floëem getransporteerd worden naar dat deel van de plant waar de suiker nodig is.

Chlorofyl absorbeert lichtgolven, voornamelijk aan het rode einde van het elektromagnetisch spectrum, zodat de andere lichtgolven terugkaatsen van de plant naar onze ogen toe. Hier komt de groene kleur van de meeste bladeren, inclusief die van de eik, vandaan. Chlorofyl is niet het enige pigment dat door planten wordt gebruikt om licht te absorberen. Caroteen en xanthofyl doet hetzelfde bij andere planten.

Fotosynthese is een uiterst efficiënt mechanisme voor het vangen van zonne-energie zodat het bruikbaar wordt voor het leven. Wetenschappers schatten dat de planten op de wereld de capaciteit hebben om 100 terawatt aan energie te produceren, heel veel meer dan de hele menselijke beschaving nodig heeft. Door dit proces wordt per jaar meer dan 100 miljard ton koolstofdioxide in planten vastgelegd.

De eik zal de suikers gebruiken als brandstof voor de basislevensprocessen en ook om nieuwe stukken van zichzelf te bouwen. Door vele honderden glucosemoleculen aan elkaar te verbinden ontstaan cellulose en lignine, de twee belangrijkste onderdelen van het goudbruine hout van de eik.

EEUWENOUDE WAKERS

Eiken kunnen honderden jaren lang leven en groeien, het kunnen majestueuze bomen worden die wel veertig meter hoog kunnen worden. Over het algemeen zijn bomen de langstlevende levensvormen op aarde. Verschillende boomsoorten groeien allemaal in hun eigen tempo en bereiken een bepaalde grootte die per soort verschilt. De Alaskacypres kan meer dan vijfhonderd jaar oud worden en een hoogte van dertig meter halen als de boom geen last krijgt van ziektes of parasieten (of dood gaat door een natuurramp zoals een bosbrand of droogte). De mammoetbomen in Noord-Amerika kunnen duizenden jaren oud worden. De grootste boom ter wereld is een reuzensequoia in Californië die General Sherman wordt genoemd. Deze boom is 83,8 m hoog.

De oudste eik in Groot-Brittannië is de Bowthorpe Oak in Bourne in Lincolnshire. Deze boom is ouder dan duizend jaar. Toen Willem de Veroveraar het leger van koning Harold versloeg bij Hastings in 1066 was deze boom nog maar een jong boompje. Men denkt dat de Angel Oak, een zich breed uitspreidende Southern Live Oak vlak bij Charleston in de Verenigde Staten, die twintig meter hoog is, meer dan veertienhonderd jaar oud is. Deze beide bomen hebben eeuwen overleefd waarin allerlei veranderingen optraden, ze bleven recht overeind tijdens wervelstormen en stortbuien, terwijl imperiums van mensen opkwamen en weer ten onder gingen. Stel je eens voor dat bomen zouden kunnen praten, dan zouden ze heel wat te vertellen hebben.

HOE JE ONZICHTBAAR KUNT WORDEN

- WAT IS LICHT?
- HET ELEKTROMAGNETISCHE SPECTRUM
- DE REGENBOOG ONTRAFELEN
- VAN DE ENE PLAATS NAAR DE ANDERE
- OP NAAR HET ONZICHTBARE

De sleutel tot onzichtbaarheid ligt in de kennis van wat licht is en het manipuleren van de manier waarop licht zich gedraagt rond voorwerpen. We kunnen de moleculen in de lucht niet zien omdat ze van nature geen zichtbaar licht weerkaatsen, en we kunnen door glas kijken omdat het meeste zichtbare licht er recht doorheen gaat. Als je kunt voorkomen dat licht van je af wordt weerkaatst en in de ogen van de kijker terechtkomt, ben je, in alle opzichten, onzichtbaar voor die persoon. En, fans van Harry Potter en Star Trek zullen hier blij mee zijn, het is absoluut mogelijk om een onzichtbaarheidsmantel te maken.

WAT IS LICHT?

De oude Grieken dachten dat we dingen zagen vanwege een mysterieuze substantie die door onze ogen werd afgegeven. Dit spul zou reageren met gelijksoortig spul uit lampen en kaarsen waardoor we de bron van een licht zouden kunnen 'zien'.

As een niet-lichtgevend voorwerp, bijvoorbeeld een appel, toevallig op de plaats lag waar de stoffen met elkaar reageerden, zou die appel geactiveerd worden om zijn kleuren te laten zien. In de middeleeuwen begon de Perzische geleerde Ibn al-Haytham een ander idee te formuleren dat meer overeenkomt met de kennis over het licht die we nu hebben. Hij stelde dat wat je ziet, te maken heeft met stralen die in je ogen komen in plaats van met stralen uit je ogen. Hij toonde aan dat de stralen zich verplaatsen in rechte lijnen en schreef meerdere belangrijke werken, inclusief het *Boek der Optometrie*, dat honderden jaren later westerse wetenschappers zou beïnvloeden.

Voor zover er in een wetenschappelijke bewering gesproken wordt over werkelijkheid moet het falsificeerbaar zijn, en voor zover het niet falsificeerbaar is, wordt er niet over werkelijkheid gesproken.
KARL POPPER

De Britse natuurkundige, sterrenkundige en veelweter Robert Hooke was de volgende die met een theorie over licht kwam. In 1665 publiceerde hij zijn theorie dat licht een soort golf is. Zijn tijdgenoot, de Hollandse wis- en natuurkundige Christiaan Huygens, was ervan overtuigd dat de lichtgolven zich voortplanten door iets waarvan hij veronderstelde dat het in alle ruimte moest doordringen en dat hij 'ether' noemde. Het idee van een 'ether' bleef bestaan totdat in 1887 de Amerikaanse natuurkundigen Albert Michelson en Edward Morley een experiment opzetten om de eigenschappen van de geheimzinnige substantie te meten. Met behulp van een interferometer combineerden ze lichtgolven die zich in verschillende richtingen verplaatsten. Ze probeerden om erachter te komen hoe de eigenschappen anders zouden zijn afhankelijk van hoe de golven door de ether bewogen. Ze verwachtten het niet, maar hun onderzoek bewees dat de ether niet kon bestaan. Het bleek dat licht een golf was die geen stof nodig had om zich door voort te planten. Rond dezelfde tijd merkte de Britse natuurkundige Michael Faraday op dat lichtstralen werden beïnvloed door magnetische velden. De Schotse natuurkundige James Clerk Maxwell werd hierdoor geïnspireerd en begon te werken aan een serie wiskundige vergelijkingen voor het beschrijven van elektromagnetische (EM) krachten. Hij gebruikte deze vergelijkingen om te bewijzen dat licht een trilling is in het EM-veld.

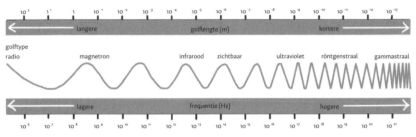

Het elektromagnetische spectrum varieert in grootte en energie van radiogolven tot gammastralen.

HET ELEKTROMAGNETISCHE SPECTRUM

Tegenwoordig weten we dat licht een elektromagnetische golf is die zich met de snelheid van 299.792.458 m/s voortbeweegt door een vacuüm. De vorm van een lichtgolf is gelijk aan die van watergolven op het oppervlak van een meer. Als je een verticale doorsnede maakt van die golven, zie je pieken en dalen terwijl de trilling zich door het water beweegt. De afstand tussen opeenvolgende pieken (of dalen) is de golflengte. Zichtbaar licht dat door onze ogen kan worden gezien, bevindt zich in een nauw bereik van golflengtes tussen 390 en 750 nanometer. De verschillende golflengtes worden door onze hersenen geïnterpreteerd als verschillende kleuren. De kortste golflengtes zijn blauw en paars, de langste golflengtes zijn rood.

Dit bereik bevindt zich in het midden van het em-spectrum dat zich aan beide kanten uitstrekt tot meerdere ordes van grootte. Aan het uiteinde met de kortste golven bevinden zich de gammastralen met golflengtes die kleiner zijn dan een atoom. De langste zijn radiogolven die meerdere kilometers lang kunnen zijn. Van de langste naar de kortste golflengtes wordt em-straling ingedeeld in: radiogolven, magnetrongolven, infrarood, zichtbaar licht, ultraviolet, röntgenstralen en gammastralen. Hoe korter de golflengte, hoe krachtiger (en gevaarlijker voor levende wezens) de straling.

DE REGENBOOG ONTRAFELEN

We zien voorwerpen in de wereld omdat ze lichtgolven weerkaatsen. Als een gloeilamp op een voorwerp schijnt, zal dat voorwerp een beetje van de energie absorberen en de rest wordt in alle richtingen verspreid. Hoe het voorwerp er voor ons uitziet, wordt bepaald door de mate waarin het voorwerp licht opneemt en verspreidt. Een spiegel of een stuk opgepoetst glas ziet er glanzend uit omdat het niet veel licht verspreidt, de inkomende golven worden weerkaatst in ruwweg dezelfde hoek als waarin ze erop vielen (we zeggen dat de invalshoek en de weerkaatsingshoek hetzelfde zijn).

Kleur is het resultaat van lichtabsorptie. Een banaan ziet er geel uit omdat het licht dat door het voorwerp wordt weerkaatst, een heel klein beetje anders is dan het oorspronkelijke zonlicht dat op de banaan scheen. Als de banaan al het zonlicht zou weerkaatsen, zou de vrucht er wit uitzien. De duidelijk gele tint geeft aan dat het fruit het invallende licht van de rode, blauwe en groene golflengte van het zichtbare em-spectrum heeft geabsorbeerd. Het verklaart ook waarom de lucht blauw is: de kortere golflengtes van het licht dat van de zon komt (onthoud dat dit de blauwe en paarse kleuren zijn), worden gemakkelijker verspreid door de bewegende atomen in de atmosfeer van de aarde, terwijl de overblijvende golflengtes gewoon door de lucht passeren. De iris van het menselijke oog en de iriserende veren en vleugels van sommige vogels en vlinders krijgen hun glinsterende kleuren doordat ze licht verspreiden.

Ga nog eens terug naar de vergelijking met de watergolven. Wat gebeurt er wanneer twee aparte golven elkaar tegenkomen op het oppervlak van een meer? Als twee pieken samenvallen vormen ze samen een grotere piek en hetzelfde geldt voor dalen. Maar als een piek een dal tegenkomt, heffen ze elkaar op als hun amplitudes (lichtsterktes) hetzelfde zijn. Dit proces, dat interferentie wordt genoemd, zorgt voor de vorming van een volledig nieuwe golf die anders is dan de twee golven die de nieuwe golf hebben gemaakt.

VAN DE ENE PLAATS NAAR DE ANDERE

Als licht van het ene medium naar het andere gaat (van bijvoorbeeld lucht naar glas), verandert de snelheid ervan. Als een lichtstraal recht op het grensvlak valt, zal niemand het verschil zien, het duurt alleen een beetje langer voordat het licht er aan de andere kant weer uit komt. Maar als het licht het lucht-glasgrensvlak schuin raakt, verandert de lichtstraal van richting als deze door het grensvlak gaat. Dit proces wordt refractie genoemd. Hoe ver het licht breekt, wordt bepaald door de brekingsindex van een materiaal: de brekingsindex van lucht is 1, voor water is het ongeveer 1,3 (daarom lijkt een rietje gebogen in een glas en lijkt het alsof vissen dichter bij het oppervlak van een vijver zwemmen dan ze werkelijk doen). Diamanten hebben een brekingsindex van 2,4, daardoor hebben ze die unieke glinstering. Alle transparante materialen hebben een brekingsindex die groter is dan 1.

Licht dat van een materiaal met een lagere optische dichtheid naar een materiaal met hogere dichtheid gaat, zal breken naar een lijn toe die recht op het grensvlak staat – dit wordt de normaal genoemd.

Lenzen werken ook door breking. Brekende lichtgolven kunnen de illusie creëren dat iets aan de andere kant van een gepolijst, nauwkeurig gevormd stuk glas groter of kleiner is dan het werkelijk is. Breking vormde ook de inspiratie voor de platenhoes van *Dark Side of the Moon* van Pink Floyd.

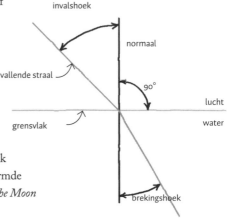

47

Newton was de eerste die een glazen prisma gebruikte om wit licht op te splitsen in de kleuren waaruit het witte licht is opgebouwd. De verschillende golflengtes van het licht buigen op verschillende manieren bij het grensvlak van glas en lucht waarbij blauw de kleinste hoek maakt en het rode licht het sterkste afbuigt. Als wit licht door een prisma valt, zal aan de andere kant van het prisma een regenboog van kleuren verschijnen.

Lichtgolven reageren nog vreemder als ze een opening bereiken die net zo groot is als hun golflengte. Stel je voor dat een lichtstraal een barrière bereikt die bijna ondoorzichtig is afgezien van een hele smalle spleet die ongeveer net zo breed is als de golflengte van het licht in de lichtstraal. Wat gebeurt er wanneer de lichtstraal de barrière bereikt? Je zou verwachten dat het grootste gedeelte van de lichtstraal wordt tegengehouden terwijl het kleine deeltje dat door de smalle opening past, ongehinderd verder gaat.

Maar de golven doen iets anders. Het gedeelte van de golf dat door de nauwe opening gaat, spreidt zich uit terwijl het er aan de andere kant uit komt. Parallelle lichtgolven die een spleet tegenkomen, zullen er aan de andere kant uitkomen als een serie circulaire golven, als rimpels in een vijver die zich uitspreiden vanaf de plek waar een steen in het water werd gegooid. Twee spleten dicht bij elkaar in de barrière zullen zorgen voor twee bronnen van circulaire golven, en het patroon van hoge en lage golven aan de andere kant zal veranderen als de golven met elkaar interfereren. Elke tralie of diffractierooster (de naam die gegeven wordt aan een uniek patroon van parallelle spleten in een obstakel) heeft zijn eigen kenmerkende effect op de lichtgolven die erdoorheen gaan. Je zou het effect vervelend kunnen vinden, maar onderzoekers hebben deze eigenschap van lichtgolven goed gebruikt voor het uitwerken van de structuur van moleculen die zo klein zijn dat je ze op geen enkele andere manier zichtbaar kunt maken (door bijvoorbeeld zichtbaar licht te gebruiken).

Door het bestuderen van het brekingspatroon van röntgenstralen (die veel kleinere golflengtes hebben dan zichtbaar licht) nadat ze door een kristal, een eiwitmolecuul of zelfs een DNA-molecuul zijn gegaan, is het mogelijk om terug te werken om zo de structuur van het obstakel af te leiden In deze voorbeelden nemen de moleculen de rol op zich van driedimensionale diffractieroosters waarvan de vorm berekend kan worden door het vergelijken van lichtgolven aan beide kanten. De Britse natuurkundige Rosalind Franklin gebruikte in de vijftiger jaren de röntgendiffractietechniek voor het maken van afbeeldingen van DNA-moleculen, die Francis Crick en James Watson vervolgens gebruikten om de vorm van de dubbele spiraal eruit af te leiden.

OP NAAR HET ONZICHTBARE

Nu we weten hoe licht op materie reageert, kunnen we deze kennis gebruiken om dingen onzichtbaar te maken. Rudimentaire onzichtbaarheidsmantels werken doordat elektromagnetische golven gedwongen worden om rond een voorwerp te gaan in plaats van erop te reageren op de normale manier. Wanneer de golven een toeschouwer bereiken die aan de andere kant van het voorwerp staat, zijn deze golven onveranderd. Op deze manier is het onmogelijk dat de toeschouwer het voorwerp 'ziet'.

Het is mogelijk om hetzelfde te doen met lichtgolven, maar omdat er zulke hele kleine golflengtes bij betrokken zijn, moesten wetenschappers samengestelde materialen met complexe patroontjes ontwikkelen, die licht op onverwachte manieren laten breken. De theoretische basis voor deze vreemde 'metamaterialen' werd geleverd door de Britse natuurkundige John Pendry. In de negentiger jaren bedacht en ontwierp hij materialen die een negatieve brekingsindex zouden moeten hebben. Hij kwam ook met de wiskundige beschrijvingen van wat er zou gebeuren met het licht als er interactie tussen het licht en deze materialen zou plaatsvinden.

Metamaterialen worden gemaakt van relatief gewone stoffen zoals glasvezels, koper, zilver of andere metalen, maar de ingrediënten worden ingebouwd in complexe mozaïeken met zich herhalende patroontjes. Ze kunnen reageren met elektromagnetische golven op een manier die geen enkele natuurlijke stof kan. Het metamateriaal kan bijvoorbeeld een oppervlak creëren met een brekingsindex die minder is dan 1. Dit zorgt voor vreemde eigenschappen: licht dat binnenvalt in een metamateriaal, zal de verkeerde kant opdraaien, alsof het door een onzichtbare spiegel wordt weerkaatst nadat het voorbij het grensvlak van lucht en metamateriaal is gegaan. Er zijn opmerkelijke successen geboekt. In 2006 toonden onderzoekers van Duke University in de vs een onzichtbaarheidsmantel die magnetrongolven deed afbuigen, dezelfde golflengte die voor radar wordt gebruikt. Normaal zouden de magnetrongolven van het materiaal terugspringen, maar in plaats daarvan splitsten de golven zich en stroomden ze langs een cilinder van metamateriaal die zo gemaakt was dat hij een reeks van brekingsindexen van 0 tot 1 over de lengte had, en kwamen ze weer samen aan de andere kant. Alles binnenin de cilinder zou onzichtbaar zijn voor de radar.

Deze beweging van de magnetrongolven is gelijk aan de manier waarop water in een rivier om een rots heen stroomt. Als je stroomafwaarts zou staan en de rots niet zou kunnen zien, zou het patroon van watergolven op de plek waar je staat, je niet vertellen dat er stroomopwaarts een rots is. De rots zou voor jou onzichtbaar zijn. Objecten onzichtbaar maken voor radar is een ding, ze onzichtbaar maken voor je ogen is veel moeilijker. Radargolven zijn een paar centimeter lang, en de metamaterialen die de golven kunnen manipuleren, moeten elementen hebben met een diameter van een paar millimeter. Zichtbaar licht is duizenden keren kleiner dan radargolven, hiervoor heb je metamaterialen nodig met een nog fijnere structuur. Maar we mogen ons niet laten weerhouden door technische beperkingen en in 2008 zorgde Xiang Zhang aan de University of California in Berkeley ervoor dat een klein voorwerp 'verdween' toen het werd omgeven door een ring van metamaterialen gemaakt uit zilver en magnesiumfluoride in een visnetstructuur op nanoniveau. Het zal moeilijk zijn om deze ontdekkingen op grote schaal toe te kunnen passen. En in eerste instantie zal het ongetwijfeld erg duur zijn en zal het beperkt blijven tot gebruik door het leger of door inlichtingendiensten. Maar we weten allemaal dat technologie telkens weer iedereen die probeert om voorspellingen op dat gebied te doen, versteld doet staan. Misschien is het toch wel mogelijk dat je in de nabije toekomst je eigen onzichtbaarheidsmantel kunt kopen. We houden je op de hoogte.

HOE SCHEP JE ORDE IN DE WERELD

Alles wat we kennen in de wereld (en alles wat we tot nu toe hebben ontdekt tot aan de randen van het heelal), bestaat uit een of
meer van de 94 elementen die voorkomen in de natuur. Je hebt
er maar 25 van nodig om een mensenlichaam te maken en maar
één, koolstof, voor het maken van een diamant. Elk element
heeft zijn eigen chemische en fysieke eigenschappen. Ze zien er
anders uit, reageren met heel veel verschillende interacties en
hebben elk hun eigen toepassingsmogelijkheden en giftigheid.
Van een afstandje gezien vormen al deze verschillen een rotzooi-
tje: hoe is het mogelijk om al deze verschillen te vatten? Hoe lukt
het scheikundigen om al deze verschillen te onthouden?

ELEMENTEN

Atomen bevatten protonen en neutronen in hun kern, daaromheen draaien elektronen. De
kern, die nucleus wordt genoemd, bevat alle positieve ladingen in een atoom en het grootste
gedeelte van de massa. Afgezien van een belangrijk onderdeel dat bepaalt waar een element
zit in het periodieke stelsel, is de massa voor het grootste gedeelte niet belangrijk voor
de scheikunde. Alle chemische reacties die we kennen, alle verbindingen die in het heelal
worden gemaakt, zijn het resultaat van de interacties tussen de elektronenwolken rond de
verschillende atomen. Je zou kunnen zeggen dat scheikunde eenvoudigweg de studie is van
hoe de elektronen zich gedragen.

Maar het gaat niet om willekeurige elektronen. In een neutraal atoom zijn er gelijke hoeveelheden protonen en elektronen. Maar terwijl de protonen stil zitten in de nucleus, draai-
en de elektronen om het midden van het atoom heen in een reeks van schillen. Iedere schil
ligt net een klein beetje verder weg van de nucleus en heeft een andere vorm. Ze bevatten
elk een ander aantal elektronen met net iets andere hoeveelheden energie. De elektronen die
interessant zijn voor de scheikundigen, zitten aan de buitenkant van deze laag schillen. Dit
zijn de zogenaamde valentie-elektronen die gedeeld kunnen worden met andere atomen of
aan andere atomen gegeven kunnen worden om chemische bindingen te vormen. De chemische eigenschappen van een atoom worden bepaald door het aantal valentie-elektronen.

HET PERIODIEK SYSTEEM

Dit bekende systeem dat overal ter wereld in klaslokalen hangt en in de scheikundeboeken
is afgedrukt, is een van de beroemdste afbeeldingen in de natuurwetenschappen, samen met
de dubbele spiraal van het DNA. Niet iedereen weet waar het systeem vandaan is gekomen of
zelfs maar wat het betekent, maar als beeld wijst het luid en duidelijk naar scheikunde. De
man aan wie de samenstelling van het periodiek systeem wordt toegeschreven, is de Rus-

sische scheikundige Dmitri Mendelejev. In 1869 plaatste hij de toen bekende 65 elementen in een systeem op basis van hun atoomgewicht (het aantal protonen en neutronen in hun nucleus) en hun valentie. Toen hij het systeem aan de buitenwereld liet zien, wees hij erop hoe het patronen in de eigenschappen van verschillende elementen onthulde. De elementen in het systeem lieten regelmatige 'periodiciteit' zien in hun chemische eigenschappen. De elementen met gelijke atoomgewichten lieten ook gelijke chemische eigenschappen zien. Mendelejev merkte ook op dat het systeem het atoomgewicht kon voorspellen, evenals chemische eigenschappen, van elementen die op dat moment nog niet waren ontdekt, omdat er lege plekken in het systeem zaten onder boor, aluminium en silicium.

Dit is het periodiek systeem der elementen. Kolommen worden groepen genoemd en bevatten elementen met gelijke chemische eigenschappen. De rijen vormen periodes.

Zijn oorspronkelijke systeem was niet perfect. Er was geen ruimte voor isotopen van elementen (atomen van een element die zwaarder zijn dan de meest voorkomende versie, omdat ze extra neutronen in hun atoomkernen hebben) en Mendelejev had een paar van de elementen op de verkeerde plaats neergezet. Maar het bood wel een manier om de atomen te ordenen en er inzicht in te krijgen, iets wat tot die tijd ontbrak.

HET BEGIN VAN DE SCHEIKUNDE

Aan het begin van de negentiende eeuw waren de scheikundigen het erover eens dat elementen bestonden uit atomen die vast waren, niet opgesplitst konden worden en verschillende gewichten hadden, afhankelijk van het element. Rond deze tijd begon John Dalton, een Britse scheikundige uit Manchester, met het tekenen van symbolen voor de bekende elementen. Elk element kreeg een cirkel met daarin stippen, letters, lijntjes en arceringen. Hij probeerde ook het relatieve gewicht van atomen te berekenen door te kijken hoe ze verbindingen met elkaar aangingen in wat hij 'samengestelde deeltjes' noemde.

Het was bijvoorbeeld al bekend dat waterstof reageerde met acht keer zijn gewicht in zuurstof om zo water te maken. Dalton ging ervan uit dat hierbij een gelijk aantal waterstof- en zuurstofatomen betrokken zou moeten zijn, zodat zuurstof een relatief atoomgewicht zou moeten hebben dat acht keer groter was dan het atoomgewicht van waterstof. Het bleek dat hij het fout had: twee waterstofatomen reageren met één zuurstofatoom om water te produceren. Een zuurstofatoom heeft een relatief atoomgewicht dat zestien keer groter is dan het gewicht van een waterstofatoom. Hoewel hij fouten maakte, zorgde Dalton ervoor dat de scheikunde een grote stap voorwaarts maakte en dat het een meer systematische en rekenkundige wetenschap werd.

Er werden steeds meer patronen bij de elementen ontdekt. In 1817 kwam de Duitse scheikundige Johann Döbereiner erachter dat sommige elementen met gelijke eigenschappen netjes in groepen van drie zijn in te delen. Een van deze 'triaden' is lithium, natrium en kalium, een andere is chloor, broom en jodium. In de dertig jaar daarna werden meer groepen gevonden, soms met meer dan drie elementen: stikstof, fosfor, arseen, antimoon en bismut bijvoorbeeld. Tegenwoordig is dit groep 15 van het periodiek systeem. Mendelejev gebruikte het werk van zijn tijdgenoten om zijn systeem te bouwen, maar hoewel zijn werk wel aanwijzingen gaf over de diepere waarheid over de aard van datgene wat een element een element maakt, zou het tot de ontdekking van de atoomkern duren voordat die vraag op een goede manier beantwoord kon worden.

DE KLEINE ROL VAN DE NUCLEUS

De Britse scheikundige Ernest Rutherford ontdekte de atoomkern (nucleus) in 1907 toen hij alphadeeltjes afvuurde op een dun velletje bladgoud. Atomen bleken geen harde balletjes, het grootste gedeelte van hun massa zit in een heel kleine positief geladen kern in het midden van het atoom. Een paar jaar later voltooide de Deense natuurkundige Niels Bohr het 'zonnestelselmodel' van het atoom. Hij liet zien hoe hij dacht dat elektronen rond de nucleus zouden moeten draaien. We weten nu dat het model van Bohr te simplistisch was, maar het werkt nog steeds als een analogie voor datgene wat er gebeurt in een atoom.

Mendelejev wist niets over de structuur van atomen toen hij zijn systeem opbouwde, maar de ontdekking van Rutherford liet snel zien dat het atoomcijfer (het aantal protonen in een atoomkern) bepaalt wat een element is, in plaats van het atoomgewicht (het totale aantal protonen en neutronen). Zijn periodiek systeem werd veel logischer toen het ingedeeld werd per atoomcijfer.

HET SYSTEEM TEGENWOORDIG

In de eeuw nadat Mendelejev het voor het eerst had voorgesteld, kreeg het periodiek systeem telkens weer een nieuwe versie. Er werd geruzied over de juiste vorm van het systeem (sommigen wilden graag een rond systeem of een systeem in 3D) en nieuwe elementen moesten erin geplaatst worden nadat ze waren ontdekt. Tegenwoordig vinden we de vorm van het systeem heel normaal, maar de vorm van het periodiek systeem dat wij nu kennen werd pas formeel bevestigd door de *International Union of Pure and Applied Chemistry* in 1985. Scheikundigen weten nu dat er tenminste 118 elementen zijn: 94 natuurlijke en 24 synthetische, die in laboratoria en deeltjesversnellers kunnen worden gemaakt. De elementen in het stelsel krijgen van links naar rechts hogere atoomcijfers in rijen die periodes worden genoemd. Aan het eind van een periode ga je terug naar de linkerkant van het stelsel, en dan ga je een rij naar beneden.

Het atoomgewicht van een element is het totale aantal protonen en neutronen in een atoomkern. In de lichtere elementen zijn de getallen ruwweg gelijk, maar het aantal neutronen neemt toe bij de zwaardere elementen. Dit betekent dat twee elementen hetzelfde atoomgewicht kunnen hebben afhankelijk van welke isotopen ze hebben. Het atoomcijfer, het aantal protonen, is daarom een betere manier om atomen van verschillende elementen van elkaar te onderscheiden. Het vertelt ons ook hoeveel elektronen een atoom heeft, en het zijn de elektronen die voor de scheikundigen van belang zijn.

DE VERBINDINGEN DIE DE WERELD VORMEN

Moleculen bestaan uit verzamelingen atomen die door hun elektronen met elkaar zijn verbonden. Samengestelde stoffen hebben bijna altijd totaal andere eigenschappen dan de elementen waaruit ze zijn opgebouwd. Water is bijvoorbeeld een vloeistof bij kamertemperatuur terwijl waterstof en zuurstof gassen zijn. De ontwikkeling van de kwantummechanica in de twintiger jaren vernietigde de ideeën die scheikundigen eerder hadden over de nette zonnestelselrangschikking van elektronen rond een atoomkern van Bohr. Tegenwoordig hebben ze het over 'schillen' van elektronen waar elektronen met verschillende energieladingen in zitten. Als een atoom een elektron opgeeft, wordt het een positief geladen ion dat dan wordt aangetrokken door een negatief geladen ion. Als ze elkaar ontmoeten vormen ze een 'ionische band' in een verhouding waarbij de algemene lading van het uiteindelijke molecuul wordt geneutraliseerd. Natriumchloride bestaat uit een natriumion met een enkele positieve lading en een chloorion (een chlooratoom met een extra elektron) met een negatieve lading.

Koolstof en silicium in groep 14 vormen een ander soort verbinding. Ze hebben vier elektronen aan de buitenkant en ze neigen ertoe om zich te binden aan andere atomen door te delen in plaats van andere atomen elektronen te geven. In een dergelijke 'covalente' verbinding vult een enkel elektron tegelijkertijd de schillen van twee atomen. Bij covalente verbindingen tussen atomen kunnen maximaal drie paren elektronen zijn betrokken. Sommige elementen, zoals koolstof, hebben geraffineerde covalente verbindingen met een ring van atomen die hun valentie-elektronen kunnen delen. Het soort van verbinding bepaalt hoe samengestelde moleculen zich gedragen of waarvoor ze gebruikt kunnen worden. Een ongezond verzadigd vet is anders dan een gezonder onverzadigd vet, omdat de op koolstof gebaseerde moleculen in de laatste minstens één verbinding hebben die twee of meer paren elektronen gebruikt. In een verzadigd vet gebruiken de koolstofverbindingen alleen maar enkele paren elektronen. Dit betekent dat de moleculen volledig 'verzadigd' zijn met waterstofatomen.

JE WEG VINDEN TUSSEN DE ELEMENTEN

De kolommen in het periodieke stelsel worden groepen genoemd. In groep 1 hebben de alkalimetalen (lithium, natrium en kalium) allemaal een elektron in hun buitenste schil, dat, als het wordt opgegeven, atomen achter zou laten met een volledige schil van buitenste elektronen, hoewel het atoom achterblijft met een positieve lading. In groep 17 hebben de halogenen (fluor, chloor en broom) allemaal een ander elektron nodig om hun buitenste schillen op te vullen. Deze beide groepen zijn daardoor zeer reactief met elkaar (natrium-chloride, oftewel keukenzout, is hier een voorbeeld van) en met veel andere elementen.

In de groepen 3 tot en met 12 zitten de overgangsmetalen. Op veel manieren lijken ze erg veel op elkaar, ze vormen gekleurde zouten en kunnen verschillende aantallen elektronen verliezen uit hun buitenste schillen. Naarmate het atoomcijfer omhoog gaat, worden ze minder reactief en, op een bepaald punt, radioactief. Dit betekent dat de atoomkern te groot is om stabiel te zijn en uiteindelijk zal vervallen in twee kleinere atomen waarbij energie vrijkomt in de vorm van straling. Aan het einde van het stelsel, in groep 18, vind je de edel-gassen. Deze hebben al volledig gevulde buitenste schillen en daardoor zijn ze meestal niet geïnteresseerd in chemische reacties, ze zijn inert.

Het systeem van Mendelejev is iets wat nog steeds verandert. Er zijn problemen: waar moet waterstof bijvoorbeeld staan? Het heeft één elektron (per definitie in de buitenste schil), dus zou het boven lithium in groep 1 moeten staan. Maar het heeft geen van de eigenschappen van de alkalimetalen. Het lijkt meer op fluor, maar opnieuw is het zo dat het waterstof-gas veel van de eigenschappen van de halogenen niet heeft. Waterstof is een probleem en daarom hebben de scheikundigen het een eigen plek gegeven, zwevend in het midden van het systeem.

Het systeem groeit doordat er nieuwe elementen worden ontdekt. In 2009 kreeg element 112 de naam 'copernicum' ter ere van Nicolaus Copernicus, een Poolse astronoom uit de renaissance. Het element kreeg de plaats waar het recht op had in het uitgebreide systeem. Een paar decennia eerder hadden wetenschappers een paar atomen van het nieuwe element gemaakt in een deeltjesversneller, maar scheikundigen zijn voorzichtig en daarom vinden ze het prettig om de tijd te nemen om dingen goed te controleren. Op dezelfde manier kunnen elementen 113 en 117, die in de wachtkamer zitten, ook spoedig worden toegevoegd. Dat ze bestaan, werd duidelijk in laboratoria in Rusland. Het definitieve periodiek systeem van de elementen is nog niet helemaal af.

HOE MAAK JE KUNSTMATIG LEVEN

Begrijpen hoe veranderingen in het DNA zorgen voor nieuwe eigenschappen en nieuw leven, is al decennialang een standaardonderdeel van de biologie. Maar aan het einde van de twintigste eeuw trok DNA ook de aandacht van de technici. Wat als je de systemen van het DNA ook zou kunnen gebruiken om de systemen van het leven na te bootsen, het zou kunnen gebruiken om milieuvriendelijke brandstoffen te produceren? Dit is de belofte van de synthetische biologie, de grote nieuwe discipline voor de eenentwintigste eeuw. Deze belooft begrijpelijk te maken hoe het leven functioneert,en intussen het materiaal van het leven zelf te benutten.

WEER TERUG NAAR DE MOLECULEN

Synthetische biologie gaat onder andere over het ontwikkelen van de gereedschappen om DNA te bouwen en het ontwikkelen van betrouwbare methoden om het te manipuleren, zodat het de dingen doet die jij wilt. De eerste toepassingen die in een laboratorium zijn ontwikkeld zijn er al. Op het Massachusetts Institute of Technology (MIT) hebben wetenschappers virussen gebruikt om hele kleine draadjes te maken voor micro-elektronische circuits. De virussen zijn zo gebouwd dat ze op eiwitten lijken en reageren met organische en chemische stoffen om deze in lange dunne draadjes of ringetjes te veranderen. Hierbij zijn geen giftige stoffen of hoge temperaturen nodig en het levert geen milieuproblemen op.

Een van de eerste dingen die de Amerikaanse bioloog Drew Endy, een van de leidende figuren in de synthetische biologie, maakte, was een teller om informatie te verwerken. Deze is absoluut niet bedoeld om de circuits in je laptop te vervangen, maar zou bescheiden hoeveelheden geheugen en logica kunnen implementeren op plaatsen waar deze nu niet zijn. Misschien als een biologische teller in een levercel die telt hoe vaak een cel zich deelt. Een ander biologisch apparaatje zou de teller in de gaten kunnen houden. Dit apparaatje zou ervoor kunnen zorgen dat als de cel zich meer dan tweehonderd keer heeft gedeeld, wanneer de controle over de celdeling verloren gaat en het risico bestaat dat het een tumor wordt, de cel wordt gedood. Dit zou een manier kunnen zijn om kanker te verslaan.

BIOTECHNOLOGIE 2.0

De synthetische biologie is voortgekomen uit de teleurstellend langzame voortgang van de technische kant van de biotechnologie. In de halve eeuw na de ontdekking van de structuur van het DNA in 1953 hebben biologen stoere manieren ontwikkeld om genen te manipuleren en nieuwe medicijnen te vinden, maar hun technieken zijn onnauwkeurig en niet efficiënt. Daarom zijn er maar zo weinig medicijnen die door de ontwikkelingsfase heen komen en zijn ze zo duur. Elke pil die je slikt, heeft een kostprijs gebaseerd op alle mislukkingen tijdens de ontwikkeling. In de meeste gevallen is genetische technologie bijna willekeurig, het is vaak vallen en opstaan om erachter te komen wat een effectieve genetische manipulatie is. Maar zelfs dan zijn er geen gemakkelijke definitieve antwoorden. Bij de synthetische biologie wordt de biologische insteek vervangen door die van een technoloog. Er worden nauwkeurige wiskundige modellen gebruikt om het gedrag van DNA of eiwitten te voorspellen, of van bepaalde combinaties van die twee. En de toepassingen ervan kunnen verder reiken dan geneeskunde en gezondheid.

WELKOM BIJ DE BOUW

Biotechnologen kunnen interessante eiwitten of mengsels aanwijzen, maar ze laten het aan de chemische technologen over om uit te zoeken hoe ze op grote schaal gemaakt kunnen worden. Genetische technologie is op zich een verkeerde naam, de biologie wordt niet technisch gemaakt. Bij een technisch project begin je met een nauwkeurig wiskundig model van het systeem dat je wilt bouwen, of het nu een aquaduct of een micro-elektrisch circuit is. Dat model wordt getest om erachter te komen hoe het zich gedraagt onder uiteenlopende omstandigheden, voordat het systeem wordt gebouwd volgens exacte specificaties van de grondstoffen zodat het zich precies zo zal gedragen als werd voorspeld. Veranderingen in de prestaties van een technisch systeem, een automotor bijvoorbeeld, kunnen worden voorspeld als de ingenieur weet wat de verschillende invoeren zijn, zoals de lucht-brandstofverhouding of de ontstekingstemperatuur. Deze mogelijkheden zijn tot nu toe niet beschikbaar in de biologie door het gebrek aan kwantitatieve data die nodig zijn voor het bouwen van stevige wiskundige modellen.

Toen men begon met het analyseren van DNA begonnen deze zo hard nodige ruwe data binnen te stromen. Biologen gingen samenwerken met technologen om te beginnen met de bouw van een systematisch begrip van wat ze moesten doen met al die reeksen. Waar de biologen worstelden met de grote hoeveelheden informatie, raakten de technologen opgewonden. Ze zagen in dat, net als bij de scheikunde en elektronica decennia geleden, de opgedane kennis gebruikt kon worden om modellen te bouwen van mogelijke biologische systemen.

De informatie hielp biologen bij het ontrafelen van hoe biologische systemen werken, en het hielp de technologen bij het reageren met, het aanpassen en het toepassen van de biologie. Hun uiteindelijke doel is het gebruik van de biologie, net zoals technologen al complexe natuurkunde en scheikunde gebruiken. Ze willen onderdelen van de biologie samenbrengen die we nog nooit eerder in de natuur hebben gezien.

BIOBOUWSTENEN, BIOLOGISCHE RESERVEONDERDELEN

Als biologie werkelijk in constructietechnologie zal veranderen, heeft het standaardcomponenten nodig die met minimale inspanning op elkaar aangesloten kunnen worden. Sommige synthetische biologen moeten de interacties tussen een aminozuur en een deel van het DNA begrijpen op het atoomniveau, maar de meeste moeten gewoon in staat zijn om te aanvaarden dat iets werkt. Toen hij op het MIT werkte, begon Drew Endy met het bouwen van de biologische onderdelendatabase, een systeem voor standaardisering dat complexiteit verbergt voor degenen die het niet hoeven te zien.

Waar de elektrische ingenieurs transistors, condensators en weerstanden hebben, hebben de biologische ingenieurs 'biobouwstenen'. De eerste biobouwstenen werden gemaakt op het MIT door een computerwetenschapper, Tom Knight, die geïnteresseerd was in biologie. Het zijn stukjes informatie die een stuk DNA omschrijven en de functie die in het DNA is gecodeerd. Met behulp van een reeks biobouwstenen zullen synthetische biologen in staat zijn om hun eigen systemen te bouwen. Er zijn drie soorten biobouwstenen: 'onderdelen', die biologische basisfuncties coderen; 'apparaatjes', die zijn opgebouwd uit een aantal onderdelen en die door mensen gedefinieerde functies coderen (ze lijken op logische poorten in elektronische circuits); en 'systemen', die taken zoals tellen uitvoeren. Knight maakte de eerste zes biobouwstenen, maar dankzij Endy en studenten overal ter wereld bevat de database nu meer dan drieduizend onderdelen. Elk jaar groeit het aantal onderdelen door wedstrijden voor het ontwerpen van de interessantste onderdelen en het bouwen van toepassingen met behulp van de onderdelen die al in de database aanwezig zijn.

Tijdens de jaarlijkse *International Genetically Engineered Machine*-bijeenkomst strijden wetenschappers met elkaar om machines te bouwen waarmee ze een felbegeerde prijs kunnen winnen: een legosteentje van metaal ter grootte van een schoenendoos. In een bepaald jaar veranderde een team van de universiteit van Heidelberg in Duitsland een *E. coli*-bacterie in een microscopisch kleine zelfmoordterrorist die naar schadelijke ziektekiemen zwom en natuurlijke gifstoffen afgaf, waarbij de bacterie zichzelf en de ziektekiemen doodde. Hetzelfde team heeft ook een *E. coli*-bacterie ontwikkeld die kankercellen in muizen kan vinden en vernietigen. Een ander team van Edinburgh University produceerde bacteriën die arsenicum in water kunnen ontdekken. Een gevriesdroogde versie hiervan zou gebruikt kunnen worden in delen van ontwikkelingslanden waar arsenicumvergiftiging een probleem is.

TECHNOLOGIE WORDT GEMAKKELIJKER EN GOEDKOPER

Het lezen, ontwerpen en bouwen van genomen was nog een moeilijke taak, zelfs aan het begin van de eenentwintigste eeuw. De analyse van het eerste menselijke genoom duurde bijna een decennium, maar tegenwoordig gaat het lezen van het DNA duizenden keren sneller. Het toenemend aantal genoomreeksen die in de afgelopen jaren werden gepubliceerd, bewijst dit. Het vormen van reeksen is moeilijker, maar men schat dat deze technologie maar een decennium achterligt op de huidige reeksen-leestechnologie. Wetenschappers kunnen al gemakkelijk DNA-reeksen bouwen. Je kunt online aangeven welke reeksen van basenparen je wilt, aan een van de biotechbedrijven die zich bezighouden met het produceren van DNA – ze kunnen binnen een paar dagen een reeks leveren. Het belang van deze stap kan niet overschat worden. Synthesetechnologie maakt bouwbiologie mogelijk.

Het betekent dat wetenschappers DNA kunnen programmeren, zegt Endy. 'Stel je voor wat de wetenschap omtrent de oorsprong van het universum zou kunnen zijn als natuurkundigen universums zouden kunnen bouwen. Het is toevallig zo dat in de biologie de technologie van synthese je in staat stelt om meteen je hypothese te nemen en een fysiek voorbeeld te bouwen, en daarna kun je het testen.'

Er zijn al heel veel ideeën voor toepassingen. Synthetische biologen willen virussen ontwerpen waarbij de nuttige eigenschappen van het organisme bewaard blijven (bijvoorbeeld genetisch materiaal in een cel binnenbrengen), maar de slechte onderdelen eruit worden gehaald (het veroorzaken van ontstekingen bijvoorbeeld). Omdat er een tekort is aan menselijke leverdonoren, zijn wetenschappers bezig om te kijken of er nieuwe levers in een laboratorium kunnen worden gebouwd of dat de virussen uitgeschakeld kunnen worden die de lever kunnen aanvallen. In principe klinkt dit allemaal prima, maar meer kennis van de manier waarop virussen cellen kunnen binnenkomen en hoe ze dan getransporteerd worden door het intracellulaire verkeer, is nodig voordat de synthetische biologie zich erop kan storten. In een gebied met zoveel mogelijkheden is het voor iedereen moeilijk om de toekomst in kaart te brengen. Maar Douglas Lauffenburger van het MIT is er zeker van dat binnen vijftig jaar de volledige farmaceutische industrie zal werken op basis van deze technologie. De slordige vallen-en-opstaanmethode voor het ontwikkelen van medicijnen is dan niet meer nodig.

DE EERSTE KUNSTMATIGE LEVENSVORM

Het creëren van biobouwstenen is al heel opwindend, maar het bouwen van een volledige levensvorm zou verbijsterend zijn. Laten we de ethische kwesties die te maken hebben met het scheppen van leven in een laboratorium, op dit moment opzijzetten en bedenken dat het scheppen van levensvormen die geprogrammeerd zijn voor specifieke functies zeer nuttig zou kunnen zijn. En als er iemand is die op het punt staat om dit doel te bereiken, dan is het de Amerikaanse bioloog Craig Venter. Hij heeft al plannen ontwikkeld voor het maken van verschillende micro-organismes die nuttige dingen zullen doen zoals het produceren van waterstof voor milieuvriendelijke voertuigen. Maar het is zijn droom om de eerste te zijn die kunstmatig leven schept vanaf het begin. In 2008 meldde het team van Venter in het tijdschrift *Science* dat ze de volledige genetische code van de *Mycoplasma genitalium*-bacterie in het laboratorium hadden gebouwd. Een overtreffende versie van het werk dat synthetische biologen al aan het doen waren met het bouwen van DNA-reeksen in biobouwstenen. De volgende stap is dat dit synthetische chromosoom in een cel wordt geplaatst en dat het wordt opgestart om zichzelf te reproduceren. Het team van Venter heeft ook aangetoond dat het transplanteren van het genoom van een bacterietype in een cel van een andere bacterie de soort van de cel kan veranderen. Dit is een proces dat zijn team zal gebruiken met het synthetische chromosoom.

Het kunstmatige genoom van Venter moet je als een besturingssysteem voor een computer beschouwen. Op zichzelf doet het maar weinig, maar als je het op een computer installeert, heb je hopelijk een computer die werkt. Het genoom is het besturingssysteem voor een biologische cel en het cytoplasma in de cel (alle celonderdelen rond de nucleus) is de hardware die nodig is om dat genoom te laten werken. Kunstmatige organismes die gebaseerd zijn op deze principes, bieden heel grote kansen voor het produceren van alternatieve energiebronnen of het aanpakken van de klimaatverandering door het opzuigen van kooldioxide. Venter beweert dat een kunstmatige brandstofproducerende microbe het eerste miljard- of biljoen-dollar-organisme kan zijn: 'Als je denkt aan alle dingen die van olie of in de chemische industrie zijn gemaakt, als we in de toekomst cellen kunnen vinden die de meeste van die processen kunnen vervangen, dan zou het ideaal zijn om dat te doen door middel van directe ontwerpen.'

Maar laten we ons nu richten op die ethische kwesties. Mensen die kritiek hebben op synthetische biologie, komen met het punt dat wetenschappers per ongeluk gevaarlijke organismen zouden kunnen maken, of dat kennis in de handen van terroristen terecht zou kunnen komen. Zij zouden virussen die al heel lang niet meer actief zijn, weer kunnen activeren of nog dodelijker virusvarianten ontwerpen. Maar op dit moment is het goed om de synthetische biologie in zijn context te plaatsen: *M. genitalium*, het enige genoom dat tot nu toe is gemaakt, heeft ongeveer 582.000 basenparen (genetische letters) in zijn reeks van 485 genen. Vergelijk dat maar eens met de 3 miljard basenparen voor mensen in net iets minder dan 30.000 genen. Er moet nog een lange weg worden afgelegd voordat er iets naars op zal kunnen duiken.

En er is nog nooit een technologie ontwikkeld waarvoor geen slechte toepassing was te bedenken. Zoals de bio-ethicus Tom Shakespeare schreef: 'Onderzoek moet voorzichtig verder gaan, en met de juiste beveiligingsmaatregelen en een kritische blik. Maar we moeten ook oppassen voor de grootse beweringen over de wonderen of de slechtheid van de bionatuurwetenschappen.'

Voor het maken van zijn kunstmatige versie van een gewone bacterie, Mycoplasma mycoides, begon Craig Venter met een computerreconstructie van het genoom van het organisme.

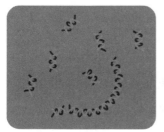

Een computerreconstructie van het genoom wordt ingevoerd in een dna-synthesizer die korte strengen van het dna van het organisme maakt.

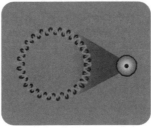

De strengen worden eerst in gist gestopt en vervolgens in *E. coli*-bacteriën, en terwijl het proces plaatsvindt, 'repareren' ze zichzelf tot ze een cirkelvormig genoom vormen.

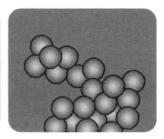

Dit nieuwe synthetische genoom wordt overgebracht naar een ander organisme. De nakomelingen daarvan danken hun eigen dna af en gebruiken het synthetische genoom.

HOE BOUW JE EEN HEELAL

Ongeveer 13,7 miljard jaar geleden, een minieme fractie van een seconde na de oerknal, bestond het hele kleine babyheelal uit pure, woedende, ongelooflijk hete energie. De tijd begon, de expansie begon, uit een klein gedeelte van de energie ontstonden krachtdeeltjes, daarna materiedeeltjes. Toen het begon af te koelen, vormden elektronen, protonen en neutronen eenvoudige atomen. De atomen kwamen samen om sterren te vormen en maakten de andere elementen terwijl ze zich samenvoegden in sterrenstelsels.

DE SCHAAL DER DINGEN

Het heelal is reusachtig groot. Het is niet gemakkelijk om de tijdschalen en de afstanden die erbij zijn betrokken te bevatten. Ervan uitgaande dat het licht van de verste objecten die we kunnen zien zijn reis is begonnen in het vroegste jaar van het universum, 13,7 miljard jaar geleden, zou je kunnen denken dat het universum in elke richting 13,7 miljard lichtjaar groot is. Dat klopt niet helemaal. Terwijl dat licht onderweg was naar ons toe, is de ruimte die erachter zit uitgedijd. Kosmologen berekenen dat de randen van het zichtbare heelal veel verder weg liggen dan de 13,7 miljard lichtjaar die het oudste licht heeft afgelegd. Het komt dichter bij 47 miljard lichtjaar in elke richting. Het heelal dat daarachter zit en dat we niet kunnen zien, zou heel goed bijna oneindig groot kunnen zijn.

Denk eens eventjes na over deze cijfers. Ons sterrenstelsel, de Melkweg, is ongeveer 100.000 lichtjaar in doorsnede en onze dichtstbijzijnde buur, Andromeda, ligt ongeveer 2,5 miljoen lichtjaar van ons verwijderd. Binnen de 47 miljard lichtjaren van het heelal zijn er minstens 100 miljard sterrenstelsels, die elk miljarden sterren bevatten. En dit allemaal, die biljoenen na biljoenen sterren en een nog veel verbijsterender hoeveelheid atomen en deeltjes, begon op een enkel punt, een singulariteit met een ongelooflijke dichtheid. De tijdschalen zijn ook moeilijk te vatten. De geschiedenis van alles begon in de paar seconden en minuten nadat de singulariteit explodeerde. Daarna gebeurde er duizenden jaren bijna niks totdat een aantal van de grotere complexere voorwerpen, zoals sterren en sterrenstelsels, tevoorschijn kwamen.

De evolutie van het heelal van de oerknal (helemaal links) door een zee van fundamentele deeltjes tot vandaag (helemaal rechts) met moderne sterrenstelsels.

het uitdijen

Kosmische achtergrondstraling

vroege sterrenstelsels

eerste sterren

tijd na de oerknal

DE EERSTE TIEN SECONDEN

Voordat we beginnen met de singulariteit aan het begin van de tijd, moeten we een vraag behandelen die vaak wordt gesteld: wat gebeurde er voordat de oerknal plaatsvond? Natuurkundigen beantwoorden deze vraag door te stellen dat de tijd zelf begon met de oerknal en dus is er niet zoiets als 'voor'. Zoals de grote Oostenrijkse filosoof Ludwig Wittgenstein zei: 'Waar men niet over kan spreken, daarover moet men zwijgen.'

Eeuwen van astronomische observaties en decennia van experimenten in deeltjesversnellers hebben wetenschappers de ideeën gegeven die ze nodig hebben om een beeld te kunnen schetsen van het heelal vlak na de oerknal. Tegenwoordig kunnen ze ons vertellen wat er 10^{-15} seconde gebeurde na het begin, maar over de tijd daarvoor kunnen we alleen maar speculeren.

Het Hertzsprung-Russell-diagram toont het verband tussen de lichtsterkte van een ster (y-as) en de temperatuur en kleur ervan (x-as). Het diagram laat zien dat sterren alleen in bepaalde combinaties kunnen bestaan. De meest dominante is de diagonale lijn van linksboven (heet, helder) naar rechtsonder (koeler, minder helder), dit wordt de hoofdreeks genoemd. Linksonder in het diagram zitten de dwergen. Boven de hoofdreeks bevinden zich de reuzen. Een ster zal zich verplaatsen in dit diagram als deze gedurende zijn levensduur evolueert en de massa en temperatuur veranderen.

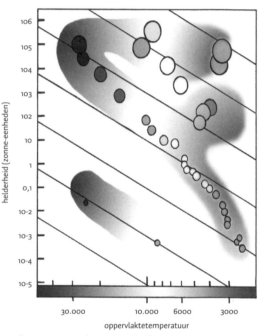

Het begon met een singulariteit, een punt zonder dimensies met oneindige dichtheid. De natuurkunde zoals wij die nu kennen, zou daar niet toepasbaar zijn en daardoor is het onmogelijk om te weten waarom er gebeurde wat er vervolgens gebeurde: er ontstond een ontploffing.

Men denkt dat de periode 10^{-43} seconden, wat het Planck-tijdperk wordt genoemd, de kleinst mogelijke tijdseenheid is, en niemand weet of het wetenschappelijk gezien zin heeft om over iets te praten dat korter is dan deze periode. De enige belangrijke gebeurtenis die tijdens het Planck-tijdperk plaatsvond, was dat een van de vier fundamentele krachten van het heelal, de zwaartekracht, zich afscheidde uit de rommelige energiewolk. Het heelal was gevuld met gravitons, de deeltjes waarvan men denkt dat ze de zwaartekracht dragen, en ook met de deeltjes van de 'verenigde' kracht die nog geen naam had, een combinatie van de andere drie fundamentele natuurkrachten: elektromagnetisme, de sterke kernkracht en de zwakke kernkracht. De temperatuur daalde van een geschatte 10^{32} K onmiddellijk na de oerknal tot 10^{29} K, nog steeds ongeveer 22 ordes van grootte heter dan het midden van de zon. Op 10^{-32} seconden na de oerknal was de temperatuur genoeg gedaald voor de sterke kernkracht (die ervoor zorgt dat de delen van een nucleus samen blijven) om zich af te scheiden van de verenigde kracht, waarbij de elektromagnetische kracht en de zwakke kernkracht samen achterbleven als de elektrozwakke kracht.

TOEN DIJDE HET HEELAL UIT

Op een bepaald moment nam de expansiesnelheid heel snel toe, het ging sneller dan de snelheid van het licht. Elke 10^{-35} seconden verdubbelde het heelal in grootte en tegen de tijd dat de expansie ophield op 10^{-32} seconden na de oerknal, had het heelal dit 100 keer gedaan. Om dat in de context te plaatsen, moet je je voorstellen dat het heelal begon met 1 cm. Na 10^{-35} seconden, een 'tik' van de expansie, zou het heelal 2,7 cm breed zijn. Twee tikken en het zou 7,4 cm zijn. Drie tikken later zitten we op 20 cm. Na 20 tikken is het heelal 4850 km breed en na 50 tikken 5480 lichtjaren. En dat allemaal in minder dan 10^{-33} seconden. Tegen de tijd dat de inflatie ophield, na 100 tikken, was het heelal gegroeid met een factor 10^{43}. En dat is een behoudende versie van de theorie. In sommige theorieën wordt gesteld dat de inflatie nog extremer was, met een expansiefactor van 10 tot de macht een biljoen keer.

Als je van voor af aan een appeltaart wilt maken, moet je eerst het heelal uitvinden.
CARL SAGAN

En het heelal koelde verder af. Tussen 10^{-32} seconden en 10^{-10} seconden begon de energie in dit plotseling uitgedijde heelal te kristalliseren in de deeltjes van de materie waaruit wij en alles dat we kunnen zien in het heelal, zijn gemaakt. Inclusief de quarks, waar protonen en neutronen uit zijn opgebouwd, en leptonen, met onder andere elektronen en neutrino's. Zes soorten quarks en zes leptonen zijn de basismateriedeeltjes uit het standaardmodel van de deeltjesfysica van nu, de erkende kwantummechanische beschrijving van de wereld. Maar de quarks en leptonen die aanwezig waren in dit vroege heelal, waren niet zo duidelijk van elkaar te onderscheiden. Afgezien van hun massa waren de deeltjes voor het grootste gedeelte uitwisselbaar en de temperatuur was zo hoog 10^{-32} seconden na de oerknal dat de protoquarks en protoleptonen allemaal vrij rondzwierven. Maar ze overleefden het niet lang: naast materie bevatte het vroege heelal heel veel antimaterie. Dit zijn deeltjes met precies dezelfde massa als hun materiegelijke, maar dan met de tegenovergestelde elektrische lading. Als een materiequark of -lepton in aanraking kwam met zijn antimateriegelijke werden de deeltjes vernietigd en veranderden ze in een regen van hoge energiefotonen. Dit had voor altijd door kunnen gaan, waarbij alle materiedeeltjes zouden worden vernietigd als er niet een rare kronkel in het vroege heelal had gezeten. Voor elke miljard deeltjes in totaal was er een extra materiedeeltje. Dit zijn de quarks en leptonen die het hebben overleefd. Wij zijn allemaal gemaakt van dit hele kleine restje dat overbleef na de gewelddadige vernietigingen.

Toen het heelal 10^{-10} seconden oud was, kwamen de twee fundamentele krachten tevoorschijn in het heelal. De elektrozwakke kracht (het overblijfsel van de verenigde kracht nadat de sterke kernkracht zich had afgescheiden) splitste zich op in de zwakke kernkracht, die verantwoordelijk is voor radioactiviteit in de nucleus van atomen, en de bekende elektromagnetische kracht, de kracht die het meest relevant is voor al onze dagelijkse ervaringen op de aarde, voor alles van scheikunde tot elektriciteit. In de tijd daarna hebben de vier krachten hun eigen identiteit behouden. Een miljoenste seconde later was de temperatuur genoeg gedaald zodat de quarks konden beginnen met het vormen van protonen en neutronen die de kernen vormen van alle atomen in het heelal. De neutrino's reageerden niet langer met quarks en leptonen, ze trokken zich terug in de achtergrond van het heelal als een spookachtige nevel van deeltjes die voor eeuwig ongehinderd door de kosmos zou gaan zwerven. De paar zwaarste leptonen die niet waren uitgeroeid door hun antimateriegelijken, vervielen tot gewone elektronen.

DE VOLGENDE VIJF MINUTEN

Op de prille leeftijd van tien seconden, na zoveel activiteit en chaos, ging de evolutie van het heelal langzamer. Protonen (en een gelijk aantal elektronen) waren ten opzichte van de neutronen in de meerderheid, de verhouding was vijf tegen een, maar al deze deeltjes verdronken in een zee van energetische fotonen, lichtdeeltjes, die ook de elektromagnetische kracht in het hele heelal uitzonden. In dit stadium waren er 1 miljard fotonen voor elk materiedeeltje in het heelal. Gedurende de volgende drie minuten waren de fotonen zo energiek in het hete heelal dat ze materiedeeltjes in het rond lieten vliegen, ze voorkwamen dat deze deeltjes samen konden komen op een zinvolle manier. Maar de materie hoefde niet lang te wachten, omdat twee minuten later de temperatuur was gedaald tot een miljard kelvin (K), laag genoeg voor twee neutronen en twee protonen om samen te komen om een heliumkern te vormen. In deze paar minuten kwamen de kernen van de eerste elementen tevoorschijn: het heelal bevatte 76 procent waterstof (enkele protonen), 24 procent helium (twee protonen en twee neutronen), hele kleine hoeveelheden deuterium (een proton en een neutron), helium-3 (twee protonen en een neutron), lithium-7 (drie protonen en vier neutronen) en beryllium (vier protonen en een paar neutronen). Gedurende miljoenen jaren waren dit de enige elementen.

VAN VIJF MINUTEN NAAR 13,7 MILJARD JAAR

Gedurende 10.000 jaar botsten deze atoomkernen rond in het heelal dat eruitzag als een ondoorschijnende wolk omdat de fotonen van het licht nooit erg ver konden reizen voordat ze in verschillende richtingen werden verspreid. Het zou nog eens 380.000 jaar duren, met de temperatuur op 10.000 K, voordat het heelal doorzichtig werd. De oudste lichtgolven die we kunnen waarnemen, komen uit deze tijd. Alles wat daarvoor kwam, zat vast in de ondoorzichtige wolk.

Terwijl het heelal uitdijde, werd de golflengte van de fotonen ook groter. Omdat de energie van een foton omgekeerd evenredig is met de golflengte, hadden de fotonen al snel te weinig energie over om elektronen weg te houden van de kernen die rondzweefden. Gedurende de volgende paar duizend jaar begonnen de deeltjes elkaar te vinden en begonnen ze atomen te maken. Gedurende dezelfde periode werd de energie van de fotonen steeds minder en uiteindelijk reageerden ze helemaal niet meer met de atomen. Na dit 'ontkoppelingsgebeuren' raakten de fotonen met weinig energie op de achtergrond in het heelal, ze vormen de kosmische achtergrondstraling, een overblijfsel van de hete plasmabol die afgekoeld was tot

2,7 K boven het absolute nulpunt. Daarna was gedurende miljoenen jaren alles rustig. Door de dichtheid van het heelal heersten de kernkracht en elektromagnetische kracht, terwijl afstotende elektrische krachten ervoor zorgden dat materie niet te lang bij elkaar bleef. Het heelal was een koud, donker en kaal oord.

DE STERREN WORDEN GEBOREN

Op het moment dat de algemene dichtheid van het heelal tot op het juiste niveau was gedaald, nam de zwaartekracht het over. Omdat alle atomen in het heelal de effecten van de zwaartekracht voelen en omdat zwaartekracht altijd aantrekt (zodat het zichzelf niet over lange afstanden kan uitschakelen zoals de elektromagnetische kracht), zorgde de zwaartekracht ervoor dat atomen gingen samenklonteren. Op elke plek waar zich een willekeurige grote hoeveelheid waterstof bevond, kon de gaswolk zich onder invloed van de zwaartekracht zover gaan samentrekken dat de atoomkernen in het midden van de wolk met elkaar gingen samensmelten, gingen fuseren. Door de kernfusie kwam energie vrij en begon de ster te schijnen. Onze ster, de zon, ontstond op deze manier.

Sterren kwamen met miljarden samen om sterrenstelsels te vormen in heel veel verschillende vormen. De meeste worden bij elkaar gehouden door de zwaartekracht van de mysterieuze zwarte materie. De sterren werden ook de kraamkamers voor alle overige natuurlijke elementen die we kennen. Als in een ster alle waterstof in de kern is omgezet in helium, zal de interne druk van de kern voorkomen dat deze nog verder uiteenvalt. De buitenste lagen zetten uit en koelen af, ze vormen een rode reus die ongeveer tweehonderd keer groter is dan de oorspronkelijke ster. Een dunne laag buiten de kern van de ster zal doorgaan met het verwerken van waterstof en uiteindelijk zal de kern genoeg samengeperst zijn om helium in koolstof en zuurstof te veranderen.

Nadat het helium in de kern helemaal is opgebruikt, gaat de heliumverwerking door in een schil rond een hete kern van koolstof en zuurstof. Afhankelijk van de grootte van de ster volgen er nog meer kernfusiestadia waarin zwaardere elementen worden gemaakt. Opeenvolgende fases worden van brandstof voorzien door neon, zuurstof en silicium. Tegen de tijd dat de ster ijzer produceert in zijn kern is het einde voor de ster nabij. IJzer verwerken is niet goed voor een ster, omdat het energie kost en geen energie oplevert. Wanneer de ijzeren kern van een grote ster te groot wordt, stort deze in. Als de ster groot genoeg is, zal deze tijdens het sterven de ruimte zelf kapot scheuren en zal er een zwart gat ontstaan, een singulariteit waarvan de zwaartekracht zo sterk is dat niets wat in de buurt komt eraan kan ontsnappen. Als het om een kleine ster gaat, zullen de restanten ervan een bal van ultradichte neutronen vormen of andere exotische, onherkenbare materie. In beide gevallen zal het ineenstorten van de ster, nadat deze miljarden jaren lang elementen heeft samengesmolten, een schokgolf veroorzaken waardoor de ster ontploft in een supernova, een gebeurtenis die zoveel licht oplevert dat het kort een volledig sterrenstelsel van sterren kan doen verbleken. Uit de resten van deze gewelddadige supernova's ontstaan planeten en uiteindelijk ook het leven. Maar dat is weer een ander verhaal.

HOE KUNNEN WE E.T. VINDEN

De zoektocht naar intelligente wezens buiten de aarde is een standaardingrediënt van de sciencefiction, het geeft aan dat we graag willen weten of we de enigen zijn in het heelal. Er zijn miljarden sterren in ons sterrenstelsel en het is redelijk om te verwachten dat er zelfs nog meer planeten zijn die in banen om sterren heen draaien. Sommige van deze planeten moeten wel de perfecte temperatuur hebben en op precies de goede afstand staan van hun ster zodat leven mogelijk is. Als je alleen maar kijkt naar de grote getallen, is het niet onredelijk om te verwachten dat sommige van deze levensvormen intelligent zijn en in staat om interstellair te communiceren.

LUISTEREN NAAR HET HEELAL

In 1977 zagen astronomen in Ohio iets opmerkelijks. Toen ze de gegevens van een van hun radiotelescopen bekeken, zagen ze een signaal dat opviel tussen het lawaai eromheen. Gedurende 72 seconden ging het geleidelijk omhoog en daarna ging het weer naar beneden. Jerry Ehman, een professor van de Franklin University in Columbus, omcirkelde een bepaalde reeks van cijfers en letters en schreef 'wow' in de kantlijn. Dit signaal was interessant omdat het van het Big Ear-observatorium kwam. Vanuit dat observatorium zocht men al jarenlang de ruimte af op zoek naar signalen van buitenaardse intelligentie. In al die jaren was er niets bijzonders gevonden. Zou het 'wow-signaal' hier plotseling verandering in brengen? Had Ehman bewijs gevonden van buitenaards leven? Een aantal weken daarna richtten astronomen de telescoop in de richting van de bron van het wow-signaal. Ze hoopten het signaal opnieuw te horen, om te bevestigen dat het iets was waarvan je opgewonden mocht raken. Maar ze vonden niets. Weer een paar weken later vonden ze ook niets en toen andere astronomen een paar jaar later de scan herhaalden met andere telescopen, werd er ook niets waargenomen. Uiteindelijk werd het wow-signaal afgeschreven. Maar de zoektocht naar intelligent buitenaards leven ging door.

Het Big Ear-observatorium is onderdeel van een groter project waarmee men begonnen was in 1960 toen de Amerikaanse astronoom Frank Drake de Green Bank-telescoop richtte op de ster Tau Ceti. Hij probeerde radiosignalen op te pikken die door de ruimte zouden kunnen denderen, verstuurd door intelligente buitenaardse wezens ver van ons zonnestelsel. Het was het begin van wat uiteindelijk *Search for Extra-Terrestrial Intelligence* (Seti) zou gaan heten, een heel groot project voor het vinden van onweerlegbaar bewijs dat we niet de enigen zijn in de kosmos. Maar tot nu toe heeft Seti geen successen opgeleverd. Na het scannen van het heelal gedurende vijftig jaar is er nog niets maar in de buurt gekomen van het wow-signaal uit 1977. Een halve eeuw lang is er niets vernomen uit het heelal.

HET WACHTSPELLETJE

Toen hij worstelde met de kwestie van E.T., vroeg de Italiaans-Amerikaanse natuurkundige Enrico Fermi zich af waarom, als het leven veel voorkwam in het heelal, er nog geen contact met ons was gelegd. Waar zijn ze? vroeg hij zich af. De vraag van Fermi staat nog steeds op de voorgrond. Als buitenaardse wezens bestaan, als ze miljarden jaren meer dan mensen hebben gehad om te evolueren en technologie te ontwikkelen, waarom zijn ze dan niet hier?

De zoektocht naar buitenaardse wezens brengt veel praktische problemen met zich mee. Het belangrijkste daarvan is de afstand. Ons sterrenstelsel is verbijsterend groot. Een lichtstraal zou er 100.000 jaar over doen om van het ene uiteinde naar het andere uiteinde te gaan. Als onze naaste buren levensvormen waren op de bosmaan Endor (uit de *Star Wars*-films), duizend lichtjaren van ons vandaan, zou het een eeuw duren voordat we een bericht zouden ontvangen dat ze hadden verstuurd. Een reactie zou er net zo lang over doen om de buitenaardse wezens te bereiken. Dat is geen tijdsschaal die een snelle communicatie bevordert.

En misschien communiceren ze ook wel niet onze kant op. Als de bewoners van Endor onze aarde in de gaten zouden houden, zou het licht vanaf de aarde dat hen op dit moment bereikt, onze planeet tonen zoals die duizend jaar geleden was. In Europa betekent dat veel gevechten van ridders rond kastelen en in Noord-Amerika kleine groepen mensen die op de grote prairies wonen. Als de buitenaardse wezens die het dichtst bij ons wonen tienduizend lichtjaren verderop wonen, zouden ze alleen de voorouders van de moderne mens zien die tussen veel grotere beesten leefden. Je zou het hen wel kunnen vergeven als ze niet de moeite willen doen om contact met ons te leggen. Een meer afschrikwekkend idee is dat buitenaardse wezens wel hebben bestaan, maar dat ze, altijd begerig naar grondstoffen en macht, zichzelf hebben vernietigd na het ontwikkelen van krachtige wapens, zoals een kernbom. Of houdt de rest van het sterrenstelsel bewust afstand omdat ze zich zorgen maken over de gewelddadige neigingen van de mensheid?

HOE ZOU BUITENAARDS LEVEN ERUIT KUNNEN ZIEN?

Hoewel E.T. nog steeds niets van zich heeft laten horen, komen astrobiologen met ideeën over welke eigenschappen buitenaardse wezens zouden kunnen hebben. Vergeet de veronderstelling dat ze moeten lijken op de menselijke buitenaardse wezens uit *Star Wars*, zelfs met hun tentakels, staarten of extra hoofden. De zoektocht naar planeten buiten ons zonnestelsel heeft zich gericht op planeten die op de aarde lijken. Er wordt gehoopt dat op een van die planeten de omstandigheden gelijk zijn aan die van onze eigen planeet, waardoor er een grotere kans is dat er leven bestaat dat op ons leven lijkt. Maar waarom zou het op ons leven moeten lijken? Mensen zijn geëvolueerd op een planeet met heel veel zuurstof en water, waar een op koolstof gebaseerd molecuul dat DNA wordt genoemd, het kopieermechanisme voor het leven werd. Vanuit ons standpunt lijkt het alsof we in een wereld leven met precies de juiste temperatuur, water en voedingsstoffen.

Natuurlijk hoeven buitenaardse wezens zich niet te beperken tot ons standpunt. Je hoeft onze aarde niet te verlaten om levensvormen te vinden die compleet anders zijn dan wat we normaal vinden. Extremofielen zijn soorten die kunnen overleven op plaatsen waar mensen en andere 'normale' levensvormen heel snel dood zouden gaan. Deze eencellige wezens zijn gevonden in kokendheet water dat onder grote druk uit de oceaanbodem tevoorschijn komt in vulkanische schoorstenen, of bij temperatu-ren die ver beneden het vriespunt van water lig-gen. De voorkant van sommige wezens die vlak bij de vulkanische schoorstenen leven is 200 °C warmer dan hun achterkant. Op onze naïeve en kortzichtige manier noemen wij mensen deze wezens extreem, maar vanaf het gezichtspunt van de wezens die in kokend water leven, zijn wij degenen die extreem zijn.

Heel veel mensen denken dat buitenaardse wezens, omdat ze zo wijs zouden zijn en zoveel kennis zouden hebben, wel vredelievend zouden moeten zijn. Ik denk niet dat je daarvan uit kunt gaan. Ik denk niet dat je menselijke denk-beelden op hen kunt projecteren en ik vind het een gevaarlijke denkwijze. Buitenaardse wezens zijn buitenaards. Als ze echt bestaan, kunnen we er niet van uitgaan dat ze op ons lijken.

IAN STEWART

Op de aarde bestaat leven in het water en op het land, maar op een gigantische gasvormige planeet zou hoog in de atmosfeer leven moge-lijk zijn, waar voedingsstoffen uit de lucht worden gehaald. Er zijn heel veel mogelijkheden, maar toch is het wel mogelijk om met een gefundeerde inschatting te komen voor wat betreft het uiterlijk van buitenaardse wezens. Om te beginnen, zegt Ian Stewart van het Mathematical Institute van de University of Warwick in Engeland, moet je een indeling maken: welke biologische kenmerken zullen universeel zijn voor alle levensvormen in het sterrenstelsel en welke zijn beperkt tot de aarde?

UNIVERSEEL VERSUS PLAATSELIJK

Plaatselijke kenmerken omvatten alles wat een enkele soort uniek maakt, zoals de vijf vin-gers aan de hand van een mens. Er is geen reden waarom we geen vier of zelf zes vingers hebben, het is een speling van de evolutie. Het oog is meer dan veertig keer geëvolueerd bij wezens die niet met elkaar verwant zijn. Maar het hebben van een orgaan waarmee je kunt zien of ledematen waarmee een wezen zich kan voortbewegen, zijn waarschijnlijk universele kenmerken. Zoals Ian Stewart het zei: 'Ledematen zijn onafhankelijk van elkaar ontstaan bij verschillende wezens, een octopus heeft tentakels die een heel eigen structuur hebben, maar ze hebben dezelfde functie.' DNA is waarschijnlijk plaatselijk voor de aarde, maar het idee van de evolutie van soorten door middel van natuurlijke selectie is waarschijnlijk uni-verseel.

HOE ZIT HET MET DE INTELLIGENTIE?

Intelligentie is op aarde niet beperkt tot mensen. Er zijn veel intelligente dieren: octopussen, dolfijnen en walvissen zijn slim. Zelfs bidsprinkhaankreeften zijn verbazingwekkend goed in het oplossen van puzzels als ze dat moeten doen om hun eten te krijgen. Maar intelligent leven op zich zou voor ons niet genoeg zijn om buitenaardse levensvormen te ontdekken op een andere planeet. Ze zouden ook in staat moeten zijn om samen te werken en technologie te ontwikkelen. 'Wat ons de mogelijkheid zou geven om te communiceren met andere planeten, is niet intelligentie op zich, het is ons vermogen om de slimme ideeën van iemand in een vorm op te slaan die toegankelijk is voor de rest van de cultuur en die door hen gebruikt kan worden,' zegt Stewart. Individueel zijn mensen nu niet slimmer dan vorige generaties gedurende duizenden of misschien wel honderdduizenden jaren. Maar collectief kan onze cultuur nu dingen bereiken die honderd jaar geleden ondenkbaar waren. 'Extelligentie', zoals Stewart het noemt, begon met de uitvinding van de spraak en het schrift, kwam goed op gang met de boekdrukkunst en is op hol geslagen met het internet. Als een soort extelligent is geworden, zijn er veel dingen mogelijk, ze kan de biologie ontstijgen. Mensen gingen van het gebruik van radiogolven voor communicatie naar de lancering van een ruimteschip in minder dan zeventig jaar; over honderd jaar hebben we wellicht kunstmatige intelligentie ontwikkeld. Intelligente biologie kan zijn eigen opvolger maken en het kan heel snel gaan wat betreft interstellaire communicatie en reizen. We zijn al voorbij de beperkingen gegaan van ons brein van drie pond dat in een schedel bovenop je nek zit.

ZIJN ER OP AARDE AANWIJZINGEN TE VINDEN?

Paul Davies, een Britse astrofysicus van de Arizona State University, vraagt zich af of we onze zoektocht naar E.T. zijn begonnen op de verkeerde plaatsen. Misschien is er al 'buitenaards' leven op aarde. Men is het niet eens over een theorie over het begin van het leven op aarde, daarom is het zinloos om te proberen te berekenen hoeveel levensvormen er op andere planeten zouden zijn om erachter te komen of er daar werkelijk leven is. 'Er zou een manier kunnen zijn om dit probleem met een klap op te lossen,' schrijft hij. 'Er is geen enkele andere planeet die meer op de aarde lijkt dan de aarde zelf. Als het leven gemakkelijk ontstaat onder aardse omstandigheden, dan zou het toch vaak hier op onze eigen thuisplaneet moeten zijn ontstaan? En hoe weten we dat het niet is gebeurd? De waarheid is dat niemand er nog naar heeft gekeken.'

Alle levensvormen gebruiken DNA om zich voort te planten door celdeling. Daarom is men er altijd van uitgegaan dat al het leven op aarde op de een of andere manier aan elkaar is verwant, voortgekomen uit een enkele cel die 3,8 miljard jaar geleden bestond. Maar wat als er ergens op de aarde een wezen was met een andere biochemische samenstelling? 'Het is heel goed mogelijk dat we voorbeelden van het leven zoals we dat niet kennen, tot nu toe over het hoofd hebben gezien,' schrijft Davies.

HET ONDERZOEKEN VAN DE KOSMOS

De zoektocht naar E.T. en gelijksoortige ondernemingen zoals het zoeken naar planeten buiten ons zonnestelsel zijn in een hogere versnelling gezet aan het einde van de negentiger jaren en het begin van de eenentwintigste eeuw. Wetenschappers ontdekten de eerste planeten buiten ons zonnestelsel in het begin van de negentiger jaren, maar dankzij betere telescopen en verbeterde waarnemingstechnieken is het aantal planeten omhooggeschoten. Tegenwoordig herkennen wetenschappers 443 planeten die rond meer dan 350 sterren draaien. De meeste planeten zijn gasreuzen die lijken op Jupiter. De kleinste is Gliese 581, met een massa van 1,9 aardes.

In 2009 lanceerde de NASA de Kepler-satelliet, een sonde die speciaal is ontworpen om te zoeken naar planeten die op de aarde lijken. Door langer dan drie jaar te kijken naar een klein stukje van de ruimte, houdt de satelliet duizenden sterren in de gaten terwijl hij let op het regelmatig minder sterk worden van het licht van de ster, wat erop zou kunnen wijzen dat er een planeet voorlangs is gegaan. Toekomstige generaties van op de grond geplaatste telescopen, zoals de voorgestelde European Extremely Large Telescope (met een hoofd-spiegel van 30 meter doorsnee), zouden tegen 2030 operationeel kunnen zijn en zouden krachtig genoeg zijn om de atmosferen van verafgelegen planeten te kunnen schetsen. Ze zoeken naar chemische tekens die zouden kunnen duiden op leven.

Het Seti-instituut heeft in Californie in 2007 de Allen Telescope Array (ATA) in gebruik genomen, 42 radioantennes met een diameter van zes meter die luisteren naar signalen uit de ruimte. Het oorspronkelijke plan was om uiteindelijk 350 schotelantennes te bouwen, maar in april 2011 is het hele project stilgelegd vanwege geldgebrek. In de jaren waarin Seti actief was, heeft men iets minder dan duizend sterrenstelsels goed kunnen bekijken. Als de ATA helemaal zou worden gebouwd, zouden ze duizend sterrenstelsels kunnen observeren in een paar jaar.

HOE GROOT IS DE KANS?

Tijdens een Royal Society seminar over astrobiologie in 2010 was Frank Drake de ster van de bijeenkomst. Hij bleef rustig en goedgemanierd, maar tegelijkertijd volhardend en gedul-dig om ervoor te zorgen dat zijn ideeën serieus werden genomen door het wetenschappelijk establishment. De vraag werd gesteld of mensen ooit dat signaal zullen horen dat aangeeft dat we niet de enigen zijn, en Drake reageerde net zo enthousiast als vroeger, zelfs na een stilte van vijftig jaar. 'Vijftig jaar geleden was ik naïef en dacht ik dat we meteen signalen zouden vinden. Misschien werden er wel radio-uitzendingen uitgezonden door beschavin-gen op elke ster,' zei hij tegen de wetenschappers in de zaal. 'Maar dat was echt onredelijk. Ik realiseer me nu dat het moeilijker zal zijn. Er zouden tienduizend beschavingen kunnen zijn in het sterrenstelsel, maar het sterrenstelsel bevat ook honderden miljarden sterren. Dat betekent dat we ongeveer tien miljoen sterren moeten onderzoeken voordat we een realistische kans hebben om er eentje te vinden. Dat gaat tijdens mijn leven zeker niet meer gebeuren. En mogelijk ook nog niet tijdens de volgende generatie. Maar op een dag zal er contact worden gelegd. Dat weet ik zeker.'

HOE HET HEELAL
IN ELKAAR ZIT

- ELEKTROMAGNETISCHE KRACHT
- STERKE EN ZWAKKE INTERACTIES
- ZWAARTEKRACHT
- VERENIGING VAN DE KRACHTEN

De zwaartekracht trekt je naar beneden. De gelijke polen van twee magneten duwen elkaar weg. Elektriciteit snelt door draden heen om alles in je huis van stroom te voorzien. Het heelal is gemaakt van dingen: protonen, elektronen, neutronen en zwarte materie en zwarte energie. Hoe al die dingen bewegen, energie opslaan en weer afgeven, en hoe bepaalde deeltjes atomen vormen waaruit alles wat we kennen is opgebouwd, wordt bepaald door vier fundamentele krachten die vlak na de oerknal zijn geboren: elektromagnetisme, een sterke en zwakke kernkracht en de zwaartekracht.

ELEKTROMAGNETISCHE KRACHT

Dit is de kracht die alles vormt wat ons menselijk maakt. Al onze moleculen werden gevormd door de elektromagnetische aantrekking en afstoting tussen verschillende atomen en moleculen die onze eiwitten maakten en vormden. Het eten dat we eten, wordt verwerkt door middel van elektromagnetische chemische reacties om energie vrij te maken die opgeslagen is in de op elektromagnetisme gebaseerde atoomverbindingen in het eten. Dat dit boek niet door je hand valt wanneer je het leest of door de tafel waarop het boek ligt, komt door de elektromagnetische afstoting tussen de elektronen in de pagina en die in je vingers. Het licht dat wordt weerkaatst van de pagina in je ogen is een trilling in het elektromagnetische veld dat in de hele ruimte doordringt. Je ogen interpreteren verschillende trillingsfrequenties als kleuren. Je hersenen en zenuwstelsel gebruiken elektrische stroompjes om informatie te verwerken en te communiceren met de rest van je lichaam. En dan hebben we het nog niet eens over elektronica, computers of bliksem gehad.

In de kern is de elektromagnetische kracht een interactie tussen elektrisch geladen deeltjes, zoals protonen, elektronen of ionen. Hij wordt tussen deze materiedeeltjes vervoerd door het lichtdeeltje, het foton. Hij heeft een oneindig bereik en is veel, veel sterker dan de zwaartekracht. Neem twee bakstenen die naast elkaar liggen op een tafel. De totale afstotingskracht tussen de biljoenen negatief geladen elektronen in de ene baksteen en de biljoenen negatief geladen elektronen in de andere baksteen is groter dan het hele gewicht van de aarde. Eigenlijk zouden deze bakstenen uit elkaar moeten vliegen met een onvoorstelbare snelheid. Bovendien zouden ze van de tafel af moeten vliegen omdat deze ze ook afstoot. Maar de bakstenen en ook de tafel verroeren zich niet omdat de elektromagnetische kracht niet alleen afstoot, maar ook aantrekt. De protonen in de ene baksteen trekken de elektronen in de andere baksteen aan en andersom. Hiermee wordt de afstotende kracht tussen de elektronen precies opgeheven.

De basisideeën achter elektriciteit en magnetisme zijn al sinds de oudheid bekend, maar voor het samenbrengen van de twee ideeën was de natuurkundige James Clerk Maxwell nodig, die voortbouwde op het werk van Michael Faraday aan het einde van de negentiende eeuw. Hij plaatste de twee ideeën in een stevig kader en realiseerde zich dat deze twee krachten twee kanten waren van hetzelfde. Waar je een elektrische kracht kunt meten, terwijl deze bijvoorbeeld door een draad trilt, is er ook magnetische kracht die er haaks op staat. De ideeën van Maxwell zorgden ervoor dat de elektromagnetische kracht gebruikt en gestuurd kon worden om elektrische stroom te maken.

De vier fundamentele krachten doken op verschillende momenten na de oerknal op, terwijl het heelal afkoelde en de deeltjes binnen in het heelal minder energie hadden.

De elektromagnetische kracht werd in de vreemde wereld van de kwantummechanica binnengebracht in het midden van de twintigste eeuw, toen fysici een theorie ontwikkelden die kwantumelektrodynamica (QED) werd genoemd. Deze nauwkeurige wiskundige beschrijving bood wetenschappers de mogelijkheid om de kracht te manipuleren op onverwachte manieren. Ze introduceerden semigeleiders en elektronische apparaatjes zoals transistors, die onmogelijk gebouwd zouden kunnen worden onder de 'klassieke' elektromagnetische theorie van Maxwell.

STERKE EN ZWAKKE INTERACTIES

Diep in het hart van elk atoom zit de nucleus, gemaakt van protonen en neutronen. En hier liggen ook twee van de fundamentele krachten waarvan we zonder kosmologen en hoge-energiedeeltjes-fysici geen idee zouden hebben dat ze bestaan. Het was zelfs zo dat fysici zelf heel lang geen idee hadden dat deze krachten bestonden. Hoewel ze al goede modellen hadden ontwikkeld voor de zwaartekracht en het elektromagnetisme, hadden ze geen flauw benul dat de nucleus nog twee krachten bevatte, twee fundamentele krachten. Gedeeltelijk kwam dat doordat niemand wist dat nuclei bestonden totdat Ernest Rutherford ze ontdekte, nadat hij alphadeeltjes had afgevuurd op een dun velletje bladgoud. Nadat dat was gebeurd in 1908, begonnen wetenschappers zich af te vragen hoe de deeltjes bij elkaar bleven. De protonen en neutronen zouden zeker aantrekkingskracht van de zwaartekracht ondervinden, maar dat was helemaal niets vergeleken met de elektromagnetische afstoting van beide. Hoe werd deze afstoting overwonnen en wat zorgde ervoor dat de nucleusonderdelen zo dicht bij elkaar bleven?

Het duurde nog eens zestig jaar na de ontdekking van Rutherford voordat een geschikte theorie ontstond om het probleem uit te leggen. De Amerikaanse fysici Murray Gell-Mann en George Zweig stelden dat protonen en neutronen waren gemaakt van nog fundamentelere deeltjes, die quarks werden genoemd. Deze had-den twee soorten ladingen: een elektrische lading en een kleurla-ding. Ondanks het feit dat ze elkaar afstootten door hun elektri-sche ladingen, werden quarks naar elkaar toegetrokken door de sterke kernkracht overgebracht door de kleurlading. De theorie van kwantumchromodynamica (QCD) ontstond voor het verkla-ren van de sterke kerninteractie in termen van de kwantum-theorie, analoog aan QED voor het elektromagnetisme. Quarks reageren met elkaar via een krachtdragend deeltje dat een gluon wordt genoemd. Hoe sterk de aantrekkingskracht is, hangt af van de grootte van de kleurlading van elke quark.

Sterke kernkracht houdt de nucleus bij elkaar.

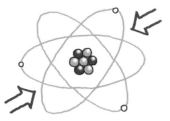

Elektromagnetische kracht houdt atomen bij elkaar.

De sterke kracht heeft een paar vreemde eigenschappen die verkla-ren waarom hij nooit buiten een nucleus wordt gezien. Een voor-beeld is dat hoe verder twee quarks van elkaar komen te liggen, hoe sterker de gluonkracht wordt tussen de twee quarks, een beetje zoals een elastiekje moeilijker uit te rekken valt als het langer wordt. Van-wege deze reden bestaan quarks en gluons nooit op zichzelf en zijn ze nog nooit alleen gezien.

Zwakke kernkracht is verantwoor-delijk voor radioactief verval.

De zwakke kernkracht heeft ook effect op de quarks. Overgebracht door deeltjes die de W- en Z-bosonen worden genoemd, is hij verant-woordelijk voor radioactief bètaverval in de nu-cleus wanneer een neutron vervalt in een proton en een elektron loslaat tijdens dat proces. Aan

Zwaartekracht houdt het zonnestelsel bij elkaar.

het einde van de zeventiger jaren bevestigden wetenschappers dat met hoge energie de zwakke kernkracht niet meer te onderscheiden is van elektromagnetisme. De Pakistaanse fysicus Abdus Salam en de Amerikaanse fysici Sheldon Glashow en Steven Weinberg kre-gen in 1979 de Nobelprijs voor de natuurkunde voor hun werk aan de 'elektrozwakke theo-rie,' de eerste vereniging van krachten sinds Maxwell meer dan een eeuw eerder aantoonde dat elektriciteit en magnetisme dezelfde kracht zijn.

ZWAARTEKRACHT

De zwaartekracht is de zwakste van de krachten. Iets wat een massa heeft, zal al het andere met een massa aantrekken via de zwaartekracht. In dit voorbeeld kan massa gezien worden als de 'zwaartekrachtlading' van een deeltje. Het bereik van de zwaartekracht is oneindig en hij trekt altijd aan. De wederzijdse aantrekking tussen jou en de aarde zorgt ervoor dat je vast blijft zitten aan de grond, stenen terugvallen naar de grond als ze in de lucht worden gegooid, en het is de kracht waartegen we vechten als we vliegen. De zwaartekracht is 10^{36} keer zwakker dan de elektromagnetische kracht, maar als je het over kosmische afstanden hebt, komt de belangrijkste eigenschap ervan pas goed tot zijn recht. De elektromagnetische kracht (die ook oneindig is) zal zichzelf buiten werking stellen. Maar de zwaartekracht stoot nooit af, hij zorgt ervoor dat dingen dicht bij elkaar blijven.

Je moet jezelf schrap zetten, niet omdat het moeilijk te begrijpen is, maar omdat het volstrekt belachelijk is: we tekenen alleen maar kleine pijltjes op een stuk papier...
RICHARD FEYNMAN

Voor grote voorwerpen in de ruimte is de elektromagnetische kracht voor het grootste gedeelte niet relevant voor de beweging, omdat ze gelijke hoeveelheden positieve en negatieve elektrische lading bevatten in de vorm van protonen en elektronen. De zwaartekracht zorgt ervoor dat alle deeltjes alle andere deeltjes aantrekken, dit kan belangrijk zijn als het gaat om een grote massa. De zwaartekracht is de enige werkelijke kosmische kracht, hij houdt planeten in hun baan rond sterren, houdt de sterren samen in sterrenstelsels en zorgt ervoor dat sterrenstelsels dicht bij elkaar blijven in clusters.

Het lijkt erop dat zwaartekracht ook een hoofdrol speelt in de duistere delen van het heelal. Alles wat we kunnen zien en waarvan we weten dat het uit atomen is opgebouwd, vormt maar 4 procent van de totale massa van het heelal. De rest bestaat uit donkere materie (22 procent) en donkere energie (74 procent). Donkere energie gedraagt zich alsof het een negatieve zwaartekracht uitoefent en is overal en gelijkmatig verdeeld in het heelal. Zwaartekracht is de enige kracht waarvan we weten dat hij een effect heeft op de mysterieuze donkere materie. De antizwaartekracht van de donkere energie zorgt ervoor dat het heelal voortdurend uitdijt, en gaat in tegen de invloed van de zwaartekracht.

De zwaartekracht was de eerste van de fundamentele natuurkrachten die werd benoemd door de wetenschappers, door niemand minder dan de Britse wiskundige Isaac Newton. Op een zomeravond in de zeventiende eeuw liep hij door zijn appelboomgaard en zag hij hoe een appel op de grond viel. Hij vroeg zich af of de aantrekkingskracht tussen de appel en de aarde dezelfde kracht was als de kracht die de maan in zijn baan hield. In zijn algemene wet van de zwaartekracht stelde hij terecht dat de kracht tussen twee voorwerpen proportioneel is met het product van hun massa's en dat de kracht minder sterk wordt als de afstand tussen twee voorwerpen groter wordt. De ideeën van Newton zwaaiden de scepter totdat de andere natuurkundige die iedereen kent, Albert Einstein, met zijn algemene relativiteitstheorie kwam in 1915. Hij reduceerde de zwaartekracht tot een geometrisch probleem. Zijn idee kan het best worden uitgelegd als je het heelal ziet als een plat vlak van rubber. Dit is het heelal zonder zwaartekracht. Als je een knikker over het platte vlak rolt, zal deze in een rechte lijn rollen. Als je in het midden van het vlak een voorwerp plaatst, bijvoorbeeld een bowlingbal, zal het rubber er vlak omheen vervormen. Einstein stelde dat een ster of planeet hetzelfde doet met ruimtetijd, de kwantiteit die door natuurkundigen wordt gebruikt om het toneel te beschrijven waarop zwaartekracht zijn rol speelt. Als je nu opnieuw een knikker over het vlak laat rollen, zal deze niet langer in een rechte lijn rollen, hij zal een boog om de bowlingbal heen gaan maken. Het lijkt erop dat de knikker wordt 'aangetrokken' door de bowlingbal.

In de algemene relativiteitstheorie wordt de zwaartekracht gelijkgesteld met de effecten van het gebogen rubber. Sterren, planeten en sterrenstelsels vervormen het platte vlak van ruimtetijd in verschillende mate, afhankelijk van de massa. Als ze relatief naar elkaar toe bewegen zal de baan van een planeet bijvoorbeeld afgebogen worden rond een ster.

Zwaartekracht is uniek tussen de vier fundamentele natuurkrachten, omdat er geen kwantummechanische beschrijving van is waar men het over eens is, geen beschrijving die zou werken op het subatomaire niveau. Het definiëren van een kwantumtheorie van zwaartekracht is het doel van veel natuurkundigen geweest in de afgelopen vijftig jaar. Als ze bestaat, zou een kwantumtheorie van zwaartekracht werken door het versturen van gravitonen tussen massa's. Deze zijn nog nooit waargenomen in experimenten.

VERENIGING VAN DE KRACHTEN

Wetenschappers zoeken al zolang als ze de vier fundamentele krachten kennen naar manieren om ze allemaal uit te leggen in een grotere, allesomvattende theorie van alles. Kosmologen weten dat vlak na de oerknal alle krachten verenigd waren, dat zwaartekracht zich het eerst afsplitste en daarna de sterke kernkracht. Aan het einde van de zeventiger jaren hadden ze uitgezocht dat de elektromagnetische en zwakke kernkracht manifestaties waren van hetzelfde. Hun volgende taak is het verwerken van de sterke kernkracht en de zwaartekracht.

Het standaardmodel is de kwantummechanische beschrijving van het heelal zoals we dat nu doorgronden. Het bevat alle bekende fundamentele deeltjes in het heelal.

De meest veelbelovende verenigingstheorie, hoewel er ook kritiek op wordt uitgeoefend, is de snaartheorie. In deze theorie wordt gesteld dat deeltjes eigenlijk elfdimensionele snaren zijn die op verschillende frequenties trillen (zie *Hoe weet je wat God denkt*). Elke frequentie is het equivalent van een ander deeltje, het lijkt veel op de verschillende noten die door een gitaarsnaar worden geproduceerd. Het probleem is dat het zo moeilijk te testen valt dat sommigen zeggen dat het alleen als filosofie bruikbaar is. Als een theorie niet getest kan worden, is het moeilijk om erachter te komen of het echte wetenschap is.

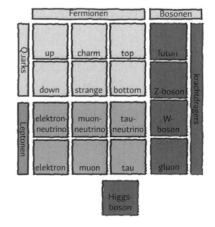

79

13

HOE MAAK
JE BLIKSEM

Bijna iedereen is overtuigd van de voordelen van elektriciteit. Tenzij je heel ver weg van de rest van de beschaving woont (dan ben ik geroerd dat mijn boek een van de dingen is die je hebt meegenomen), ben je ongetwijfeld omringd door de directe en indirecte effecten van elektriciteit, de meest veelzijdige en meest gebruikte krachtvorm die ooit door mensen bruikbaar is gemaakt. En zelfs voordat homo sapiens op de aarde rondliep, zorgde elektriciteit voor oplichtende onweersbuien en hielp ze planten bij het omzetten van zonlicht in suiker.

WAT IS ELEKTRICITEIT?

Het knettert, zoemt, je kunt er dingen mee koken of doodmaken of het veroorzaakt een tintelend gevoel. Elektriciteit is tegelijkertijd heel gewoon en heel bijzonder. Basaal gaat het om het resultaat van de beweging van elektrische ladingen, in de meeste gevallen elektronen. Als de elektronen in een metalen draad tegelijkertijd schudden en springen verplaatsen ze energie van de ene naar de andere plaats, van bijvoorbeeld een batterij naar een motor, via een elektromagnetisch veld, het resultaat van een fundamentele natuurkracht die tevoorschijn kwam bij de geboorte van het heelal meer dan 13,7 miljard jaar geleden.

Ik zal elektriciteit zo goedkoop maken dat alleen de rijken het zich kunnen veroorloven om kaarsen te branden.
THOMAS EDISON

Lang voordat elektriciteit iets werd dat rechtstreeks naar elk huis wordt getransporteerd, waren de effecten van deze fundamentele kracht al duizenden jaren bekend. De oude Arabieren, Egyptenaren, Grieken en Romeinen schreven over de schokken die je kon krijgen als je bepaalde vissen aanraakte. Thales van Milete experimenteerde rond 600 v.Chr. met statische elektriciteit toen hij ontdekte dat een stukje amber lichte voorwerpen aantrok nadat het was opgewreven. Het woord elektriciteit komt van elektron, het Griekse woord voor barnsteen. De industrialisatie van elektriciteit begon pas in de negentiende eeuw toen wetenschappers de theoretische fundering ervan opbouwden. Dankzij de experimenten en wiskundige berekeningen van de Britse natuurkundigen Michael Faraday en James Clerk Maxwell was elektriciteit er klaar voor en werd ze aan het begin van de twintigste eeuw in de hele wereld op de markt gebracht.

NATUURKRACHT

Elektromagnetisme is de kracht die onze dagelijkse levens vormt. Het beschrijft hoe positieve en negatieve ladingen op elkaar inwerken en is verantwoordelijk voor veel meer dan elektriciteit. Het is de basis van licht, alle chemische reacties en zorgt ervoor dat dingen stevig voelen. De reden waarom dit boek niet door de tafel valt, is dat biljoenen negatief geladen elektronen op het oppervlak van de tafel de biljoenen elektronen aan de randen van het boek afstoten. Jij denkt dat het boek op tafel rust, maar in werkelijkheid zweeft het boven de tafel, de afstand tussen boek en tafel is heel erg klein. Elektronen die niets anders kunnen dan gehoorzaam zijn aan de machtige elektromagnetische kracht, stoten altijd af. Ze raken elkaar nooit aan.

Elektronen spelen ook een sleutelrol in de elektrische stroom in je huis of kantoor. Soms zijn de elektronen in een atoom sterk gebonden aan de nucleus waar ze omheen draaien of aan het molecuul waar ze in zitten. Dergelijke materialen worden over het algemeen elektrische isolatoren genoemd (hout, rubber, glas, lucht), omdat hun elektronen niet binnen het materiaal kunnen bewegen. Aan de andere kant is de atoomstructuur in een geleider zodanig dat elk atoom minstens een los elektron heeft aan de buitenkant, een elektron dat in het materiaal rond kan zwerven en elektriciteit kan geleiden van de ene naar de andere plaats. Metalen zitten allemaal zo in elkaar.

Een magnetisch veld gaat door een draad als de stroom (grijze pijl) van positieve naar negatieve uiteinden van het circuit stroomt.

Hoe een geladen deeltje zich gedraagt, hangt af van de intensiteit van het elektromagnetische veld, waar het dan ook maar is in de ruimte. Zet een elektrische waterkoker aan en het elektromagnetische veld rond de draden en het verwarmingselement vertoont een piek en gaat in overdrive, de elektronen in het metaal worden gevoed met energie en gaan trillen. Door het trillen worden de watermoleculen in de waterkoker zo hard heen en weer gesmeten dat ze ook energie krijgen en nog sneller rond gaan bewegen totdat ze uiteindelijk losbreken uit de vloeistof, dan kookt het water.

RECHTSTREEKS NAAR ELK HUIS

Onze wereld wordt steeds meer een digitale wereld die afhankelijk is van elektriciteit voor steeds meer apparaten. Elektriciteit zal hierdoor wel de belangrijkste manier blijven om energie in onze huizen en kantoren te krijgen. Maar hoe gaat die energie naar de stopcontacten? En hoe wordt zij in eerste instantie gemaakt? Om dat te begrijpen moeten we teruggaan naar James Clerk Maxwell. Hij ontdekte dat elektriciteit en magnetisme twee aspecten waren van hetzelfde: waar je een elektrisch veld vond, was er ook een magnetisch veld dat er loodrecht op stond. Als je het ene maakte, maakte je ook het andere. Een elektrische generator gebruikt dit principe om mechanische energie om te zetten in elektrische energie. Als een grote magneet rond een spoel met metaaldraad wordt bewogen, zullen de elektronen in de draad beginnen te bewegen door het veranderende magnetische veld dat ze ervaren. Zoals je hebt onthouden, vormen bewegende elektronen het begin van een elektrische stroom. Voor het verwisselen van de magneten is in eerste instantie een externe energiebron nodig; dit zou van alles kunnen zijn van een handkrukas tot een windmolen.

Moderne energiecentrales gebruiken stoomturbines voor het laten draaien van de generatormagneten. De turbines worden gevoed door water dat verwarmd is door het verbranden van een brandstof (hout, steenkool, aardolie of aardgas), of met de energie die vrijkomt wanneer atomen worden gesplitst in een kernreactor.

De kracht van een elektrische stroom kan gemeten worden door te kijken naar het aantal elektronen dat op een bepaald moment door een draad beweegt. Als zes triljoen (een zes met 18 nullen erachter) elektronen elke seconde voorbij vliegen, meten we een ampère (een eenheid genoemd naar de Franse wetenschapper André Marie Ampère) aan stromende elektriciteit. De Italiaanse wetenschapper Alessandro Volta gaf zijn naam aan een andere belangrijke elektriciteitseenheid, de volt. De volt is een eenheid voor het meten van de kracht achter de elektronen, de druk die er in de eerste plaats voor zorgt dat ze gaan stromen.

ELEKTRISCHE WERELD

In een elektrisch circuit verbind je een stroombron (met een positieve en negatieve aansluiting) met een apparaat. Elektronen komen uit de negatieve aansluiting en willen alleen maar de elektrische lading in de draden ongedaan maken door naar de positieve aansluiting van de stroombron te gaan. Hoeveel ladingverschil er is tussen de positieve en negatieve aansluitingen, bepaalt hoeveel voltage (of druk) er is voor de elektronen om zich te bewegen.

Voor de elektronen maakt het niet uit als er iets tussen de elektronen en de positieve aansluiting wordt geplaatst, dit wordt de belasting genoemd. De elektromagnetische kracht dwingt ze om alles te doen wat ze maar kunnen om hun energie over te brengen naar de bestemming, zelfs als het betekent dat ze door een gloeilamp heen moeten of een wiel moeten laten draaien tijdens hun tocht. Ons wereldwijd gebruik van elektriciteit is geheel gebaseerd op de sprint van de elektronen naar de positieve aansluiting. In een ouderwetse gloeilamp botsen de elektronen tegen de metaalatomen in het draadje, ze brengen wat van hun energie over en zorgen ervoor dat de atomen sneller trillen: het resultaat is hitte en licht. Hoe moeilijk het voor de elektronen is om zich een weg te vechten door het circuit wordt gemeten door de weerstand van een component (gemeten in ohms). Hoe meer ohms, hoe meer energie van het elektron wordt verspild als warmte, en hoe meer energie er wordt verbruikt om door het materiaal heen te komen. In een elektrische motor zorgt het magnetische veld dat ontstaat door de beweging van elektronen ervoor dat er beweging ontstaat in andere magneten (via afstoting en aantrekking) die rond de draad zijn geplaatst. Als de elektriciteit blijft stromen, blijven de magneten (en daardoor het wiel dat eraan vastzit) rond de draad draaien.

Elk elektrisch apparaat gebruikt de bewegende elektronen op zijn eigen manier en hoeveel energie elk circuit verbruikt, kan gemeten worden met een eenheid die naar de Schotse ingenieur James Watt is vernoemd. Vermenigvuldig de snelheid van de elektronen die door het circuit stromen (de ampères) met de hoeveelheid druk waarmee ze voorbij vliegen (volts) en je krijgt de energie die per seconde wordt gebruikt door een apparaat. Een lamp van 100 watt gebruikt bijvoorbeeld 100 joules aan energie per seconde. En als het om een ouderwetse gloeilamp gaat, wordt ongeveer 95 joules per seconde verspild als warmte. Een goede reden om over te stappen op tl-lampen, die minstens vijf keer efficiënter zijn bij het omzetten van elektriciteit in bruikbaar licht.

DE STROOMOORLOGEN

De vroege jaren van de elektriciteit werden gekenmerkt door grote conflicten en dat is niet ongewoon voor een industriële technologie die een basisvoorziening werd en overal werd toegepast. De Amerikaanse uitvinder Thomas Edison en de in Servië geboren Nikola Tesla besteedden de laatste jaren van de negentiende eeuw aan hun strijd om de wereld ervan te overtuigen dat hun eigen manier voor het opwekken en distribueren van elektriciteit beter en efficiënter was dan de manier van de ander. Het was een bittere strijd omdat de rivalen toen al wisten dat de winnaar zou bepalen hoe overal ter wereld elektrische krachtcentrales gebouwd zouden worden. Het meningsverschil was gebaseerd op het feit dat elektriciteit in twee smaken kan worden geleverd: als gelijkstroom en als wisselstroom. Edison was een voorstander van de eerste, Tesla was een fan van de laatste soort. Gelijkstroom is het soort elektriciteit waarbij elektronen van negatieve naar positieve aansluitingen stromen, het type dat geproduceerd wordt door batterijen en zonnepanelen. Wisselstroom is hetzelfde, maar de richting ervan verandert elke seconde vele keren zoals de naam al zegt. Edison had aan het eind van de negentiende eeuw veel geld geïnvesteerd in gelijkstroom en probeerde de wisselstroom van Tesla in diskrediet te brengen door vol te houden dat het te gevaarlijk was (hij elektrocuteerde een olifant die daardoor stierf – gelukkig was dit het enige dodelijke slachtoffer van de stroomoorlogen).

Het public relations-offensief van Edison was uiteindelijk niet succesvol. In Groot-Brittannië en het grootste gedeelte van Europa wisselt de stroom die uit je stopcontact komt vijftig keer per seconde van richting, terwijl hij in de vs zestig keer per seconde van richting verandert. Wisselstroom is overal op de wereld de elektrische overbrengingsmethode waar de voorkeur aan wordt gegeven. Wisselstroom en gelijkstroom hebben beide voor- en nadelen, maar Tesla won grotendeels omdat het met wisselstroom gemakkelijker is om de voltage van je elektrische stroom te verhogen met een eenvoudig apparaatje dat een transformator wordt genoemd. Door het veranderen van voltages is het gemakkelijker om elektriciteit over lange afstanden te transporteren in elektriciteitsnetten zonder te veel verspilling onderweg in de elektriciteitsdraden. Stroomnetten geleiden stroom over lange afstanden met honderdduizenden

Een elektrische generato werkt door het laten ronc draaien van een spoel me draad eromheen in ee magnetisch veld. Hierdoc ontstaat een elektrischt stroom in de draad die ge bruikt kan worden in ee circui

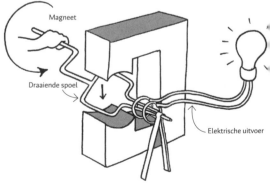

Magneet

Draaiende spoel

Elektrische uitvoer

volts tegelijk, wat de ampères van de stroom verlaagt (en daardoor de dikte van de kabel beïnvloedt die nodig is om het goed door te kunnen geven). Zoveel volt kan gevaarlijk zijn als iemand er dichtbij komt, daarom wordt het voltage met behulp van een transformator naar beneden gebracht als de elektriciteit dicht bij de bestemming komt. Uit een stopcontact in je huis of kantoor komt stroom van een paar honderd volt, hoewel de krachtcentrale waar hij vandaan komt, stroom met een spanning van een paar duizend volt heeft opgewekt.

DE TOEKOMST VAN ELEKTRICITEIT

Elektriciteit vormt het fundament van onze moderne wereld. Doordat we begrijpen hoe atomen in elkaar zitten en door ze te manipuleren, hebben we een energiebron gemaakt die voorspelbaar, betrouwbaar en veilig is. Jammer genoeg heeft de snelle elektrificatie van de wereld ook bijgedragen aan een van onze grootste problemen: energiecentrales die in de afgelopen eeuw heel veel kooldioxide hebben uitgestoten, dreigen onze planeet onherroepelijk op te warmen. Hierdoor verandert overal de habitat en lopen miljoenen mensen het risico dat ze te maken krijgen met overstromingen of hongersnood. Het vinden van betaalbare bronnen van schone elektriciteit is een van de grootste doelen voor de eenentwintigste eeuw. Het zal een enorme onderneming zijn om ervoor te zorgen dat de wereld niet meer op grote schaal fossiele brandstoffen gebruikt. Maar er zijn heel wat goede ideeën die gebaseerd zijn op de energie die elke dag rond de wereld stroomt. Ingenieurs bezitten de technologie om de kracht van de zon, wind, golven en zelfs van de warmte binnen in de aarde te gebruiken om turbines te laten draaien en elektriciteit op te wekken. De vraag is of er iemand is die snel genoeg wil investeren om datgene te bouwen wat nodig is om de fossiele brandstoffen te vervangen en tegelijkertijd gelijke tred kan houden met de groeiende wereldwijde behoefte aan elektriciteit.

Misschien dat de geest van Edison ons kan helpen. Een van de meest ambitieuze plannen voor het vervangen van fossiele brandstoffen door schone elektriciteit is opgesteld door verschillende regeringsinstanties in Europa. Het steunt op een van de verworpen ideeën in de geschiedenis van de elektriciteit. Het Desertec-syndicaat denkt dat het bouwen van grote zonnepanelenparken op plaatsen zoals de Sahara, de *outback* in Australië of de woestijn van Arizona meer dan genoeg elektriciteit op zou kunnen leveren voor onze groeiende wereldbehoefte. Als de energie is opgewekt, kan zij via langeafstandskabels verstuurd worden naar daar waar het nodig is, duizenden kilometers verder weg. Normale wisselstroomnetwerken zouden niet goed werken, omdat het energieverlies over zulke lange afstanden heel erg groot zou zijn. In plaats daarvan stellen de ingenieurs van Desertec voor om hoge voltage gelijkstroomkabels te gebruiken. Die zijn duurder om te bouwen, maar veel efficiënter voor het gebruik met lange afstanden.

Hoe de toekomst van elektriciteit er ook uit zal zien, Desertec of soortgelijke plannen zullen er ongetwijfeld een rol in spelen. En die toekomst zal alleen maar werken vanwege een concept dat uit de geschiedenis van de elektriciteit weer tot leven is gewekt. Edison verloor de stroomoorlogen, maar hij zou waarschijnlijk een glimlach op zijn gezicht krijgen omdat zijn idee toch zou kunnen helpen bij het redden van de wereld.

HOE LAAT JE HET HEELAL WERKEN

- ⚬ ENERGIE ZORGT ERVOOR DAT DE WERELD DRAAIT
- ⚬ DE BEWEGING VAN KLEINE DINGEN
- ⚬ DE BEWEGING VAN VERZAMELINGEN
- ⚬ HOE HET VAN TOEPASSING IS OP DE WERKELIJKE WERELD
- ⚬ HET STOOMTIJDPERK

De stoomtreinen die nu nog bestaan, herinneren ons aan het mechanisatietijdperk, dat zich verspreidde over de wereld en de Industriële Revolutie en de voorlopers van onze moderne samenleving met zich meebracht. De ingenieurs die de eerste stoommachines bouwden, zochten naar een betere manier om zware dingen te verplaatsen en de productie te verhogen in steeds groter wordende fabrieken. Terwijl ze daarmee bezig waren, ontsluierden ze fundamentele kennis: de nederige stoommachine met zijn viezigheid, metaal en olie veranderde niet alleen de wereld, maar veranderde ook ons begrip van de wereld.

ENERGIE ZORGT ERVOOR DAT DE WERELD DRAAIT

Als je lang genoeg naar dingen kijkt, zie je dat er heel veel dingen zijn in het heelal die vreemd zijn of waarvan je in de war raakt. De inherente onzekerheid van de kwantummechanica bijvoorbeeld, of het idee dat de snelheid van tijd afhangt van hoe snel jij je beweegt (zie *Hoe je minder snel oud kunt worden dan je tweeling*). De natuurwetenschappen onderzoeken de natuurlijke wereld, en onderzoek is van nature iets waarvan je in de war raakt. Maar hoe weet je nu of je nieuwe idee, het idee dat eeuwen van eerdere ideeën omverwerpt, echt een juiste beschrijving is van de natuurlijke wereld? Gelukkig is er een handvat dat je altijd vast kunt pakken, iets wat je altijd zal vertellen of je idee onderdeel is van de werkelijkheid. En het heeft met energie te maken.

In dit huis gehoorzamen we aan de wetten van de thermodynamica!
HOMER SIMPSON

Het was waar tijdens de hele geschiedenis van het heelal, van het opduiken van de eerste krachten, de vorming en uitroeiing van deeltjes en sterren, tot de vorming van de aarde en al zijn levensvormen. Het werkte tijdens de hoogte- en dieptepunten van de menselijke beschavingen, tijdens veldslagen, bij het bouwen en vernietigen van steden. Het is waar voor de manier waarop we onze lichamen bewegen en de manier waarop auto's brandstof verbruiken. Hang het op een bordje boven je voordeur, want er is niets dat meer waar is: energie kun je niet maken of vernietigen. Het klopt voor ons, onze planeet, ons sterrenstelsel en elk voorwerp en elke beweging in het volledige heelal. Er bestaat een vaste hoeveelheid energie die van de ene in de andere soort kan veranderen (chemische energie in eten verandert in kinetische energie in je arm als je een kopje oppakt), maar de hoeveelheid energie zal altijd hetzelfde blijven. Als je met een nieuw wetenschappelijk idee komt, moet je kijken wat voor invloed het heeft op dit basisidee: als het erop lijkt dat energie wordt gemaakt of wordt vernietigd, moet je er nog maar eens goed naar kijken.

Het behoud van energie is fundamenteel voor ons begrip van de natuur. Het werkt in de vreemdste situaties in de kwantumtheorie en het is gebruikt om de baan van sterren en planeten te voorspellen. Binnen in de harten van de sterren lijkt het toch niet helemaal te kloppen, daar lijkt het alsof energie uit het niets tevoorschijn komt. Maar dit werd opgelost door Albert Einstein en zijn vergelijking $E = mc^2$. Wanneer het lijkt alsof nieuwe energie wordt gemaakt, verdwijnt er een overeenkomende (kleine) hoeveelheid materie. En op deze manier wordt het evenwicht bewaard.

DE BEWEGING VAN KLEINE DINGEN

Het onttrekken van nuttige zaken aan het heelal vereist begrip van hoe je de ene vorm van energie omzet in de andere. Warmte is een veelvoorkomende energievorm, maar het is ongericht en nutteloos als je er iets productiefs mee wilt doen (afgezien van iets warm houden natuurlijk). Als je iets wilt verplaatsen van hier naar daar, zal warmte daar niet voor kunnen zorgen, maar je kunt het wel als uitgangspunt nemen. Warmte is het macroscopische resultaat van de willekeurige beweging en trilling van moleculen. Stel je voor dat je een doos hebt die gevuld is met gas. De temperatuur, druk en het volume staan allemaal met elkaar in verband en kunnen berekend worden door te kijken naar de beweging van de moleculen van dat gas. De temperatuur van het gas is bijvoorbeeld een meting van hoe snel de moleculen ervan aan het bewegen zijn. Als je de doos verwarmt, zullen alle gasmoleculen wat meer energie krijgen en zullen ze sneller gaan bewegen. Het effect hiervan is dat het gas de zijkanten van de doos met meer kracht raakt, de druk ervan wordt dus groter. Dat gebeurt wanneer je het volume gelijk wilt houden.

De aeolipile (ook bekend als Hero's motor) is een soort raketmotor die ronddraait na verwarming terwijl stoom uit de pijpen ontsnapt. Hij werd uitgevonden in de eerste eeuw n.Chr., men denkt dat dit de eerste gedocumenteerde stoommachine is.

Als je in plaats daarvan de druk of de temperatuur gelijk wilt houden terwijl je warmte toevoegt, dan zou je de andere variabelen kunnen veranderen. Als je de druk gelijk wilt houden terwijl het gas wordt verwarmd, moet je het meer ruimte geven terwijl de temperatuur omhoog gaat. Je wilt de temperatuur constant houden terwijl je de doos verwarmt? Verminder het volume terwijl de druk toeneemt.

Dit gedrag werd beschreven na experimenten die in de zeventiende en achttiende eeuw werden uitgevoerd. Het werk van wetenschappers als de Brit Robert Boyle, de Fransen Jaques Charles en Joseph-Louis Gay-Lussac en de Italiaan Amedeo Avogadro leidde tot een gecombineerde 'algemene gaswet' (ook wel ideale gaswet genoemd), die aantoont hoe het product van volume en druk evenredig is met de temperatuur. Ideale gassen worden zo genoemd omdat de wet ervan uitgaat dat de moleculen zich gedragen als zwevende biljartballen die van elkaar weg botsen en niet met elkaar reageren.

DE BEWEGING VAN VERZAMELINGEN

De algemene gaswet beschrijft het verband tussen warmte en kinetische energie in gasmoleculen. Het werd een onderdeel van de ondergrond voor de ontwikkeling van de thermodynamica. Dat is een meer algemene beschrijving van energie en hoe moleculaire bewegingen op kleine schaal vertaald kunnen worden in eigenschappen van materialen op grote schaal. Het begin van de thermodynamica wordt over het algemeen toegeschreven aan de Franse wetenschapper Sadi Carnot. De vader van de thermodynamica publiceerde in 1824 zijn *Réflexions sur la puissance motrice du feu* (Bespiegelingen over de bewegende kracht van het vuur). Daarin beschreef hij hoe energie door motoren stroomde en hoe warmte en nuttige kracht met elkaar waren verbonden. In het boek werden de wetenschappelijke principes achter de stoommachine vastgelegd en het wordt tegenwoordig nog steeds gebruikt. De basisbeschrijvingen van Carnot over hoeveel nuttige energie onttrokken kan worden aan een warmtebron, zijn nog steeds relevant, zelfs voor ingenieurs die werken aan de allernieuwste straalmotoren.

De eerste wet van de thermodynamica kennen we al en daar zullen we hieronder verder op ingaan. Ongewoon voor een reeks natuurwetten beginnen de ideeën voor de eerste wet met een concept dat men zo onbelangrijk vond dat het er oorspronkelijk buiten werd gelaten. Als twee thermodynamische systemen (zoals een doos met gas of wat dan ook wat afgezonderd en bestudeerd kan worden voor wat betreft de energie) in thermaal evenwicht zijn met een derde systeem, dan zijn de twee systemen ook in evenwicht met elkaar. Dit betekent dat als systeem A en systeem B dezelfde hoeveelheid warmte-energie hebben en systeem B en systeem C dezelfde hoeveelheid warmte-energie hebben, dan moeten systeem A en systeem C ook hetzelfde zijn.

Deze 'nulde' wet maakt het wetenschappelijk mogelijk om bijvoorbeeld een thermometer te maken om te meten of twee objecten dezelfde temperatuur hebben, in plaats van dat je de voorwerpen naast elkaar moet zetten en moet kijken of er ook energie tussen de twee stroomt. Hoewel deze wet het laatst werd toegevoegd aan de studie van het onderwerp, vond men dat de nulde wet fundamenteler was dan de anderen, vandaar de benaming die een beetje raar is.

Als je bij het oorspronkelijke begin begint, vind je daar het behoud van energie. Je zult je herinneren dat de eerste wet van de thermodynamica stelt dat energie niet kan worden gemaakt of vernietigd, ze kan alleen maar veranderd worden van de ene vorm in de andere. De tweede wet is het wiskundige antwoord op de vraag waarom je nooit iets voor niks krijgt. Er wordt een nieuwe variabele ingevoerd in de eigenschappen van het thermodynamische systeem: entropie, een maat voor de hoeveelheid orde. Orde kan bijvoorbeeld gemeten worden als de rangschikking van moleculen. De watermoleculen in ijsblokjes zijn beter geordend dan dezelfde moleculen in een pan met kokend water. In het eerste geval zitten de moleculen op vaste plaatsen en trillen ze rond vaste punten. In het tweede geval hebben de moleculen veel meer energie en kunnen ze vrij en onvoorspelbaar door de vloeistof heen zwerven. Wetenschappers zullen zeggen dat de entropie in het eerste geval lager is dan de entropie in het tweede voorbeeld.

Zo heeft ook een kopje meer entropie wanneer het in stukken op de vloer ligt dan wanneer het heel op het aanrecht staat. Als je dat in je achterhoofd houdt, heeft de tweede wet, dat de entropie van een geïsoleerd thermodynamisch systeem nooit kan afnemen, meerdere implicaties. De belangrijkste is dat warmte niet spontaan van een koud voorwerp (lage entropie) naar een heet voorwerp (hoge entropie) kan stromen. En wat nog intrigerender is, de tweede wet introduceert uiteindelijk het idee van een vaste richting voor de pijl van de tijd, hoe tijd alleen maar in één richting kan stromen.

Elke andere wet werkt hetzelfde, of de tijd nu naar voren of naar achteren gaat. Maar hoe lang je het ook laat koken, een pan met kokend water verandert niet in een pan met ijsblokjes. Een kopje dat kapot is gevallen, zal zichzelf nooit heel kunnen maken. Als je een systeem met rust laat, zal de entropie niet afnemen. Water bevriest bijvoorbeeld alleen als je een koelkast gebruikt om het te laten bevriezen en daar is energie voor nodig, een gedeelte van die energie wordt als warmte verspild. De entropie van het water gaat naar beneden, maar de verspilde energie zorgt voor ervoor dat de algemene entropie van het universum omhoog gaat.

De derde en laatste wet van de thermodynamica definieert de ondergrens van temperatuur en entropie. Als je alle thermale energie uit een systeem zou halen (alle energie die te maken heeft met beweging, dat is alles wat geen massa is), zou de temperatuur ervan dalen naar het absolute nulpunt en zou de entropie nul zijn. Op het absolute nulpunt (gedefinieerd als 0 K en gelijk aan -273,15 °C) vinden er geen moleculaire processen meer plaats.

HOE HET VAN TOEPASSING IS OP DE WERKELIJKE WERELD

De energiewetten zijn op heel veel verschillende situaties van toepassing. Een thermodynamisch systeem zou de lucht in een tropische cycloon kunnen zijn of een enkel deeltje in een atoom. Het zou ook, zoals Carnot het oorspronkelijk definieerde, de lucht of stoom in een stoommachine kunnen zijn. In een motor kan thermodynamica gebruikt worden om te bepalen hoe warmte rondstroomt en hoe zij gebruikt kan worden om iets nuttigs te doen. Het aandrijven van zuigers bijvoorbeeld of het ronddraaien van een as. Een stoommachine (of elke motor die op warmte is gebaseerd) werkt omdat de nulde wet aangeeft hoe warmte op natuurlijke wijze van iets warms naar een kouder iets stroomt. Deze twee onderdelen in een motor worden meestal de warme en koude reservoirs genoemd. Terwijl energie tussen de twee onderdelen stroomt, kan nuttige energie (werk genoemd) onttrokken worden aan de stroom. Deze nuttige energie kan betekenen dat warmte wordt gebruikt om gas te laten uitzetten in een cilinder, die dan een zuiger aanduwt en iets nuttigs doet. Het gas kan dan weer worden samengeperst en de cyclus kan opnieuw beginnen met meer warmte. Carnot toonde aan dat je de efficiëntie van een dergelijke motor kunt voorspellen door het vergelijken van de temperaturen van de warme en koude reservoirs (voor een stoommachine de stoom zelf en de lucht eromheen). Wat je ook gebruikt om warmte in je motor te verplaatsen, de regel van Carnot blijft hetzelfde en de efficiëntie wordt alleen maar bepaald door het temperatuurverschil tussen de twee reservoirs.

Dat er een koud reservoir nodig is, geeft aan dat geen enkele motor honderd procent efficiënt kan zijn. Je moet altijd wat energie in een koud reservoir stoppen, anders zal er geen stroming ontstaan. Om zo efficiënt mogelijk te werken, moet een stoommachine water verhitten tot de hoogst mogelijke temperatuur en de verspilde warmte lozen op de laagst mogelijke temperatuur. In de praktijk betekent dit dat een traditionele stoommachine een maximale efficiëntie heeft van rond de tien procent, hoewel dit verhoogd kan worden tot vijfentwintig procent met technologieën die de uitlaatstoom condenseren en verspilde warmte gebruiken om het inkomende water te verwarmen. Moderne motoren zijn beter, maar ze komen niet in de buurt van honderd procent efficiëntie. Een dieselmotor is ongeveer vijftig procent efficiënt door het omzetten van chemische energie uit de brandstof in nuttige energie waardoor een voertuig kan rijden. Benzinemotoren zijn veel minder efficiënt.

HET STOOMTIJDPERK

Hero van Alexandrië ontwierp en bouwde een prototype van een door stoom voortgedreven apparaat in de eerste eeuw n.Chr. De aeolipile was een hangende koperen bol met twee pijpjes erop die ten opzichte van elkaar in tegenovergestelde richtingen wezen. Stoom spoot uit de buisjes en zorgde ervoor dat de bol met een indrukwekkende snelheid ging draaien. Als stoommachine bewees de aeolipile dat er dingen mogelijk waren, maar het was niet meer dan een speeltje. Het duurde ruim zestienhonderd jaar voordat de Engelse smid Thomas Newcomen iets bouwde dat in de buurt kwam van wat wij als een motor beschouwen. Hij gebruikte het in de achttiende eeuw voor het aandrijven van een pomp die water uit mijnen kon verwijderen.

James Watt verbeterde het ontwerp van Newcomen door het verminderen van de hoeveelheid steenkool die het nodig had en paste het aan zodat het met fabrieksmachines kon werken. Aan het begin van de negentiende eeuw was Richard Trevithick begonnen met het gebruik van hogedrukstoom in kleinere motoren zodat ze gebruikt konden worden voor transport. Stoommachines werden efficiënter en krachtiger, maar in de twintigste eeuw werden ze geleidelijk vervangen door elektrische motoren en verbrandingsmotoren die op fossiele brandstof werken. Maar de principes achter de stoommachine zijn absoluut niet vergeten: ze vormen het hart van bijna alle elektriciteitscentrales (zie het vorige hoofdstuk). Geavanceerde, door stoom aangedreven turbines gebruiken door fossiele brandstoffen opgewarmd water, terwijl nucleaire reacties elektrische generatoren laten draaien om de wereld, onze huizen en kantoren, onze mobieltjes en zelfs elektrische treinen van energie te voorzien. Het stoomtijdperk is nog niet voorbij.

Een stoommachine gebruikt stoom onder verschillende druk om een zuiger naar achteren en naar voren te bewegen, waardoor nuttige beweging voor treinen of andere industriële toepassingen ontstaat.

hogedruk stoom in

uitlaatstoom uit

zuiger

HOE JE EEN ATOOM KUNT SPLITSEN

- ○ DE MECHANICA VAN KERNFYSICA
- ○ ONTDEKKING VAN DE ATOOMKERN
- ○ HOE JE EEN KERNBOM KUNT MAKEN
- ○ NUCLEAIRE KRACHT
- ○ KAN HET SPLITSEN VAN ATOMEN DE WERELD REDDEN?
- ○ DE VOLGENDE STAP: SLECHTS VIJFTIG JAAR VERDER
- ○ HOE FUSIE WERKT
- ○ HEBBEN WE DE TECHNOLOGIE?

Om 8.15 uur in de ochtend van 6 augustus 1945 verscheen er boven de Japanse havenstad Hiroshima een paddenstoelvormige wolk. Veroorzaakt door een in de vs gemaakte bom die *Little Boy* werd genoemd, was het een onvoorstelbaar heftig teken dat de wereld een nieuw tijdperk was binnengetreden. Het was een verwarrende tijd voor wetenschappers. In minder dan veertig jaar waren ze van slechts een vaag idee over wat een atoom was, gegaan naar het bouwen van een gedetailleerd model inclusief nucleus, elektronen en een theoretisch begrip van hoe ze allemaal gemanipuleerd kunnen worden, met mogelijk dodelijke resultaten.

DE MECHANICA VAN KERNFYSICA

De frase 'een atoom splitsen' is in het dagelijkse taalgebruik ingeburgerd, het is iets wat wetenschappers doen. Het geeft aan hoe geavanceerd en krachtig de moderne technologie is, maar er wordt niet beschreven wat het proces werkelijk inhoudt. Het grootste gedeelte van een atoom is leeg en bijna alle massa zit vast in een heel kleine atoomkern die bestaat uit protonen en neutronen. Het splitsen van een atoom betekent in werkelijkheid het opbreken van deze nucleus die bij elkaar wordt gehouden door twee van de sterkste krachten die we kennen in het heelal. Deze krachten zijn zo sterk dat de wetenschappers er tot nu toe alleen maar in zijn geslaagd om die atomen te splitsen die al bezig zijn om uit elkaar te vallen, atomen die grote nuclei hebben met heel veel protonen en neutronen. Deze onstabiele atomen kunnen aangezet worden om verder te splitsen door ze te beschieten met neutronen. Als de nucleus zich splitst, levert dit twee nieuwe atomen op en komt er energie vrij die vastzat in de krachten tussen het proton en de neutronen.

ONTDEKKING VAN DE ATOOMKERN

Onze kennis van de bouwblokken van materie, de atomen, is een wetenschap die nauwelijks een eeuw oud is. In 1900 ging men ervan uit dat deze bouwblokken gemaakt waren van een positief geladen massaklont bezaaid met negatief geladen elektronen, het zogenaamde 'plumpuddingmodel'. In 1907 werd dat model onder vuur genomen. De Brits-Nieuw-Zeelandse natuurkundige Ernest Rutherford vuurde alphadeeltjes, afkomstig van een radioactief element, af op een dun blaadje bladgoud. De meeste deeltjes gingen door het blaadje heen: dit klopte niet met het idee dat atomen massieve hompen waren met een positieve lading. Als dat waar zou zijn, zouden er geen alphadeeltjes door het goud heen zijn gegaan, hoe dun het blaadje ook zou zijn. Het grootste gedeelte van het goud, dacht Rutherford, was lege ruimte.

Het wegwerken van het plumpuddingmodel was al een opmerkelijke prestatie, maar Rutherford ging verder. Een heel klein aantal van de alphadeeltjes ging niet door het blaadje heen, in plaats daarvan sprongen ze meteen terug naar de bron. Rutherford was verrast door dit resultaat en zou later schrijven dat het net zo opmerkelijk was als wanneer een granaat, afgeschoten op een dun papiertje, zou terugkomen en jou zou treffen. Wat veroorzaakte dat vreemde terugkaatseffect? Rutherford had onbewust de atoomkern ontdekt.

HOE MAAK JE EEN KERNBOM

De kennis dat de nucleus het centrum van het atoom vormt en dat energie en massa gelijkwaardig zijn (het grote inzicht van Einstein, samengevat in de beroemdste vergelijking in de natuurkunde, $E = mc^2$), waren twee van de belangrijkste wetenschappelijke ontdekkingen van de twintigste eeuw. Maar samen leidden ze ook rechtstreeks naar de meest dubieuze uitvinding: de kernbom. De bommen die door het Amerikaanse leger werden gebruikt boven Hiroshima en Nagasaki werden vanaf 1943 in het diepste geheim ontwikkeld in het Los Alamos National Laboratory, onder de paraplu van het Manhattan Project. De wapens die ze ontwierpen, waren rudimentaire versies van moderne kernkoppen, de onderliggende principes zijn gelijk.

In de huidige modieuze belastering van technologie is het gemakkelijk om te vergeten dat nucleaire splitsing een natuurlijk proces is. Als zoiets ingewikkelds als het leven per ongeluk dingen kan assembleren, hoeven we ons er niet over te verwonderen dat de splitsingsreactor, een relatief eenvoudig apparaat, hetzelfde doet.

JAMES LOVELOCK

Om te beginnen heb je atomen nodig die zullen splijten als ze een klein duwtje krijgen. Het materiaal dat het meest wordt gebruikt voor het splitsen is uranium, een in de natuur voorkomend zwaar metaal dat twee vormen heeft: de isotopen uranium 238 en uranium 235. Beide isotopen zijn radioactief en zullen in de loop der tijd vervallen tot andere elementen. Maar alleen uranium 235 kan met kracht worden gesplitst als er neutronen worden afgevuurd op de nuclei. Dit is het hoofdingrediënt van een kernbom. Als een uraniumnucleus uit elkaar valt, geeft hij energie en meer neutronen af. Die neutronen zorgen ervoor dat er meer uraniumnuclei worden gesplitst. Als er genoeg atomen worden gesplitst, krijg je een kettingreactie. De heel kleine hoeveelheden energie die vrijkomen wanneer elke nucleus wordt gesplitst, zorgen bij miljarden atomen voor de vorming van de immense en zeer herkenbare explosie.

Het is een geluk voor de wereldvrede dat voor kernexplosies geldt dat het gemakkelijker gezegd is dan gedaan. Uranium uit de natuur bestaat voor het allergrootste gedeelte uit de 238-isotopen die neutronen die hun nucleus raken, gewoon terug laten kaatsen en over het algemeen behoorlijk onbruikbaar zijn voor het maken van kernbommen. Voor het maken van een bom moet uranium uit de natuur verwerkt worden om de 235-isotopen te isoleren. Dit is bepaald niet eenvoudig: elke 25.000 ton uraniumerts levert maar 50 ton metaal op en minder dan 1 procent daarvan is uranium 235. En er kan geen standaard extractiemethode worden gebruikt omdat daarmee de twee isotopen niet van elkaar kunnen worden gescheiden: ze zijn chemisch identiek. In plaats daarvan laten ze uranium reageren met fluor, daarna wordt het verhit tot het een gas is en vervolgens wordt het door meerdere duizenden kleine poreuze barrières heen geleid. Dit levert twee soorten uranium op: 'verrijkt' uranium dat voornamelijk uranium 235 bevat en 'verarmd' uranium dat voor het grootste gedeelte uit uranium 238 bestaat. Voor kernbommen moet uranium verrijkt zijn, zodat het ongeveer 80 of 90 procent uranium 235 bevat. Met ongeveer 50 kilo verrijkt uranium (de kritieke massa) heb je genoeg voor een bom. Met minder zou de kettingreactie weer stoppen voordat deze voor een behoorlijke explosie zou kunnen gaan zorgen.

NUCLEAIRE KRACHT

Kernwapens zijn een van de meest verwoestende uitvindingen van de twintigste eeuw. Maar het splitsen van atomen wordt ook voor vreedzame doelen gebruikt: de kans bestaat dat een gedeelte van de elektriciteit die je leeslamp laat branden terwijl je dit boek leest, afkomstig is van een slowmotionversie van een kernbom, een kerncentrale. De eerste grootschalige kerncentrale op de wereld werd in 1956 geopend in Calder Hall in Cumbria in Engeland. Deze kerncentrale bleef in bedrijf tot 2003 en produceerde elektriciteit op dezelfde manier als een kolen-, olie- of aardgascentrale: water wordt verwarmd totdat er stoom ontstaat, die stoom wordt gebruikt om turbines te laten draaien om elektriciteit te maken. In het geval van kerncentrales komt de warmte van de splitsingsreacties in de splijtstaven van uranium. De splijtstaven worden ondergedompeld in een watertank die onder druk staat en ze worden gebombardeerd met hogesnelheidsneutronen. De energie die vrijkomt wanneer een nucleus uit elkaar valt, wordt gebruikt om het water te verwarmen en er wordt voorkomen dat de reactor zichzelf opblaast door controlestaven te gebruiken, meestal gemaakt van grafiet, die overtollige neutronen kunnen opnemen. Deze staven kunnen in de reactor worden geplaatst op verschillende dieptes om de snelheid van de reactie in de gaten te houden.

KAN HET SPLITSEN VAN ATOMEN DE WERELD REDDEN?

Een eeuw na de ontdekkingen van Rutherford en Einstein, en decennia nadat het een protestonderwerp werd voor iedereen die zich zorgen maakt over onze neiging om de wereld te vernietigen, zou kernenergie tevoorschijn kunnen komen als de redder van de wereld van de grootste dreiging waar we ooit mee te maken hebben gekregen. Omdat bij de productie van kernenergie geen koolstofdioxide wordt uitgestoten, is deze vorm van energie er een in de reeks voorgestelde oplossingen om klimaatverandering aan te pakken. In 2008 kondigde de Engelse regering aan dat er meer kernenergiecentrales gebouwd moesten worden, tot verbijstering van de vele milieuactivisten die wezen op de

Een nucleaire kettingreactie treedt op wanneer het splitsen van nuclei zichzelf in stand gaat houden. Als een uranium 235-nucleus geraakt wordt door een neutron, splitst het zichzelf in tweeën en laat het meer neutronen los. Deze gaan verder met het splitsen van andere U-235-nuclei (terwijl er niets gebeurd met de nuclei van U-238), waardoor er nog meer neutronen vrijkomen die verder gaan met het splitsen van andere nuclei.

neutron

hoge kosten en de grote vraag wat er met het nucleaire afval moet gebeuren. Een gedeelte van dat afval zal nog duizenden jaren giftig blijven. Maar zullen de kernenergiecentrales van de toekomst net zo slecht zijn als die uit het verleden? Men is al tientallen jaren bezig met de ontwikkeling van een nieuwe generatie kerncentrales, die heel anders zullen zijn dan de verouderde kerncentrales van nu.

Een van de grootste verschillen tussen de oude en de modernere centrales zoals die in Zuid-Korea en China, zijn de veiligheidssystemen. In plaats van technische veiligheidsmechanis-men waar kleppen en pompen koelvloeistof in bijvoorbeeld de reactorkern brengen als er een ongeluk optreedt, vertrouwen moderne centrales op passieve systemen. Deze hebben minder bewegende delen en hebben minder onderhoud nodig. Volgens het bedrijf Westinghouse, dat kerncentrales ontwerpt, zijn hun meest geavanceerde ontwerpen, zoals de AP1000, ongeveer honderd keer veiliger dan de bestaande kerncentrales.

De noodkoelvloeistof zit in een AP1000 bijvoorbeeld boven de reactorkern. Als er een on-geluk gebeurt, valt het water gewoon op de kern. Het water begint de kern af te koelen, verandert zelf in stoom, raakt een roestvrijstalen barrière bovenaan, condenseert tot water en regent terug op de kern. In het ontwerp van Westinghouse wordt uranium ook zestig keer efficiënter gebruikt, terwijl er tien procent van de hoeveelheid van het kernafval van de huidige kerncentrales wordt geproduceerd.

DE VOLGENDE STAP: SLECHTS VIJFTIG JAAR VERDER

Hoewel ze efficiënter en veiliger zullen zijn, zullen in de volgende generatie kerncentrales nog steeds atoomkernen worden gesplitst om energie vrij te maken. De natuur geeft de voorkeur aan de omgekeerde methode om energie vrij te maken: fusie, het proces waardoor de sterren worden aangedreven. In theorie is fusie-energie goedkoop en schoon. Het levert geen broeikasgassen op en er is een grote hoeveelheid brandstof beschikbaar in de vorm van zeewater. Fusie heeft natuurkundigen en ingenieurs al meer dan vijftig jaar bezig gehouden en velen van hen geloven dat een dergelijke krachtbron een belangrijk stap zal zijn om onze toenemende vraag naar energie op te lossen. Het werk heeft ook een schare sceptici aange-trokken die erop wijzen dat het proberen om een ster op aarde te reproduceren te moeilijk, te gevaarlijk en te duur is. Om te kijken wie er gelijk heeft, werkt een coalitie van landen aan het International Thermonuclear Experiment Reactor (ITER) project. Het doel is om het eerste prototype van de fusie-energiecentrale te bouwen in Cadarache in Frankrijk. ITER werd ge-boren in 1985 toen Ronald Reagan en Michail Gorbatsjov wetenschappers opriepen om te bewijzen dat fusie een wetenschappelijke en economisch levensvatbare manier is om energie te produceren. Europa en Japan sloten zich gauw aan bij Rusland en de VS als partners en nu omvat de vele miljarden dollars kostende samenwerking ook China, Canada en Zuid-Korea.

HOE FUSIE WERKT

In het hart van iedere ster zitten ontelbare miljarden waterstofnuclei die enkele protonen bevatten. Ze smelten samen om heliumnuclei te vormen (twee protonen en twee neutronen) plus energie. Maar dat is niet makkelijk. Ondanks de immense zwaartekrachtdruk en de

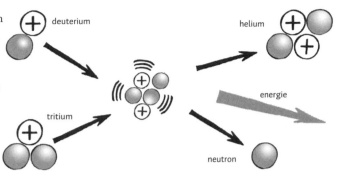

temperatuur in de kern van elke ster duurt het miljoenen jaren om twee nuclei te laten samensmelten, zo sterk is de afstotende kracht tussen twee protonen. Op aarde zou het opwekken van energie door middel van een reactie die zo lang duurt, nutteloos zijn. Daarom gebruiken wetenschappers twee isotopen van waterstof, deuterium en tritium, voor kernfusie. Ze zijn zwaarder dan waterstof en het is makkelijker om ze te laten samensmelten.

In deze nucleaire fusiereactie smelten deuterium en tritium (beide vormen van waterstof) samen om samen een heliumatoom te vormen, hierbij komt veel meer energie vrij dan bij kernsplitsing.

Deuterium komt op grote schaal voor in zeewater. Tritium is moeilijker te pakken te krijgen en moet in een fusiereactor worden gemaakt. Toch hebben we genoeg bronnen voor meerdere miljoenen jaren. De brandstof wordt in een donutvormige kamer (torus) geplaatst, in het midden van de machine, en wordt verwarmd, zodat plasma ontstaat bij 100 miljoen °C. Het deuterium en tritium smelten samen en vormen helium, energie en overgebleven neutronen die worden geabsorbeerd door een schild van lithium rond de torus. Als de neutronen het schild raken, wordt er meer tritium geproduceerd en dit wordt terug in de torus gebracht.

HEBBEN WE DE TECHNOLOGIE?

De principes achter fusie werden in het midden van de twintigste eeuw vastgelegd, maar het uitvoeren van het proces dat ervoor zorgt dat de sterren schijnen, was in die tijd onmogelijk omdat de technologie ervoor niet beschikbaar was. Wetenschappers gingen ervan uit dat zeer sterke magnetische velden nodig zouden zijn om de brandstof in een reactor te houden, maar in de vijftiger jaren hadden ze geen betrouwbare manier om deze te produceren. Als je nu snel doorspoelt naar vijftig jaar later, kun je zien hoe verbeterde computersimulaties over hoe de brandstof zich zal gedragen in de reactor en testexperimenten in plaatsen zoals de Joint European Torus in Engeland hebben bewezen dat fusie kan werken.

Maar niemand is er tot nu toe in geslaagd om meer energie vrij te krijgen uit een fusiereactie dan er in de eerste plaats in werd gestopt om de reacties te laten beginnen. ITER is erop gericht om dit recht te zetten. Het doel is om 500 megawatt aan energie te produceren, tien keer meer dan de voorspelde invoer. Als ITER werkt, zullen de implicaties voor energie en het milieu op deze planeet heel groot zijn. Misschien dat het kerntijdperk in zijn tweede eeuw het onderwerp wordt van hoop in plaats van angst.

HOE WEET JE WAT GOD DENKT

De twee steunpilaren van de moderne natuurkunde, de algemene relativiteitstheorie van Einstein en de kwantummechanica ontwikkeld door Niels Bohr, Werner Heisenberg en Paul Dirac, stroken niet helemaal met elkaar. En dat is een groot probleem als we ooit antwoorden willen geven op een aantal van de grootste vragen in de natuurkunde. Wat gebeurde er nu werkelijk tijdens de oerknal en waar is het heelal vandaan gekomen? Gebruik je de vergelijkingen van de algemene relativiteit omdat het om enorme grote hoeveelheden massa gaat? Of gebruik je kwantummechanica omdat het allemaal in een kleine ruimte plaatsvindt?

DE OPLOSSING: EEN MYTHISCHE THEORIE VAN ALLES

In de algemene relativiteitstheorie van Albert Einstein wordt beschreven hoe de zwaartekracht rond de allergrootste voorwerpen de ruimte eromheen vervormt; de elegante zwaartekracht van Isaac Newton verandert zo in een geometrische opgave. De kwantummechanica toonde aan dat de wereld onvoorspelbaar is op subatomair niveau, dat het gedrag van elementaire deeltjes aan het toeval onderhevig is. Het overbruggen van de kloof met een zogenaamde 'theorie van alles' heeft theoretische natuurkundigen nu al decennialang beziggehouden. Einstein zelf probeerde in de laatste decennia van zijn leven algemene relativiteit en elektromagnetisme met elkaar te verenigen. Hij had geen notie van de sterke en zwakke krachten die in de nucleus verborgen zitten, en was niet echt geïnteresseerd in de kwantumtheorie. Tegen de tijd dat hij stierf, in 1955, was hij geen stap verder gekomen.

Anderen speelden met het idee van een kwantumtheorie van de zwaartekracht, maar in de afgelopen eeuw werd het meeste werk in de natuurkunde besteed aan het ontwikkelen en begrijpen van de kwantumtheorie op zich. De natuurkundigen van de vijftiger en zestiger jaren met hun rocksterrenstatus, inclusief de Amerikaanse grote namen Richard Feynman, Murray Gell-Man en Steven Weinberg, waren druk bezig met het kenschetsen van de kwantummechanica en het veranderen ervan in de stevige theorie die we tegenwoordig kennen en gebruiken (het is bijvoorbeeld het fundament voor alle elektronica). Ze wonnen verschillende Nobelprijzen terwijl ze werkten aan het opbouwen en afstemmen van het standaardmodel van de deeltjesfysica, een nauwkeurige kwantummechanische beschrijving van alle subatomaire deeltjes waarvan we weten dat ze bestaan. Maar al dit werk bracht de kwantummechanica niet dichter bij de algemene relativiteit van Einstein. Toch bleef men zoeken naar een unificatietheorie. In de afgelopen decennia is er veel werk verzet, theoretische natuurkundigen hebben het grondwerk verricht voor mogelijke ideeën voor het verenigen van de vier natuurkrachten (zie *Hoe het heelal in elkaar zit*). Ze hebben geholpen bij het zoeken naar antwoorden voor nog meer raadselachtige kwesties zoals: Waar komt massa vandaan? En waarom ontbreekt het grootste gedeelte van het heelal? Na het standaardmodel van 25 jaar geleden zijn er geen belangrijke ontdekkingen meer gedaan in de deeltjesfysica. Maar met het begin van de experimenten in de Large Hadron Collider (LHC) in Genève bereidt een nieuwe generatie wetenschappers zich erop voor om dit zorgvuldig opgebouwde deel van de natuurkundegeschiedenis in stukken te slaan.

VOORBIJ HET STANDAARDMODEL

In het standaardmodel worden de eigenschappen beschreven van twaalf materiedeeltjes die fermionen worden genoemd, en de verschillende krachtdeeltjes die bepalen hoe de wisselwerking is tussen deze fermionen. De materiedeeltjes bestaan uit zes quarks (sommige vormen protonen en neutronen, terwijl andere zo zwaar zijn dat ze fracties van seconden bestaan voordat ze vervallen tot lichtere deeltjes) en zes leptonen (inclusief de elektronen en neutrinos). De krachtdeeltjes (die bosonen worden genoemd) omvatten de lichtdeeltjes (fotonen) en gluonen die quarks aan elkaar vastplakken in de nucleus van een atoom. Er is ook antimaterie, dat bestaat uit deeltjes die identiek zijn maar met tegenovergestelde ladingen: het positron heeft bijvoorbeeld dezelfde massa als een elektron, maar is positief; een antiproton bestaat uit antiquarks en heeft een algemene negatieve lading.

Ik wil weten hoe God deze wereld heeft geschapen. Ik ben niet geïnteresseerd in het een of andere fenomeen, in het spectrum van een of ander element. Ik wil Zijn gedachten kennen; de rest zijn details.
ALBERT EINSTEIN

Als het standaardmodel uitgebreid zou kunnen worden met aspecten van de zwaartekracht, zou dat een belangrijke stap zijn voor het verenigen van de krachten. De graviton is voorgesteld als krachtdragend deeltje voor deze kracht, maar tot nu toe is dit deeltje tijdens experimenten nog nooit waargenomen. Dit heeft natuurkundigen er niet van weerhouden om uitbreidingen voor te stellen om een van de grootste problemen op te lossen: het feit dat het grootste gedeelte van het heelal ontbreekt. Men denkt dat ongeveer een kwart van het heelal bestaat uit 'donkere materie' die geen straling uitzendt en niet waargenomen kan worden. Sommige theoretici hopen dat een idee dat 'supersymmetrie' heet, zou kunnen helpen. Deze uitbreiding van het standaardmodel stelt dat elk bekend deeltje een zwaarder supersymmetrisch tweelingdeeltje heeft. Het elektron heeft als tweelingdeeltje een selectron dat tot nu toe nog niet is ontdekt, quarks hebben squarks als tweelingen, en fotonen en neutrinos komen erachter dat ze fotinos en neutralinos hebben. Gelukkig heeft het laatstgenoemde deeltje (dat ook het lichtste deeltje is) een aantal van de eigenschappen die worden voorspeld voor de mysterieuze galactische donkere materie.

Een andere aanvulling voor het standaardmodel heeft de naam *technicolour* gekregen. Bij de supersymmetrie worden dezelfde bekende natuurkrachten genomen en worden extra deeltjes toegevoegd, maar bij technicolour zou er een bizarre fundamentele kracht moeten zijn die we nog niet hebben waargenomen. Er wordt bijvoorbeeld beweerd dat quarks geen enkele deeltjes zijn, maar dat een quark een complex van kleinere deeltjes is die techniquarks worden genoemd.

SNAARTHEORIE

Supersymmetrie is ook een belangrijk onderdeel van die ene theorie in de natuurkunde die meer kans dan de anderen lijkt te maken om de theorie van alles te worden (hoewel hier nog wel strijd om zal worden geleverd). De snaartheorie kan de kwantumtheorie en de relativiteitstheorie verklaren en de meeste verenigingsproblemen oplossen. Maar de snaartheorie vereist wel dat de wereld elf dimensies heeft en de ideeën zijn nooit in experimenten getest. Eigenlijk is het zo dat de theorie in een ruimte werkt die zo klein is dat het misschien nooit getest kan worden. En dat roept dan weer de vraag op of het eigenlijk wel een wetenschappelijk idee is.

Deze esoterische en vreselijk gecompliceerde wiskundige wereld ontstond aan het eind van de zestiger jaren toen men een manier vond om de sterke kernkracht te beschrijven, de kracht die ervoor zorgt dat de atoomkernen niet uit elkaar vliegen door de afstotende kracht tussen de protonen. Protonen bestaat uit deeltjes die quarks worden genoemd, die door nog meer deeltjes bij elkaar worden gehouden die gluonen heten. Zij brengen de sterke kernkracht over. De oorspronkelijke snaartheorie kwam op als een manier om de vraag te beantwoorden waarom quarks en gluonen nooit op zichzelf werden gezien, zelfs niet wanneer atomen uit elkaar werden gerukt in deeltjesversnellers. Eenvoudig gezegd: de snaartheorie zei dat gluonen en quarks misschien wel aan het eind van een energiesnaar zitten en, omdat je geen snaar kunt hebben met maar één uiteinde, kun je geen losse quarks en gluonen hebben. Het idee raakte uit de gratie nadat fysici met een stevigere manier kwamen om de sterke kernkracht te beschrijven met kwantumchromodynamica, een nauwkeurige kwantummechanische beschrijving van de wisselwerking tussen quarks en gluonen.

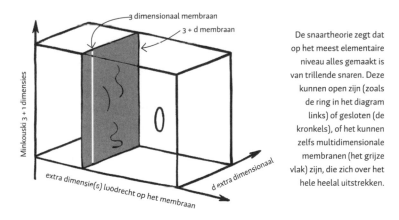

De snaartheorie zegt dat op het meest elementaire niveau alles gemaakt is van trillende snaren. Deze kunnen open zijn (zoals de ring in het diagram links) of gesloten (de kronkels), of het kunnen zelfs multidimensionale membranen (het grijze vlak) zijn, die zich over het hele heelal uitstrekken.

Maar de snaartheorie werd niet helemaal begraven. Later kwam de theorie weer boven als een manier om niet alleen de sterke kernkracht te beschrijven, maar misschien ook wel alle vier fundamentele krachten. De vroegste versie van deze wedergeboorte van de snaartheorie stelde dat alles in het heelal, van de aarde tot het boek dat jij nu vasthoudt, en alle krachten die erop inwerken, bestaat uit hele kleine trillende energiedraadjes, de zogenaamde snaren. Een tijdlang waren er meerdere concurrerende snaartheorieën. De Amerikaanse wetenschapper Ed Witten, feitelijk de baas van de snaartheorie en degene die bij de fysici het dichtst in de buurt komt van een moderne versie van Albert Einstein, moest erbij worden gehaald om orde in de chaos te scheppen. Met de M-theorie liet hij zien dat de concurrerende theorieën feitelijk verschillende facetten van dezelfde theorie zijn.

Voor de M-theorie bestonden snaren in een wereld met tien dimensies, inclusief de tijddimensie, de drie dimensies van ruimte en zes extra dimensies, zo klein opgerold dat ze onzichtbaar zijn. De M-theorie van Witten had ook een extra ruimtedimensie nodig zodat het totale aantal dimensies elf werd. Hij suggereerde dat deze wereld niet alleen snaren bevatte, maar ook voorwerpen die meer op oppervlaktes of membranen leken. Deze 'branen' zouden in drie of meer dimensies kunnen bestaan en, met genoeg energie, zouden ze heel groot kunnen worden, zelfs zo groot als het hele heelal. Extra dimensies zouden ook het probleem van de zwakte van de zwaartekracht kunnen aanpakken. Misschien dat zwaartekracht werkelijk bestaat als sterke kracht in een dimensie die we tot nu toe nog niet hebben ontdekt. We ervaren het als een zwakke kracht omdat maar een gedeelte van de kracht ervan doorsijpelt in onze wereld.

Volgens de algemene relativiteitstheorie van Einstein buigt de massa van een ster de ruimtetijd eromheen, zodat het pad van alles dat vlak langs komt, rond de ster buigt. We beschrijven dat effect als de zwaartekracht.

Er is veel wiskundig werk verzet door een paar van de beste wetenschappelijke denkers van de wereld om het idee van de snaartheorie te ontwikkelen. Het is verreweg het populairste idee voor het samenbrengen van kwantummechanica en zwaartekracht. Maar het idee ligt zo ver buiten onze fysieke ervaring van de wereld dat veel critici in de rij staan om te redeneren dat het meer een filosofisch werk is dan de ultieme wetenschappelijke beschrijving van de natuur. En tot het moment waarop experimenten iets anders aantonen, zullen de discussies blijven voortduren.

HOE ZIT HET MET DE MASSA?

Het lijkt raar om te vragen waar massa vandaan is gekomen. Het is er toch gewoon? Als je wat specifieker wilt worden, zou je misschien kunnen zeggen dat massa de cumulatieve hoeveelheid fermionen (de quarks en leptonen) in een voorwerp is. Als je deze hele kleine massa's optelt, krijg je een totale massa voor een atoom of een groter voorwerp. Was het maar zo simpel. Als we naar de eerdere logische redenering kijken, zou je kunnen denken dat de massa van dit boek de optelsom is van alle atomen in de vellen papier waaruit het boek bestaat. Als je dieper gaat graven, zul je iets heel vreemds ontdekken: het is bijna alsof de materiedeeltjes, de quarks en leptonen zelf, geen massa hebben.

Fysici begrepen nooit echt waarom dit zo was totdat een verlegen fysicus uit Edinburgh met een mogelijke oplossing kwam. Peter Higgs ging ervan uit dat de bouwblokken van materie gewichtsloos waren toen ze werden gevormd in de eerste paar minuten na de oerknal, maar dat iets heel kort daarna werd aangezet waardoor ze massa kregen. Dat iets is een veld dat nog niet is ontdekt, dat doordringt in het hele heelal, dat vastplakt aan deeltjes waar ze dan ook maar zijn en ze een vertraging geeft die we als massa interpreteren. Verschillende deeltjes hebben een sterkere wisselwerking met het higgsveld dan andere deeltjes. Lichtdeeltjes zijn er ongevoelig voor en hebben daardoor geen massa; zwaardere deeltjes bewegen zich door het veld alsof ze door de modder baggeren. Zijn berekeningen lieten zien dat voor het voelen van het effect van dit veld, fermionen een wisselwerking moeten hebben met het veld via een nog niet ontdekt deeltje, de higgsboson, dat ze massa geeft.

HOE KUNNEN WE DIT ALLEMAAL TESTEN?

Diep begraven onder het Juragebergte, dicht bij Genève, op de grens van Frankrijk en Zwitserland, ligt een ronde tunnel met een omtrek van 27 kilometer. Een aantal van de belangrijkste wetenschappelijke experimenten in de geschiedenis zijn hier al uitgevoerd en die traditie zal spoedig worden voortgezet. Hier ligt de LHC van Cern, de veel bejubelde deeltjesversneller die protonen met elkaar zal laten botsen met een snelheid die dicht bij de lichtsnelheid ligt. Door de explosies die hiervan het gevolg zal zijn, zullen de deeltjes uit elkaar scheuren, waardoor tijdelijk omstandigheden ontstaan die sinds de oerknal niet meer in het heelal zijn opgetreden. Wetenschappers hopen dat de ontploffing een zwerm van nieuwe deeltjes zal veroorzaken die nog nooit eerder in experimenten zijn waargenomen. In de afvalresten van de botsingen zullen kosmologen op zoek gaan naar aanwijzingen voor welke van hun ideeën over de fundamentele eigenschappen van het heelal juist zijn. De eerste op de lijst is higgsboson. Daarna zullen ze op zoek gaan naar bewijzen van supersymmetrie en nieuwe dimensies. De laatste zullen zich manifesteren, denken de fysici, met de vorming van hele kleine zwarte gaten die heel kort leven. Wat in de LHC zal worden ontdekt, zal de natuurkunde veranderen, waardoor de vragen met betrekking tot de vereniging van krachten en het mysterie van de donkere materie dichter bij een oplossing zullen komen. Maar het zou ook mis kunnen gaan. Wat als er geen enkel spoor van het higgsboson wordt gevonden? Wat als blijkt dat de standaard materiedeeltjes geen supersymmetrische partners hebben op de energieniveaus die de LHC kan halen? Het is een beetje pervers dat sommige fysici hier het meest opgewonden van raken, omdat dan de werkelijkheid weer helemaal opnieuw moet worden beoordeeld.

Terwijl de LHC op gang begint te komen, proberen sommige fysici wanhopig om ervoor te zorgen dat de onwaarschijnlijke scenario's niet worden vergeten. Zoals de fysicus Jim al-Khalily schreef: 'Als er geen bewijs wordt gevonden voor een gek idee dat naar voren werd gebracht, is het onwaarschijnlijk dat iemand dat zal onthouden. Maar als het wel blijkt te kloppen, slaan ze zichzelf voor het hoofd omdat ze niet het lef hebben gehad om het van tevoren voor te stellen.'

HOE JE MINDER SNEL OUD WORDT DAN JE TWEELING

- NIET VERANDERENDE ACTIEARENA'S
- HET IS ALLEMAAL RELATIEF
- WANNEER DE SNELHEID VAN HET LICHT EEN SPECIAAL GETAL IS
- DE VERANDERENDE ACHTERGROND
- BEWIJS IN DE ECHTE WERELD
- ENERGIE EN MASSA
- TERUG NAAR DE TWEELINGEN

Wanneer Wendy terugkomt na de reis van haar leven, een reis waarin ze een sterrenstelsel dat dichtbij ligt, heeft onderzocht in een ruimteschip dat bijna de lichtsnelheid kan halen, lijkt het alsof ze minder rimpels en grijze haren heeft dan haar tweelingbroer Daniel die op aarde is gebleven. De datum op het horloge van Wendy, een cadeautje dat ze 25 jaar geleden kreeg voordat ze vertrok en dat ze toen gelijkgezet had met het horloge van Daniel, is nu anders dan de datum op zijn horloge. Voor Wendy zijn er maar tien jaar voorbijgegaan, maar Daniel is nu vijftien jaar ouder dan zijn tweelingzus.

NIET VERANDERENDE ACTIEARENA'S

Vanuit een alledaags perspectief is het verhaal van Daniel en Wendy heel vreemd. Misschien liep haar horloge een klein beetje voor of achter voordat Wendy van de aarde vertrok, maar het lijkt onmogelijk dat hun tijdmeting na haar terugkeer vijftien jaar van elkaar verschilt. Vanuit het perspectief van het heelal is het verschil echter helemaal niet zo vreemd. Het verschil laat feitelijk zien hoe tijd en ruimte werkelijk werken. De eigenaardigheid wordt niet opgemerkt op menselijke schaal en komt alleen tevoorschijn bij snelheden en energieën die extreem zijn voor mensen. Vroeger dachten we dat ruimte en tijd de onveranderlijke achtergrond vormden van de gebeurtenissen in het heelal. Dat is jammer genoeg niet het geval. Voor iedereen die dacht dat het wel zo was (en je bent niet de enige: Isaac Newton dacht het ook), kwam het slechte nieuws in 1905, het 'wonderjaar' toen een 25-jarige patentambtenaar in Zwitserland onze empirische kijk op de natuur overhoop haalde.

HET IS ALLEMAAL RELATIEF

Albert Einstein publiceerde in 1905 vijf artikelen over verschillende onderwerpen, van de elektromagnetische kracht tot de Brownse beweging, die beschrijft hoe stofdeeltjes willekeurig door de lucht zweven terwijl ze botsen met gasmoleculen. In een van deze artikelen werd de speciale relativiteitstheorie geïntroduceerd, een manier om de beweging van verschillende voorwerpen aan elkaar te relateren terwijl ze in het heelal bewegen.

Meer dan een eeuw voor Einstein had Isaac Newton bewegingswetten geformuleerd. Deze wetten werkten prima, ze voorspelden de beweging van alles, van kanonskogels tot planeten. Talloze keren was uit experimenten gebleken dat de wetten klopten en er was geen aanleiding om te denken dat ze verbeterd zouden moeten worden. Maar terwijl hij werkte aan de beweging van elektrisch geladen deeltjes, kwam Einstein een probleem tegen dat niet in overeenstemming was met Newtons kijk op de wereld. Einsteins werk toonde aan dat elektromagnetische straling (zoals licht) een limiet kent aan de snelheid waarmee het kan

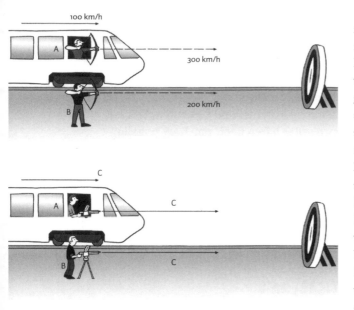

reizen en dat deze snelheidslimiet niet overschreden kan worden. Dit was problematisch voor de wetten van Newton waarin er geen limieten waren voor de snelheid waarmee een voorwerp zich voortbeweegt. Alles wat je moest doen, was genoeg energie leveren, zodat het steeds sneller zou gaan. Uiteindelijk haalde Einstein de vergelijkingen van Newton overhoop zodat ze wel overeenkwamen met de beperkingen die hij had ontdekt. Zijn speciale relativiteitstheorie vernietigde het idee dat ruimte en tijd absolute en vaste gegevens zijn van ons heelal. In plaats daarvan zei Einstein dat de waarden voor ruimte en tijd variëren, afhankelijk van hoe verschillende waarnemers relatief ten opzichte van elkaar bewegen.

De snelheid van een pijl die wordt afgeschoten vanuit een rijdende trein naar een stilstaand doel (boven) is gelijk aan de snelheid van de trein plus de snelheid waarmee de pijl van de boog wordt afgeschoten. Maar de snelheid van het licht dat afgevuurd wordt met een straalgeweer (onder) blijft hetzelfde, onafhankelijk van de snelheid van de trein in verhouding tot het doel.

WANNEER DE SNELHEID VAN HET LICHT EEN SPECIAAL GETAL IS

De speciale relativiteitstheorie bestaat uit twee fundamentele vooronderstellingen (postulaten). De eerste is dat de natuurkundige wetten hetzelfde zijn waar je ook maar bent. Of je nu in het meest geavanceerde wetenschappelijk laboratorium van de wereld bent of in de allergewoonste woonkamer, een experiment (je gooit bijvoorbeeld een appel in de lucht) zal dezelfde resultaten opleveren. De tweede stelling is dat de snelheid van het licht een constante is, dezelfde waarde geldt voor iedereen onafhankelijk van hun positie of hoe snel ze bewegen ten opzichte van elkaar.

Het is duidelijk dat dit een vreemd idee is als je kijkt naar hoe we normaal snelheden meten. Stel je voor dat je op een perron staat terwijl een trein het station binnenrijdt. In de treinwagon zie je hoe een jongen de tijd verdrijft door het gooien van een bal tegen de wand voor hem (in dezelfde richting waarin de trein straks verder zal rijden) en hij vangt de bal telkens als die terug stuitert. Als jij of de jongen de snelheid van de bal zou meten (de 'rustsnelheid' omdat de trein stil staat) terwijl die naar de wand toegaat, zouden jullie beiden dezelfde snelheid meten. Stel je nu voor wat er gebeurt wanneer de trein met een constante snelheid rijdt en jij kunt, van een afstandje met een telescoop, nog steeds zien hoe de jongen speelt met zijn bal. Ervan uitgaande dat hij de bal precies zo gooit als toen de trein stilstond, zou iemand in de trein de snelheid van de bal kunnen meten: die blijkt hetzelfde te zijn als de rustsnelheid. Maar vanaf jouw positie zou je zien dat de bal veel sneller gaat: de rustsnelheid plus de snelheid van de trein zelf.

Bij licht is dit niet het geval. Vervang de bal door een zaklamp die in de richting schijnt waarin de trein zich beweegt. Of de trein nu stil staat of rijdt, of de persoon die kijkt in de trein zit of op het perron staat, de snelheid van de lichtstraal zal hetzelfde zijn, net iets minder dan 300.000 km per seconde. Met deze twee vooronderstellingen ontvouwde Einstein een nieuwe vreemde wereld.

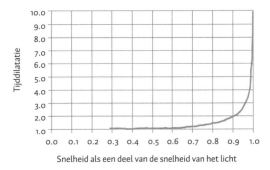

Snelheid als een deel van de snelheid van het licht

DE VERANDERENDE ACHTERGROND

Snelheid wordt gemeten als afstand gedeeld door tijd. In het voorbeeld hierboven, waar de snelheid van het licht hetzelfde is onafhankelijk van hoe snel de trein rijdt, lijkt deze bewegingswet niet te kloppen. Maar we weten dat in de speciale relativiteitstheorie de natuurkundewetten hetzelfde moeten blijven onder alle omstandigheden. Daarom, als onze meting van de snelheid hetzelfde moet blijven, misschien kunnen dan de andere variabelen veranderen? Met de speciale relativiteit toonde Einstein aan dat de onveranderlijkheid van de lichtsnelheid inhoudt dat de meting van ruimte en tijd wel veranderlijk is.

Om de natuurkundige vergelijkingen wel te laten werken toonde Einstein aan dat de lengte van een bewegend voorwerp moet krimpen in de richting waarin het zich voortbeweegt. Als het voorwerp op de een of andere manier de snelheid van het licht bereikt (en we zullen later zien waarom dit niet waarschijnlijk is), zou de lengte tot nul teruglopen. Het is erg belangrijk om te weten dat iedereen die met het voorwerp meebeweegt geen verandering in grootte zou zien. Alleen de waarnemers in een ander referentiekader (die bijvoorbeeld vanaf een perron toekijken of in een andere richting gaan) zouden de afnemende lengte zien. De verandering in de grootte van een voorwerp kan berekend worden met een wiskundige functie die de lorentztransformatie wordt genoemd. Stel dat je een stok hebt die 30 cm lang is als je deze voor je ziet. Iemand steelt die stok van je en neemt de stok mee in een trein die heel hard gaat rijden, op 60 procent van de lichtsnelheid. De lorentztransformatie zal aantonen dat wanneer je de stok zou kunnen meten, deze dan maar 24 cm zou lijken te zijn.

Net zo als de ruimte veranderlijk is in de speciale relativiteit, is tijd dat ook. Tot 1905 waren tijdmetingen gewoon een manier om een cijfer op een interval te plakken tussen twee gebeurtenissen. Maar Einstein toonde aan dat tijd feitelijk een essentieel onderdeel is van de coördinaten voor het definiëren van het bestaan van een gebeurtenis, samen met de bekendere coördinaten van ruimte. De meting van tijd door verschillende waarnemers zou afwijkend kunnen zijn, afhankelijk van hun relatieve referentiekaders. Net zoals een waarnemer die iemand anders ziet bewegen op een belangrijk deel van de lichtsnelheid, ten opzichte van zichzelf lengtekrimping zal zien, zullen ze ook zien dat de tijd langzamer gaat voor die bewegende persoon.

BEWIJS IN DE ECHTE WERELD

De resultaten van de speciale relativiteitstheorie lijken bizar omdat ze helemaal niet overeenkomen met onze alledaagse ervaringen. Newton merkte nooit op dat er behoefte was aan een relativiteitstheorie omdat hij nooit vermoedde dat er iets speciaals was met de lichtsnelheid. Daarom had hij nooit kunnen raden dat wanneer je hele hoge snelheden en energieën bereikt, je niet meer kunt voorspellen hoe dingen bewegen. Het klopt als je zegt dat de effecten van de speciale relativiteit alleen relevant zijn als de snelheden heel hoog worden en dat mensen waarschijnlijk niet zover zullen gaan. Maar wetenschappers hebben de effecten ervan toch bekeken in experimenten. Deeltjes die versneld zijn zodat ze bijna de lichtsnelheid hebben bereikt binnen deeltjesversnellers, krijgen te maken met tijduitrekking. Een nuon bijvoorbeeld vervalt tot kleinere deeltjes in de ruststand met specifieke snelheid; maar als een nuon wordt versneld, hebben wetenschappers geconstateerd dat deze deeltjes veel langer overleven omdat de tijd voor het deeltje in verhouding tot ons veel minder snel tikt, in ons rustende referentiekader.

Einstein beschouwde zijn werk aan het oplossen van het schijnbare conflict tussen de klassieke mechanica en elektrodynamica, die leidde tot wat we nu de speciale relativiteitstheorie noemen, nooit als revolutionair op dezelfde manier als zijn werk aan de kwantumhypothese.

JOHN STACHEL

ENERGIE EN MASSA

De onveranderlijkheid van de snelheid van het licht heeft ook een aantal interessante implicaties voor de massa van een voorwerp. In het kort komt het erop neer dat hoe sneller iets beweegt, des te groter de weerstand wordt tegen de versnelling. Soms verklaren mensen dit door te zeggen dat de massa van het voorwerp toeneemt als het sneller gaat. Maar dit klopt niet helemaal. De restmassa van een voorwerp (wat we meten op een weegschaal en wat een maat is van de materie die in een voorwerp zit) zal in alle situaties hetzelfde blijven, maar de 'relativistische' massa (die gebruikt kan worden om de weerstand tegen de versnelling te berekenen) neemt toe als het voorwerp sneller beweegt.

Terwijl het voorwerp steeds dichter bij de snelheid van het licht komt, gaat de energie die nodig is om het sneller te laten gaan omhoog, totdat, bij lichtsnelheid, de weerstand tegen de versnelling zo groot wordt dat geen enkele hoeveelheid energie ervoor kan zorgen dat het nog sneller gaat. Opnieuw geldt dat dit vreemde resultaat uit de speciale relativiteit wegvalt als gevolg van de noodzaak om het speciale van de lichtsnelheid te behouden zonder dat de natuurkundewetten worden overtreden. Dit onderdeel van de speciale relativiteitstheorie heeft ook geleid tot de beroemdste vergelijking in de natuurkunde: $E = mc^2$, waarbij E staat voor energie, m is massa en c is de snelheid van het licht. Einstein toonde aan dat energie en massa uitwisselbaar zijn, de laatste is gewoon een zeer geconcentreerde vorm van het eerste. Hoe sterk geconcentreerd wordt getoond door de waarde van c^2, een getal dat werkelijk enorm is.

TERUG NAAR DE TWEELINGEN

De speciale relativiteitstheorie legt netjes uit wat er gebeurde met Daniel en Wendy. In rust op de aarde bevonden ze zich in hetzelfde referentiekader. Op het moment dat Wendy de ruimte in wordt geschoten, bevinden ze zich in verschillende kaders die zich ten opzichte van elkaar steeds verder van elkaar af bewegen. Terwijl het ruimteschip van Wendy steeds dichter bij de snelheid van het licht komt (en haar relativistische massa toeneemt), kan iedereen die er vanaf de aarde naar kijkt, zien hoe haar ruimteschip korter wordt en de tijd op haar horloge langzamer gaat.

Wendy zou zich natuurlijk niet bewust zijn van deze veranderingen. Voor haar gaat het leven aan boord van het ruimteschip normaal door. Tijdens haar reis gaat de tijd gewoon door zoals altijd en de ruimtedimensies die ze ziet, zijn hetzelfde als ze altijd waren. Volgens haar metingen doet ze er vijf jaar over om bij de ster te komen en doet ze vijf jaar over de weg terug naar de aarde. Omdat ze haar broer beloofd heeft om elke dag in haar dagboek te schrijven, doet ze dat ook, en als ze op de aarde is teruggekeerd, heeft ze tien jaar lang elke dag in haar dagboek geschreven. De verschillen tussen de tweelingen worden pas duidelijk als Wendy en Daniel weer in hetzelfde referentiekader zitten. Het cumulatieve effect van het uitzetten van de tijd betekent voor Wendy dat ze minder tikken van de klok heeft meegemaakt in de tijd dat zij en Daniel niet bij elkaar waren. Daardoor komt ze 'jonger' dan haar broer terug van de reis.

We moeten nog één punt duidelijk maken voordat we een eind maken aan het verhaal van Wendy en Daniel. De speciale relativiteit zegt dat absolute beweging niet bestaat, referentiekaders bewegen alleen in verhouding tot elkaar. Dus als Wendy zich verwijdert van Daniel, verwijdert Daniel zich dan ook niet van Wendy? Als we het zo bekijken, waarom zet de tijd alleen uit voor Wendy? Zou vanuit haar standpunt de tijd ook niet moeten uitzetten voor haar broer? Het antwoord van de speciale relativiteit op deze zogenaamde 'tweelingparadox' is dat het de reiziger, Wendy, is die de acties definieert in dit scenario, omdat zij degene is die de aarde verlaat en weer terugkomt. Zij is degene die uit het referentiekader van Daniel vertrekt en er daarna weer naar terugkeert, terwijl Daniel op dezelfde plaats is gebleven. Zij is degene die tussen verschillende referentiekaders wisselt en daardoor is zij degene die profiteert van het jonger blijven.

Toch blijft het een vreemd resultaat. En dit allemaal omdat de snelheid van het licht altijd en overal hetzelfde moet blijven.

HOE BEGIN JE MET HET LEVEN?

- ○ WAT IS LEVEN?
- ○ DE CHEMISCHE STOFFEN VAN HET LEVEN
- ○ WAAR ZIJN DE INGREDIËNTEN VANDAAN GEKOMEN?
- ○ WAT WAS ER HET EERST, DNA OF EIWIT?
- ○ BEGON HET LEVEN IN HET HEELAL?

Biologen hebben veel ideeën over hoe de eenvoudige moleculen in de oerwereld bij elkaar kwamen en waar ze wellicht vandaan zijn gekomen. Maar het is waarschijnlijk waar als we zeggen dat we meer zekerheid hebben over de eerste paar seconden na de oerknal dan over de eerste momenten waarop het leven begon. Wanneer begon het leven eigenlijk? Was het prijzengeld zo ongewoon dat DNA de enige molecuul was die over de hordes heen kwam en levensvormen ontwikkelde? Of is DNA alleen maar als winnaar tevoorschijn gekomen uit een krioelende massa van concurrerende moleculen op de oeraarde?

WAT IS LEVEN?

De grootsten der aarde hebben zich beziggehouden met deze vraag. Aan het einde van zijn meesterwerk *On the Origin of Species* opperde Charles Darwin dat de 'schepper' leven had ingeblazen in een paar levensvormen die daarna evolueerden in de verscheidenheid aan organismen die we nu hebben. Maar buiten het oog van de publieke opinie vroeg hij zich af of een schepper nu echt nodig was geweest. In een brief aan de Britse botanicus Joseph Hooker speculeerde hij dat het leven mogelijk was ontstaan door chemische reacties in een 'warme, kleine waterpoel met daarin aanwezig allerlei soorten ammoniak en fosforzouten, licht, warmte, elektriciteit etc.' Is het begin van het leven dan gewoon een kwestie van de juiste chemie?

Maar hoe definieer je leven eigenlijk? Gaat het om autonoom gedrag? Alles is gemaakt van bewegingsloze materie, maar het leven onderscheidt zich doordat het zich kan bewegen, waarbij het lot wordt getart dat de domme natuurkundewetten nu eenmaal met zich mee brengen. Als je een dode duif in de lucht gooit, zal deze hard op de grond neervallen, helemaal in overeenstemming met de zwaartekracht en de bewegingswetten. Als je een levende duif in dezelfde richting gooit, zal de vogel wegvliegen of netjes landen, hoewel dezelfde natuurkunde nog steeds geldt. Wat is de autonome vonk die ervoor zorgt dat een verzameling moleculen (de levende vogel) zich heel anders gedraagt dan een vrijwel volledig identieke moleculenverzameling (de dode vogel)?

Er zijn andere basiskenmerken die gelden voor al het leven: de mogelijkheid om energie te verwerken zodat het organisme kan functioneren (stofwisseling); de mogelijkheid om kopieën van zichzelf te maken of om nakomelingen te maken (reproductie); de behoefte aan voedsel (voeding); een complexe georganiseerde verzameling moleculen die samenwerken om specifieke functies uit te voeren en fysieke kenmerken bouwen en sturen; en de mogelijkheid om zich uit te breiden of te ontwikkelen (groei). Paul Davies, een fysicus aan de *Arizona State University,* identificeert nog een aantal andere kenmerken. Leven vertrouwt, net als computers, op de organisatie van informatie die van ouder op kind wordt overgedragen door DNA en wordt voortdurend aangepast met willekeurige mutaties in de genetische code. Hij voegt eraan toe dat al het leven op aarde het resultaat is van een zeer specifieke deal tussen de 'software' in het DNA en de 'hardware' van de eiwitten. Veel dingen in de wereld hebben een aantal van deze eigenschappen, maar toch zullen we nooit zeggen dat ze levend zijn: een vuur breidt zich uit, kristallen en wolken kunnen groeien, en een stoommachine heeft 'voeding' nodig in de vorm van steenkolen om een 'stofwisselingsproces' uit te voeren dat nuttige energie oplevert. Iets dat levend is, moet alle kenmerken hebben die hierboven worden genoemd en al deze dingen moeten werken om dat organisme ten goede te komen.

Deze voorbeelden lijken voor de hand liggend, maar als je de definitie van het leven verder onderzoekt, waarschuwt Davies ervoor dat je niet moet gaan zoeken naar een scherpe scheidslijn tussen levende en niet-levende organismen. 'Je kunt niet alle franje weghalen en vervolgens een onveranderbare levenskern vinden, een bepaald molecuul bijvoorbeeld. Een levend molecuul bestaat niet, er is een systeem van moleculaire processen dat collectief als levend aangemerkt kan worden.'

Volgens Davies is het oplossen van het mysterie van biogenese (de vorming van leven op aarde) niet gewoon een van de vele problemen in de lange lijst van wetenschappelijke problemen die nog uitgevoerd moeten worden. 'Net als de oorsprong van het heelal en de oorsprong van het bewustzijn staat dit voor iets dat dieper gaat omdat het de fundamenten van onze wetenschap en ons wereldbeeld op de proef stelt. Een ontdekking die de belofte met zich meebrengt dat het de principes zal veranderen waarop ons begrip van de fysieke wereld is opgebouwd, verdient het om te worden behandelt als een urgente prioriteit,' schrijft hij in zijn boek *The Fifth Miracle* (*Het vijfde wonder*).

De samenstelling van de atmosfeer is gedurende de geschiedenis van de aarde veranderd. In het diagram hiernaast wordt aangegeven hoe de verhouding van de gassen in de loop der tijd is gewijzigd. De toename van zuurstof is een gevolg van de opkomst van planten die fotosynthese gebruiken, waarbij zuurstof als afvalproduct ontstaat terwijl de planten voedsel uit zonlicht maken.

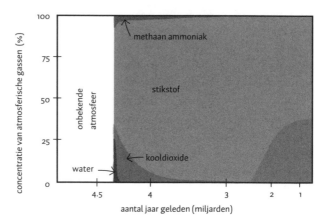

DE CHEMISCHE STOFFEN VAN HET LEVEN

Wellicht zijn er meerdere pogingen geweest om met het leven te beginnen en waren er heel veel mechanismes die met elkaar concurreerden om zich te reproduceren in de chemische soep van de vroege aarde. Maar we weten dat er maar eentje, degene gebaseerd op DNA, won. De bevestiging hiervan zie je overal om je heen. Bomen, groentes, amoebes, mensen, en walvissen zijn allemaal op moleculair niveau gebaseerd op dezelfde chemische processen.

Harold Horowitz, een Amerikaanse bioloog en filosoof van de George Mason University in Fairfax, heeft een lijst gemaakt met het bewijs. Alles wat leeft, is opgebouwd uit cellen en alle levende wezens bestaan voor 50-90 procent uit water. Water is het universele oplosmiddel voor biochemische reacties en is ook de bron voor de hoofdingrediënten voor fotosynthese, een proces waarbij planten zonlicht kunnen gebruiken om water en kooldioxide om te zetten in suikers. De basismoleculen van het leven zijn hetzelfde bij alle bekende levensvormen (enkelvoudige suikers, aminozuren, DNA, vetten) en ze zijn bijna allemaal gemaakt van dezelfde 25 elementen (voornamelijk koolstof, waterstof, stikstof, zuurstof, fosfor en zwavel). Alle replicerende cellen bevatten een reeks van genen die gemaakt zijn van DNA welke vertaald wordt in eiwitten via RNA, een enkelstreng nucleïnezuur. En fysieke of stofwisselingsveranderingen tussen generaties van een organisme (van bacteriën tot walvissen) is het resultaat van mutaties in de genen.

WAAR ZIJN DE INGREDIËNTEN VANDAAN GEKOMEN?

In de veertiger en vijftiger jaren waren er twee Amerikaanse wetenschappers van de University of Chicago die zich lieten inspireren door Darwins idee van een 'warme kleine poel'. Ze wilden kijken of de chemische voorgangers van het leven werkelijk aanwezig waren in de soep. Stanley Miller en Harold Urey vulden een fles met kokend water, methaan, waterstof en ammoniak. Men dacht toen dat dit de chemische stoffen waren die heel veel voorkwamen op de aarde toen het leven ontstond. Vervolgens lieten ze een elektrische lading door de soep heen gaan om de blikseminslagen te simuleren die ook in het begin van nature zouden zijn voorgekomen.

Toen ze de fles openmaakten, waren Miller en Urey verbaasd toen ze heel veel aminozuren (de bouwstenen van alle eiwitten) en andere organische moleculen aantroffen. In andere varianten van hun experiment produceerden ze een hele reeks van de andere moleculen die in het leven worden gebruikt, inclusief suikers, nucleïnezuren en vetten. Het leek erop dat de Miller-Urey-experimenten een bepaalde versie van de oersoep had opgeleverd.

Tegenwoordig worden de uitkomsten van de experimenten met een korreltje zout genomen omdat de geologen niet langer denken dat de verhouding van de atmosferische gassen op

Wetenschappers probeerden de organische voorgangers van het leven opnieuw te maken door gassen waarvan men dacht dat ze bestonden in de primitieve atmosfeer van de aarde, in een vat te stoppen. Daarna lieten ze elektrische vonken door het vat gaan om bliksem te simuleren. De verbindingen die hier het resultaat van waren, werden opgelost en vastgelegd in water, net zoals het gebeurd zou kunnen zijn in waterpoelen op de vroege aarde.

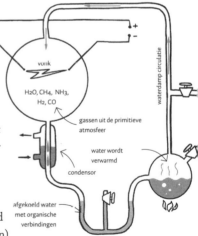

vonk

H2O, CH4, NH3, H2, CO

waterdamp circulatie

gassen uit de primitieve atmosfeer

water wordt verwarmd

condensor

afgekoeld water met organische verbindingen

reproductie eerst | stofwisseling eerst

Er wordt veel gediscussieerd over de vraag welke componenten van het leven er het eerst waren: het reproductie-element (DNA of RNA aan de linkerkant van het diagram) waardoor het leven van de ene op de andere generatie wordt doorgegeven; of het stofwisselingselement (rechts) dat ervoor zorgt dat een organisme tijdens zijn leven blijft functioneren.

aarde in die tijd overeenkomen met de concentraties in de fles van Miller en Urey. Daarnaast werd in latere experimenten aangetoond dat het niet zo moeilijk is om de bouwstenen van eiwitten, aminozuren, te maken en dat ze zelfs voorkomen in meteorieten en in de ruimte. Toch is het werk van Miller en Urey nog steeds interessant omdat ze aantoonden dat de moleculen van het leven kunnen ontstaan tijdens gewone chemische reacties.

WAT WAS ER HET EERST, DNA OF EIWIT?

Waarschijnlijk is er geen enkele levende wetenschapper die zal ontkennen dat DNA briljant is. Dit molecuul heeft zichzelf over de hele wereld verspreid, via miljoenen levensvormen, heeft alle gespecialiseerde structuren en attributen ontwikkeld om te kunnen overleven in alle leefmilieus die op aarde bestaan. Niet slecht voor een stomme molecuul. Maar er is een ding dat DNA niet kan: DNA kan niet iets maken. Op zichzelf is het nutteloos. Als er geen eiwitten zouden zijn, zou DNA gewoon eindeloos door zijn gegaan met het maken van kopieën van zichzelf totdat er geen ingrediënten meer zouden zijn. Eiwitten, lange ketens van aminozuren, vormen het materiaal waar alle levensvormen van zijn gemaakt. Ogen, bloemblaadjes, lichamen, chemische boodschappen tussen cellen, de enzymen die nodig zijn om chemische reacties te versnellen: ze zijn allemaal gemaakt van eiwitten. DNA is gewoonweg de instructiereeks voor het maken van eiwitten. Maar eiwitten zijn op zichzelf onbruikbaar bij een heel belangrijk onderdeel van het vormen van nieuwe organismen, de reproductie. Ze kunnen zichzelf niet kopiëren. Daar hebben ze DNA voor nodig. De vraag die biologen al heel lang plaagt is: welke was er het eerst?

Het meest veelbelovende idee is dat DNA is geëvolueerd uit het eenvoudigere neefje, RNA. Dit molecuul, dat tegenwoordig veel in levende cellen voorkomt en gebruikt wordt om de genetische code te lezen en aminozuren samen te voegen totdat ze eiwitten vormen, kan zichzelf ook kopiëren. Misschien dat RNA de eerste eiwitten vormde uit de oersoep waarbij RNA zelf tijdens dat proces complexer werd en zich uiteindelijk via mutaties ontwikkelde tot DNA. Het is een idee dat tot nu toe niet is bewezen.

BEGON HET LEVEN IN HET HEELAL?

Hoewel Miller en Urey aantoonden dat de chemische voorgangers van het leven heel gemakkelijk in een warme poel zouden kunnen zijn ontstaan, is de vraag wat er uiteindelijk voor heeft gezorgd dat een massa moleculen een levend wezen wordt. Zou er bijvoorbeeld uit een oceaan van horlogeonderdelen ooit zomaar een horloge worden gevormd, zelfs als je die oceaan miljoenen jaren met rust laat? Misschien dat in plaats daarvan het leven op aarde begonnen is omdat het, reeds gevormd en van instructies voorzien over hoe de ingrediënten moesten worden gebruikt in de oerpoelen, uit de ruimte is gekomen. In eerste instantie klinkt dit een beetje belachelijk. Maar dit idee heeft al decennialang in het achterhoofd gezeten van wetenschappers. De Zweedse wetenschapper Svante Arrhenius kwam in 1908 met *panspermia*, het uitzaaien van ingrediënten voor het leven vanaf meteorieten en kometen die de aarde hebben getroffen. Deze interplanetaire reizigers zouden moleculen of zelfs micro-organismen van de ene naar de andere wereld kunnen meedragen. En nog vroeger, in 1821, kwam de Fransman Sales-Guyon de Montlivault met het idee dat het leven was begonnen met zaad van de maan.

Tot nu toe zijn we ervan uitgegaan dat alle noodzakelijke vereisten voor het leven al aanwezig waren op de aarde voordat het leven ontstond. Is panspermia een mogelijkheid? Het beschikbare bewijs sluit de mogelijkheid niet helemaal uit. Bacteriën die kunnen overleven bij temperaturen ver onder nul, in een vacuüm, en ondanks zware straling uit de ruimte, bestaan al op de aarde. Kleine koloniën van *Bacillus subtilus* kunnen overleven als ze worden geëlektrocuteerd of worden blootgesteld aan een vacuüm of kosmische straling. Bij een experiment bleef het grootste gedeelte van een monster van het tabaksmozaïekvirus besmettelijk, nadat het was afgekoeld tot -196°C en gedurende een dag met protonen werd bestookt. De bacterie *Micrococcus radiophilus* heeft een ongelooflijke weerstand tegen straling, doordat het indrukwekkende mechanismen heeft ontwikkeld voor de reparatie van zijn DNA als het wordt beschadigd door röntgenstralen.

Het klimaat en de chemische eigenschappen van de aarde nu en tijdens de geschiedenis van de aarde lijken altijd optimaal geweest te zijn voor het leven. Dat dit per ongeluk zo is gekomen, is net zo onwaarschijnlijk als dat je met een blinddoek voor een autorit door het spitsverkeer ongedeerd overleeft.

JAMES LOVELOCK

Als het leven zich heeft ontwikkeld op een planeet, zegt de panspermiahypothese, waarom zou het dan niet naar een andere planeet doorreizen via interstellaire stofwolken, of, meer waarschijnlijk, via meteorieten? Chemische analyse van meteorieten op de aarde heeft inderdaad aangetoond dat ze soms complexe organische moleculen bevatten en soms zelfs wat wetenschappers in de zestiger jaren 'georganiseerde elementen' noemden met een mogelijke biologische oorsprong. Jammer genoeg is dat nog niet bewezen. En er is niemand die tot nu toe het definitieve bewijs heeft gevonden voor een microbe (levend of als fossiel) in een voorwerp dat uit het heelal is gekomen. Dat zou voor eens en voor altijd de vraag beantwoorden of panspermia klopt. Natuurlijk zou de vondst van microben uit de ruimte zeer waarschijnlijk grote krantenkoppen opleveren vanwege een totaal andere reden.

HOE JE HET ONVOORSPELBARE KUNT VOORSPELLEN

- DE OPKOMST VAN CHAOS
- CHAOS, CHAOS OVERAL
- DE BEPERKINGEN VAN CHAOS
- VREEMDE AANTREKKERS
- HOE DE CHAOSTHEORIE NUTTIG WORDT

Onvoorspelbaarheid komt steeds maar weer terug om te gaan spoken bij wetenschappers. In de tweede helft van de twintigste eeuw ontstond er een idee dat klonk alsof het misschien wel nooit getemd zou kunnen worden: de chaostheorie. Deze theorie vertelt ons dat hoewel alles om ons heen gebaseerd is op de natuurkundige regels, deze eenvoudige regels erin geslaagd zijn om een wereld te vormen die zo compact is en altijd veranderend complex, dat het bijna onmogelijk is om er voorspellingen over te doen. Als we proberen om er een model van te maken, zou de kleinste fout in het model ertoe kunnen leiden dat er een betekenisloos resultaat ontstaat. Is dit uiteindelijk het einde van de voorspelbaarheid van de wetenschap?

DE OPKOMST VAN CHAOS

Als er een overkoepelend thema geweest is in de natuurlijke filosofie die uit de verlichting naar boven is gekomen, dan heeft het waarschijnlijk iets te maken met het idee dat het onthullen van de structuur en de natuurwetten ons controle over ons lot zou bezorgen. 'Als we weten door welke katrollen iets werkt,' was de overheersende opvatting bij de wetenschappers, 'dan kunnen we, met de juiste aanvangsomstandigheden, alles voorspellen over de toekomst ervan. Niets zal nog veel langer een mysterie blijven.' Aan het begin van de eenentwintigste eeuw leven we in een wereld waar die belofte voor een gedeelte is uitgekomen. De natuurkundewetten die door Isaac Newton en James Clerk Maxwell zijn ontdekt, werken nog steeds en nog steeds stellen ze ons in staat om opmerkelijke dingen te doen. Maar wetenschappers zijn er niet langer tevreden mee om te denken dat we alles nauwkeurig kunnen voorspellen. In de afgelopen eeuw hebben wetenschappers onvoorspelbaarheid gevonden in natuurlijke dingen die geen van hun grote voorgangers zouden hebben kunnen vermoeden.

En dan verschijnt de chaostheorie ten tonele. De opzienbarende effecten van chaos worden gewoonlijk omschreven door iets dat het 'vlindereffect' wordt genoemd. In dit bekende verhaaltje wordt verteld dat het fladderen van een vlindervleugel in Texas een orkaan kan veroorzaken in Japan. Je kunt elke plaats die je maar wilt kiezen voor de vlindervleugels of de orkaan, maar de boodschap is duidelijk. Een hele kleine gebeurtenis (de vlinder die een hele kleine hoeveelheid lucht verplaatst) kan aanzwellen door heel veel domino-effecten tot iets wat werkelijk alarmerend is, duizenden kilometers verder weg. Het klinkt een beetje vergezocht en natuurlijk zijn er miljoenen vlinders die elke dag wel duizend keer met hun vleugels fladderen, terwijl er echt geen miljarden stormen ontstaan. Dit betekent dat, in de meeste gevallen, vlindervleugels geen catastrofes veroorzaken.

Het punt van de vergelijking is dat het verloop van het weer (en sterker nog, van elk chaotisch systeem) heel erg gevoelig is voor de startomstandigheden. Het klinkt misschien alsof het eenvoudig is om een weersysteem te karakteriseren, het zijn tenslotte alleen maar atomen en moleculen bij verschillende temperaturen die in verschillende vloeistoffen zweven en in wisselwerking met elkaar treden. De fysica van elk proces dat elk molecuul ondergaat, begrijpen we prima. In de nauwkeurige wereld van Isaac Newton zou die informatie genoeg moeten zijn om het pad van elke molecuul te voorspellen.

Dit is een pad dat wordt afgelegd door een bepaald chaotisch systeem zoals een trillingsgenerator, terwijl deze in de loop der tijd beweegt. De trillingsgenerator legt dit pad af in drie dimensies en, hoewel het nooit twee keer hetzelfde pad aflegt, laat het een herkenbaar patroon zien.

Maar er zijn zoveel moleculen, elke molecuul treedt in wisselwerking met zoveel andere moleculen in de buurt, dat de berekeningen al heel snel duivels ingewikkeld worden, het volledig uit de hand loopt en dit alles het menselijke begrip te boven gaat. Bovendien kennen we de startomstandigheden alleen maar bij benadering, dus kunnen we ook alleen maar bij benadering zeggen hoeveel regen er zal vallen op een bepaalde plaats en ook alleen maar bij benadering zeggen hoe een regenbui over een stad zal trekken. Omdat er zoveel variabelen en deeltjes bij zijn betrokken en omdat de startgegevens alleen maar bij benadering kunnen worden aangegeven, worden fouten vergroot. De resultaten van de duizenden berekeningsstappen die een weersimulatie uit moet voeren, kunnen daardoor betekenisloos worden. (Het is zelfs zo dat meteorologen grappen dat een computermodel dat geavanceerd genoeg is om het weer werkelijk te voorspellen net zo complex zou moeten zijn als het weer. In het kort: het enige dat het weer kan simuleren is eigenlijk het weer.)

De chaostheorie ontstond door de bestudering van het weer. De Amerikaanse wiskundige Edward Lorenz werkte tijdens de Tweede Wereldoorlog als weersvoorspeller voor het Amerikaanse leger. In de zestiger jaren probeerde hij een computermodel te ontwikkelen voor het weer en hij merkte dat zelfs de kleinste verandering in de startomstandigheden voor het twaalftal variabelen die hij gebruikte, leidde tot grote verschillen in het weer dat vervolgens door het model werd voorspeld. Lorenz wordt gezien als de vader van de chaostheorie en hij was het die met het idee van het vlindereffect kwam.

CHAOS, CHAOS OVERAL

Als je eenmaal weet dat het bestaat, zie je chaotisch gedrag op allerlei soorten plaatsen opduiken. Denk eens aan het zonnestelsel dat door Newton werd geobserveerd en hem inspireerde tot het formuleren van veel van zijn ideeën over het universum als uurwerk. Wetenschappers liegen niet als ze zeggen dat ze heel goed kunnen uitrekenen wat voor baan de aarde rond de zon maakt. Alles wat je nodig hebt, is wat kennis van de zwaartekrachten die optreden tussen de twee hemellichamen en dan heb je het antwoord. Maar zoals elke scholier weet, bevat het zonnestelsel meer dan alleen maar de zon en de aarde. Er zijn nog zeven planeten, heel veel manen en miljoenen andere delen van asteroïden en rotsen. Elk deel heeft een zwaartekrachtinvloed op elk ander deel, dit allemaal op precies de manier die Newton beschreef in de zeventiende eeuw. Ik wens je veel succes met het oplossen van de wiskundige vergelijkingen die je nodig hebt om elk onderdeel van dit multionderdelensysteem te beschrijven. Lang geleden bewees Henri Poincaré dat, terwijl er oplossingen zijn voor de vergelijkingen die de wisselwerking tussen de twee lichamen beschrijven, alles dat meer dan dat is, eigenlijk onmogelijk opgelost kan worden. Het systeem wordt chaotisch.

DE BEPERKINGEN VAN CHAOS

Van al dit gepraat over onvoorspelbaarheid kun je depressief worden. Als we de natuurkundewetten niet kunnen gebruiken om dingen te voorspellen zoals we eerder hoopten, waar zijn ze dan nog goed voor? Wat voor nut hebben de wetten als het niet praktisch is om ze te gebruiken voor situaties in de echte wereld?

Gelukkig heeft bestudering van chaos een paar handvatten onthuld waar we ons aan vast kunnen grijpen terwijl we in het rond draaien. Hoewel de banen van de planeten in het zonnestelsel chaotisch zijn, lijkt het aantal paden dat ze in de maalstroom nemen, toch zijn grenzen te kennen. Het mag dan wel onmogelijk zijn om precies aan te geven welke lijn een planeet of asteroïde rond de zon zal volgen, maar we kunnen wel een aantal eigenschappen voorspellen van wat er zou kunnen gebeuren. De banen van planeten vallen bijvoorbeeld binnen een bepaald bereik, alsof ze worden aangetrokken door een bepaalde weg die nooit helemaal goed kan worden afgelegd. Ze blijven maar ronddraaien, elke baan is weer een klein beetje anders dan de baan die eraan voorafging. Als je een planeet lang genoeg observeert, zul je een patroon ontdekken.

VREEMDE AANTREKKERS

Alsof het idee van chaos in eenvoudige systemen nog niet raar genoeg is, zullen de eigenschappen van deze chaotische systemen je nog meer reden geven om je voorhoofd te fronsen. Een van de eenvoudigste voorbeelden van een chaotisch systeem is de dubbele slinger. Dit systeem lijkt een beetje op een been met twee gewrichten waaromheen twee stijve staven kunnen ronddraaien. Anders dan bij je been kan het middelste gewricht beide kanten op gaan. Als je een dubbele slinger laat slingeren zal deze in het begin behoorlijk voorspelbaar bewegen. Misschien ziet het er wel net zo uit als bij een enkele slinger, een instrument dat zo voorspelbaar is dat het gebruikt wordt om generaties kinderen een aantal van de basiseigenschappen van trillingen en golven te leren.

Maar eerder vroeger dan later zal het in het honderd lopen. De slinger zal wild van de ene naar de andere kant gaan bewegen, de slingerwijdte is zeer onregelmatig en de bewegingen zien er bijna willekeurig uit. De onderkant van de onderste slinger gaat niet meer van de ene naar de andere kant slingeren maar begint gymnastisch rond te draaien. Als je deze slinger in het echt zou bekijken, zal het niet lang duren voordat je het idee krijgt dat iets of iemand de slinger op de een of andere manier stuurt.

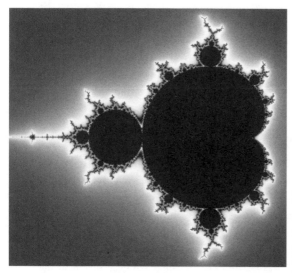

Fractals zijn complexe geometrische vormen die oneindig veel details hebben. Als je inzoomt op een gedeelte ervan, zul je steeds meer details zien die er precies zo uitzien als de originele geometrische vorm. Fractals zijn verbonden met chaos omdat ze gebaseerd zijn op eenvoudige herhalende vergelijkingen, waarbij elke stap gemakkelijk te begrijpen is, maar het collectieve resultaat van miljarden stappen wordt zeer gecompliceerd.

Maar als je alleen de onderkant van de slinger zou bekijken en het pad zou volgen dat wordt afgelegd, dan zou je iets interessants opvallen. Hoewel het er willekeurig uitziet en de slinger nooit twee keer dezelfde slinger maakt, is het alsof de onderkant van de slinger zijn best doet om een bepaald patroon te vormen. Deze eigenschap van chaotische systemen, die 'vreemde aantrekker' wordt genoemd, geeft iedereen die ze bestudeert in ieder geval een aanknopingspunt over hoe een systeem zich zou kunnen gedragen.

HOE DE CHAOSTHEORIE NUTTIG WORDT

De vreemde aantrekker is het begin voor de manier waarop chaotische systemen getemd kunnen worden voor het bestuderen van complexe systemen in de natuur, of het nu om biologie, het milieu of de aandelenmarkt gaat. Chaostheorie wordt bijvoorbeeld gebruikt om ecologische systemen te bestuderen. Een dierenpopulatie kan heel snel groeien als er veel voedsel beschikbaar is. Daarna kan het aantal weer snel afnemen als er minder voedsel beschikbaar is door droogte waardoor er niet zoveel dieren meer gevoed kunnen worden. Toch waren voorspellingen over populaties altijd lastig. De populaties konden plotseling heel snel groeien of namen heel snel af terwijl hiervoor geen verklaring kon worden gevonden. De chaostheorie hielp de wiskundige biologen: deze wilde veranderingen waren geen probleem van de modellen, ze waren gewoon een onderdeel van het natuurlijke systeem.

Feitelijk is het zo dat de chaostheorie ons andere inzichten geeft over de altijd veranderende concurrentiestrijd tussen verschillende soorten. Sommige wetenschappers geloven dat twee soorten die in een milieu op een bepaalde manier aan elkaar zijn gekoppeld, samen zullen evolueren zodat ze precies op het overgangspunt tussen orde en chaos bestaan. Stel je een vijver voor met kikkers en vliegen. Als de vliegen een voedingsbron zijn voor de kikkers zal de natuurlijke selectie met zich meebrengen dat de vliegen met de beste strategieën om te ontkomen aan de amfibieën met hun plakkerige tongen de grootste kans hebben om te overleven. Als reactie hierop zullen de kikkers met de beste strategieën voor het vangen van de steeds slimmere vliegen ook degenen zijn die overleven. Het komt erop neer dat de twee soorten beginnen met een 'wapenwedloop', in chaostermen: ze zijn 'gekoppeld'. Als de kikkers en de vliegen niet sterk zijn gekoppeld in de vijver, zal de veranderende strategie van de een niet een groot effect hebben op de ander, de vijver bevindt zich in een geordende, statische toestand. Maar als ze heel sterk zijn gekoppeld, zal een kleine verandering in de strategie van een van de twee soorten zorgen voor grootschalige en willekeurige veranderingen in de populaties. Het komt erop neer dat de vijver zich dan in een chaotische toestand bevindt met grote schommelingen in de aantallen. Dit is voor beide soorten niet goed.

Maar als er een wisselwerking is tussen de kikkers en de vliegen die niet te sterk en niet te zwak is, gebeurt er iets interessants. Dit is een situatie die veel waarschijnlijker is in de werkelijke wereld. Ze kunnen dan een kritisch punt bereiken heel dicht bij de chaos waardoor een soort die daar leeft, zijn strategieën een klein beetje kan veranderen zonder dat dit ervoor zorgt dat de populatie telkens weer sterk toeneemt of afneemt. Sommige chaostheoretici geloven dat in gekoppelde milieus zoals onze vijver met kikkers en vliegen, een soort optimale conditie wordt bereikt wanneer deze zich zo ontwikkeld heeft dat de soort zich op het randje tussen orde en chaos bevindt.

Sommige wetenschappers zeggen dat de wiskunde van de chaostheorie ook gebruikt kan worden voor het begrijpen van de complexe wereld die we om ons heen zien. In de zeventiger jaren, zelfs nog voordat chaos een populair onderwerp van studie werd, waren de wetenschappers Ilya Prigogine, Herman Haaken en Herbert Simon op zoek naar algemene principes voor systemen waarin veel delen in wisselwerking met elkaar treden en communiceren, wat complexe resultaten oplevert. Wat ze wilden uitleggen, waren onder andere adaptieve systemen: cellen, hele organismen en zelfs financiële markten. Dit zijn systemen die in staat zijn om strategieën te vormen als reactie op signalen uit de omgeving: een eik kan bijvoorbeeld zijn bladeren naar de zon toe laten draaien of de markt voor varkensvlees kan reageren op een overvloed aan varkensvlees door de prijzen te verlagen. Al deze systemen werken met relatief eenvoudige regels op hele kleine schaal en ze slagen erin om alles te coördineren terwijl er niemand aan het hoofd staat. De chaostheorie (misschien wel vreemde aantrekkers of faseovergangen tussen orde en chaos) kan helpen bij het vinden van een verklaring voor wat er gebeurt.

De naam klinkt alsof de wetenschappers het hebben opgegeven. Maar in de werkelijkheid is gebleken dat de chaostheorie een van de nuttigste ideeën is als het gaat om het voorspellen van onvoorspelbare dingen.

HOE JE MOET VECHTEN OM TE OVERLEVEM

- ○ NATUURLIJKE SELECTIE
- ○ DE EVOLUTIE VAN NATUURLIJKE SELECTIE
- ○ STRATEGIEËN VOOR SUCCES
- ○ OVERLEVEN IN DE EENENTWINTIGSTE EEUW

De natuur is wreed. Het dagelijkse ritueel ervan bestaat uit ziekte, lijden en de dood. Soorten doen wat ze maar kunnen om te overleven. Ze doen hun voordeel met alle willekeurige fysieke veranderingen die ze mogelijk hebben verzameld in de loop van de generaties van hun soort, veranderingen die er misschien voor zorgen dat ze beter aangepast zijn aan hun omgeving dan hun neefjes of hun buren. Dat veranderingsproces, evolutie door natuurlijke selectie, is de grammatica van de biologische wereld. Het zijn de regels die duidelijk worden als je kijkt hoe het leven zichzelf opbouwt, verandert of wordt vernietigd gedurende miljoenen jaren. Het kan er koud, lelijk of zelfs verspillend uitzien. Maar de logica ervan is onbetwistbaar.

NATUURLIJKE SELECTIE

De theorie van evolutie door natuurlijke selectie van Charles Darwin is een van die ideeën in de wetenschap die net als de andere grootste ontdekkingen veel meer doet dan het verklaren van het universum: het verandert onze kijk op onszelf in dat universum. Dat soorten in de loop van de tijd veranderen is onaanvechtbaar, gevonden fossielen laten ons ontelbare vreemde wezens zien die nu niet meer bestaan en het zijn er zoveel dat het niet alleen maar de verre voorouders van hedendaagse olifanten, tijgers of van ons kunnen zijn. Evolutie is een feit. Voordat Darwin naar voren kwam met zijn idee, was de vraag hoe soorten veranderen meer een open vraag. Natuurlijke selectie is zo eenvoudig dat je het kunt samenvatten in maar drie zinnen.

Elke generatie van levende wezens geeft erfelijke informatie door aan de nakomelingen. Zo nu en dan wordt die informatie willekeurig niet goed gekopieerd, het levert een verandering op die het vermogen van een soort om te overleven in een bepaalde omgeving subtiel kan wijzigen. Natuurlijke selectie is het resultaat van de wisselwerkingen tussen veranderde soorten in een bepaalde omgeving terwijl ze vechten om te overleven. Gedurende miljoenen jaren heeft natuurlijke selectie geleid tot de diversiteit en complexiteit die we in de natuur kunnen zien. Als je de ideeën van Darwin nog verder wilt samenvatten, kun je eenvoudigweg zeggen dat het 'afstamming met aanpassing' is.

DE EVOLUTIE VAN NATUURLIJKE SELECTIE

Darwin was een modelwetenschapper. Natuurlijke selectie is een idee dat zo voor de hand liggend lijkt te zijn, dat hij het plotseling voor zich zou hebben kunnen zien, net zoals Newton geïnspireerd werd om de zwaartekrachtwet te formuleren toen hij zag hoe een appel uit een boom viel. Vanuit die ene gebeurtenis ging Newton verder met het beschrijven van de manier waarop het heelal in elkaar zit en voorspelde hij de beweging van planeten en sterren. Met natuurlijke selectie ging het anders. Darwin was een geduldige verzamelaar van gegevens en was al begonnen met zijn natuurlijke historiewerk voordat hij met de *Beagle* op weg ging naar de Nieuwe Wereld in 1831. De reis bracht hem naar de continenten van Zuid-Amerika en Australië waar de jonge Darwin zijn studie voortzette van zo veel mogelijk dieren en planten die hij in handen kon krijgen. Hij tekende ze, lette op patronen, merkte verschillen op. Zijn verzameling gegevens groeide, maar hij had er meer dan twee decennia van nauwgezette studie en zorgvuldige afwegingen (gedurende meerdere jaren en hij schreef eerst verschillende boeken over zijn werk met zeepokken) voordat hij er klaar voor was om zijn thesis te onthullen. *On the Origin of Species* werd in 1859 gepubliceerd hoewel het idee van natuurlijke selectie al een jaar eerder aan de wereld werd gepresenteerd.

Natuurkenners wisten natuurlijk wel dat soorten bestonden en ze wisten dat ze onderling met elkaar concurreerden om de bestaansmiddelen. Maar tot het moment waarop Darwin zijn boek publiceerde, was er geen manier om te kijken hoe het allemaal bij elkaar paste, ze konden er niet achter komen hoe en waarom ze met elkaar verwant waren of ze konden er geen grip op krijgen waarom dingen in de loop der tijd maar bleven veranderen. Darwin begon aan *Origin* met de vraag waar de soorten vandaan kwamen. Zijn eerste taak was het aanpakken van het wijdverbreide idee dat wezens kant en klaar op de wereld kwamen en voor het grootste gedeelte onveranderlijk waren. 'Wie kan uitleggen waarom de ene soort wijd verspreid is en groot in aantal, en waarom een andere, gelieerde soort een geringe verspreiding kent en zeldzaam is? Toch zijn die relaties uitermate belangrijk, want zij bepalen het huidige welzijn en, naar mijn overtuiging, het toekomstige succes en de toekomstige modificatie van iedere bewoner van deze wereld,' schreef hij.

De 'vinken' van Darwin zijn ee groep van vijftien vogels u de Thraupidae-familie die o verschillende Galapagoseilande werden gevonden. Het grootst verschil tussen de vogels de vorm en de grootte va hun snavels, elke snavel aangepast aan de verschillend voedselbronnen in hun habita

On the Origin of Species was in zijn tijd een enorme hit, in verschillende vormen waren er meer dan 100.000 exemplaren verkocht tegen het einde van de negentiende eeuw. De biologie kreeg hiermee een structuur die eerder heel erg werd gemist. Biologiestudenten konden nu beginnen met het stellen van vragen over waarom bepaalde soorten overleven terwijl anderen uitsterven.

Het is de moeite waard om aan te geven dat Darwin met natuurlijke selectie nooit *survival of the fittest* bedoelde, de populaire korte beschrijving van zijn idee. Zijn idee had betrekking op de concurrentiestrijd tussen en het overleven van kenmerken en individuen binnen een soort en niet tussen soorten. Hele kleine veranderingen tussen opeenvolgende generaties betekenen dat sommige leden van een soort beter zijn dan andere in het overleven. Misschien kunnen ze meer bessen eten die om hen heen liggen of hebben ze sterkere klauwen. De kans is dan groter dat ze langer blijven leven en nakomelingen zullen krijgen. We kunnen ook een andere misvatting aanpakken: natuurlijke selectie zou impliceren dat mensen afstammen van apen. Darwin heeft dat nooit gezegd en de fout laat een diepgaand onbegrip van natuurlijke selectie zien, alsof je zegt dat je het kind van je neven bent. In werkelijkheid zei Darwin dat apen en mensen een gemeenschappelijke voorouder moeten hebben gehad op een bepaald moment in de geschiedenis (miljoenen jaren geleden) en dat we beide geëvolueerd zijn vanaf die voorouder langs verschillende paden.

STRATEGIEËN VOOR SUCCES

De studie van natuurlijke selectie kwam goed op gang in de twintigste eeuw toen wetenschappers de verschillende strategieën gingen onderzoeken die soorten gebruiken om hun geschiktheid in een bepaalde omgeving te maximaliseren. Al deze strategieën worden voor een groot gedeelte van generatie op generatie doorgegeven waarbij de besten tegen elkaar strijden om te kunnen heersen binnen een soort. Een wezen kan alleen in een territorium leven of in groepen, die met zijn allen de taak van het opvoeden van de jongen op zich nemen. Als het wezen jaagt om voedsel te vinden, kan het alleen zijn eigenbelang dienen of het kan onzelfzuchtig delen wat er gevonden is met alle leden van zijn groep. Al dit gedrag zou verklaard moeten kunnen worden door middel van natuurlijke selectie en biologen begonnen met het samenvoegen van de stukjes biologie tot het algemene raamwerk van de theorie van Darwin.

De komst van wiskundige technieken in de zeventiger jaren was vooral heel nuttig. Biologen konden nu experimenteren met virtuele soorten in computersimulaties. Elke simulatie kon zo worden geprogrammeerd dat er verschillende overlevingsstrategieën werden toegepast. Een simulatie kan 'organismen' bevatten die hulpbronnen moeten delen in een virtuele omgeving. Elk organisme heeft verdedigingstechnieken (gecodeerd in 'genen' die ze in een aangepaste vorm kunnen doorgeven aan hun nakomelingen) en dwaalt rond terwijl er gegeten en gevochten wordt. Als het organisme lang genoeg overleeft, kan het nakomelingen produceren. Deze kunnen nog meer ingewikkelde verdedigingstechnieken ontwikkelen terwijl de opeenvolgende generaties komen en gaan.

De eenvoudigste strategie die geprogrammeerd kan worden voor deze virtuele organismen, vind je in een simulatie die *Chicken* heet, naar het gelijknamige Amerikaanse kinderspelletje. Als twee dieren tegelijkertijd een stuk eten zien, kunnen ze erom vechten of ze kunnen het aan hun tegenstander overlaten. Het voordeel van de eerste strategie (die *hawk* wordt genoemd) is dat er een kans bestaat dat het dier het eten zal krijgen, het nadeel is dat de dieren gewond kunnen raken of gedood kunnen worden. Bij de tweede strategie (de *dove*) weten de dieren zeker dat ze niet gewond zullen raken, maar het is ook zeker dat ze honger zullen lijden. Een 'havik' te midden van 'duiven' zal elk gevecht winnen en zal meer nakomelingen krijgen die ook weer meer gevechten zullen winnen. Uiteindelijk zullen er meer haviken dan duiven zijn in die populatie. Maar omdat haviken vechten, zullen ze ook elkaar gaan doden, waardoor hun populaties zich zullen gaan stabiliseren of in de loop der tijd minder groot zullen worden, waardoor er weer ruimte komt voor de duiven om hun aantal te vergroten terwijl de haviken elkaar uitroeien. En zo herhaalt de cyclus zich. Door in een simulatie te kijken hoe de populaties van een organisme in de loop van de tijd veranderen, kunnen biologen hun computermodellen vergelijken met gegevens uit de echte wereld en kunnen ze proberen om erachter te komen welke strategieën gebruikt worden door de soorten die in de echte wereld leven.

Een ander spel wordt *Tit for tat* (vergelding) genoemd. Hierbij wordt het *Chicken*-spel met een paar niveaus uitgebreid door toevoeging van twee soorten gedrag die veel voorkomen bij dieren: samenwerking en leren. Het is een aangepaste vorm van het klassieke *Prisoner's dilemma* (dilemma van de gevangene). In dat dilemma worden twee criminelen ondervraagd. Ze krijgen elk apart een keuze voorgelegd: als de ene bekent en de andere niet, zal degene die heeft bekend worden vrijgelaten en de ander belandt in de gevangenis. Als ze allebei niet bekennen, worden ze beiden vrijgelaten. Maar als ze beiden bekennen, gaan ze allebei naar de gevangenis. Het is duidelijk dat het voor de gevangenen goed zou zijn om samen te werken en zich stil te houden. Maar ze kunnen niet met elkaar communiceren, hoe weet degene die zich stilhoudt dat de ander dat ook doet?

Dit beloningsdiagram toor de verschillende mogelijk uitkomsten van het Chicker spel, die afhangen van de actie van elke speler. Twee speler rennen naar elkaar toe (c willen een stuk eten veroverer en de winnaar is degene di rechtdoor blijft gaan en nie afbuigt. Elke speler wil lieve winnen dan gelijkspelen, lieve gelijkspelen dan verlieze en liever verliezen dan tege elkaar opbotser

In de natuur speelt dit dilemma in allerlei soorten situaties. Twee organismen hebben er voordeel van als ze samenwerken, maar een organisme kan er misschien meer uit halen als het een kleiner deel van het werk doet. *Tit for tat* houdt rekening met luiheid omdat het organismen toestaat om hun acties te veranderen afhankelijk van

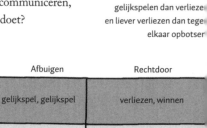

	Afbuigen	Rechtdoor
Afbuigen	gelijkspel, gelijkspel	verliezen, winnen
Rechtdoor	winnen, verliezen	verliezen, verliezen

het gedrag van de partner. Een dier zou kunnen samenwerken als het de ander voor het eerst ontmoet, maar zal alleen een tweede keer gaan samenwerken als het de eerste keer een goed resultaat heeft opgeleverd. Hierdoor vermindert het aantal gevechten waarbij een dier betrokken zal zijn, terwijl het in bepaalde gevallen de mogelijkheid van hulp krijgt.

OVERLEVEN IN DE EENENTWINTIGSTE EEUW

Darwin wist niets over genen, maar het siert zijn ongelooflijke theorie dat elke opeenvolgende generatie wetenschappers bewijzen heeft gevonden die zijn ideeën bevestigen. Voor natuurlijke selectie is het nodig dat erfelijke informatie van de ene op de andere generatie wordt overgedragen (soms in aangepaste vormen), dus moest er een manier zijn waarop strategie en geschiktheid voor een omgeving weerspiegeld worden in de biologie van een dier. In het midden van de twintigste eeuw werd dit bevestigd door het werk van onder andere de

Amerikaan James Watson en de Britten Francis Crick en Rosalind Franklin, die aantoonden dat het DNA de belangrijkste drager van erfelijke informatie is.

Mutatie van nucleotiden (de letters in je genetische reeks die je fysieke kenmerken, algemene vaardigheden en gedrag beïnvloeden) kan verschillende resultaten opleveren. Soms gebeurt er helemaal niets, op heel veel letters hoeft de verandering van een letter niet veel voor te stellen. Soms kunnen mutaties problemen opleveren: een enkel defect kan bijvoorbeeld leiden tot taaislijmziekte of andere erfelijke ziektes, waarbij een individu mogelijk sterft voordat hij of zij de genen door kan geven aan nakomelingen. En in andere gevallen zorgt een mutatie ervoor dat iemand zich beter kan aanpassen, waardoor het individu beter zijn voordeel kan doen met de omgeving. Een mutatie kan leiden tot immuniteit tegen een pathogeen (een virus of bacterie bijvoorbeeld), wat ervoor kan zorgen dat het organisme langer leeft en grotere kans heeft om nakomelingen te verwekken. Dichter bij huis hebben mutaties in het menselijke DNA gezorgd voor een aantal opmerkelijke voordelen voor onze soort. De HARI-genenreeks is betrokken bij onze ongewoon grote hersenomvang. Tussen de HARI-genen van kippen en chimpansees zijn er twee verschillen, tussen chimpansees en ons zijn er achttien verschillen.

Het feit dat het leven zich ontwikkelde uit bijna niets, ongeveer 10 miljard jaar nadat het heelal zich letterlijk uit het niets ontwikkelde, is een feit dat zo ontstellend is dat ik wel krankzinnig zou moeten zijn als ik zou proberen om woorden te vinden die hier recht aan doen.

RICHARD DAWKINS

Op dezelfde manier lijkt het erop dat het FOXP2-gen, betrokken bij het produceren van communicatie bij veel dieren, bij mensen een ontwikkelingsversnelling heeft doorgemaakt.

Laurence D. Hurst, hoogleraar evolutionaire genetica, zegt dat de evolutionaire veranderingen in het DNA van een organisme lijken op een hardloopwedstrijd tussen twee dronken mensen:

Bij elke stap kunnen de twee dronkaards naar achteren of naar voren gaan. We zetten onze dronken mensen bij de startlijn van een 100-meterbaan en voegen nog een extra regel toe. Een dronkaard die een stap achteruit doet over de startlijn, doet niet meer mee aan de wedstrijd. De dronken mensen in deze vergelijking zijn willekeurige veranderingen van het DNA en hun stappen naar voren en naar achteren staan voor veranderingen in de frequentie van deze mutaties in een populatie bij elke generatie. Omdat ze dicht bij de startlijn beginnen, zullen de meeste dronken mensen snel worden uitgeschakeld. Maar sommigen zullen de finish, toevallig, wel halen, niet omdat ze zo goed liepen, maar omdat ze vaker naar voren gingen dan naar achteren. Dit is de neutralistische kijk op evolutie: genen die geluk hebben, geen zelfzuchtige genen.

Hele kleine veranderingen op moleculair niveau gaan alle mogelijke richtingen op, waarbij natuurlijke selectie de geschiktste veranderingen zo bewerkt dat het levensvatbare organismen oplevert. Alleen wanneer een organisme zijn voordeel kan doen met zijn toevallige mutaties, de veranderingen in de vaardigheden die de biologie toevallig geeft, alleen dan zal het organisme overleven.

HOE JE EEN PLANEET MOET KOKEN

Het klimaat van de aarde is het langetermijnresultaat van complexe wisselwerkingen tussen de atmosfeer, oceanen, levende organismen, ijskappen, bodems en rotsen. Het resultaat van deze interacties is bij ons bekend als het weer, alles van luchttemperatuur tot stormen, regen en sneeuw tot de hoogte van de zeespiegel bij de kusten. Door de industrialisatie van de wereld in de afgelopen 150 jaar hebben we de balans van de energie die in, rond en uit onze wereld stroomt onherroepelijk veranderd. Wij mensen zijn bezig onze planeet langzaam te koken.

ENERGIE ROND DE WERELD VERPLAATSEN

De belangrijkste factor bij het bepalen van het klimaat op aarde is de balans tussen hoeveel energie van de zon op de aarde binnenkomt en de hoeveelheid energie onze planeet verlaat. Een kwart van de zonne-energie wordt door wolken geabsorbeerd, een kwart wordt door de atmosfeer geabsorbeerd en de rest gaat door naar het aardoppervlak. De oceanen slaan hele grote hoeveelheden warmte op en verspreiden die rond de planeet door middel van de grote zeestromingen waarin energie van de warme tropische gebieden naar de koudere poolstreken wordt overgebracht.

De aarde weerkaatst de meeste energie die afkomstig is van de zon, en straalt die weer uit. IJsvlaktes op de Noord- en Zuidpool, op Groenland en op veel van de hoogste bergen op aarde kaatsen zonlicht rechtstreeks terug. De donkere delen van de aarde, zoals oceanen of bossen, absorberen de energie van de zon en de laatste stralen het weer terug als infrarode straling of warmte. Een gedeelte van de warmte wordt binnen gehouden dankzij het natuurlijke broeikaseffect van de atmosfeer waardoor de oppervlaktetemperatuur van de aarde gemiddeld 15 ^{0}C blijft. Als er geen atmosfeer zou zijn, zou de temperatuur -18 ^{0}C zijn. Over het algemeen zorgt de natuurlijke energiebalans ervoor dat het klimaat op aarde relatief stabiel blijft. Maar mensen zijn onopzettelijk aan het knoeien geslagen met de balans vanaf het midden van de negentiende eeuw. Door het verbranden van fossiele brandstoffen en de uitstoot van grote hoeveelheden broeikasgassen, zoals kooldioxide en methaan, in de atmosfeer van de aarde is de energiebalans van de aarde van streek geraakt. En dat betekent dat de temperaturen gingen stijgen.

HET BROEIKASEFFECT

De atmosfeer van de aarde bestaat voor het grootste gedeelte uit stikstof (78 procent) en zuurstof (21 procent) plus een mengsel van sporengassen, inclusief kooldioxide en methaan. Ondanks het feit dat ze minder dan 1 procent van de atmosfeer uitmaken, spelen deze twee gassen, plus nog een paar andere in nog kleinere hoeveelheden, een buitensporig belangrijke rol. Het broeikaseffect werd voor het eerst beschreven door de Zweedse scheikundige Svante

Arrhenius aan het begin van de twintigste eeuw. Door hun moleculaire structuur absorberen zogenaamde broeikasgassen sommige golflengtes van de hoog-energetische elektromagnetische straling van de zon, maar laten ze andere golflengtes (voornamelijk zichtbaar licht) gewoon door. Deze gassen kunnen ook een gedeelte van de warmte vasthouden die naar de ruimte wordt uitgestraald door het aardoppervlak, waardoor het oppervlak warmer is dan het zou zijn als er geen atmosfeer was.

De zon is de enige externe energieleverancier voor de aarde. Een klein gedeelte van de zonne-energie wordt terug de ruimte in gekaatst, een kwart wordt geabsorbeerd door de atmosfeer, een kwart wordt geabsorbeerd door de wolken, en de rest gaat door naar het oppervlak. De broeikasgassen komen verspreid in de atmosfeer voor en zijn niet geconcentreerd In een schil rond de aarde.

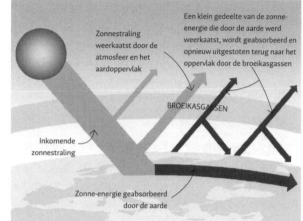

Zonnestraling weerkaatst door de atmosfeer en het aardoppervlak

Een klein gedeelte van de zonne-energie die door de aarde werd weerkaatst, wordt geabsorbeerd en opnieuw uitgestoten terug naar het oppervlak door de broeikasgassen

BROEIKASGASSEN

Inkomende zonnestraling

Zonne-energie geabsorbeerd door de aarde

Meer broeikasgassen in de atmosfeer zullen meer warmte vasthouden dicht bij het oppervlak. Volgens het *Intergovernmental Panel on Climate Change* (IPCC) nam wereldwijd de concentratie van broeikasgassen met 70 procent toe tussen 1970 en 2004. Daar komt nog bij dat 'wereldwijde atmosferische concentraties van kooldioxide, methaan en stikstofoxide duidelijk gestegen zijn als resultaat van menselijke activiteiten sinds 1750 en ze liggen nu veel hoger dan de pre-industriële waarden die gemeten zijn bij ijsboringen die vele duizenden jaren omspannen'.

HOE DE AARDE OPWARMT

We weten dat klimaatverandering plaatsvindt omdat het een wetenschappelijke discipline is die rijk is aan onderzoeksresultaten. Satellieten, meetstations in de lucht en op de grond, en expedities naar afgelegen delen van de wereld leggen alles vast, van regenval tot lucht- en oppervlaktetemperatuur, ijsdikte en vochtigheid. Volgens de NASA is het afgelopen decennium het warmste geweest sinds de metingen zijn begonnen en was 2009 het op een na warmste jaar. In de afgelopen dertig jaar is de temperatuur per decennium 0,2 °C gestegen en gemiddeld zijn de temperaturen gestegen met 0,8 °C vanaf 1880. De gegevens leveren een duidelijk plaatje op: de gemiddelde oppervlaktetemperatuur van de aarde stijgt.

In het IPCC-rapport van 2007 staat dat de gemiddelde temperaturen op het noordelijke halfrond in de tweede helft van de twintigste eeuw waarschijnlijk hoger waren dan in welke andere periode van vijftig jaar in de afgelopen 500 jaar dan ook. Misschien geldt dit zelfs voor de afgelopen 1300 jaar. De lente kwam elk jaar vroeger en dieren en planten schoven geleidelijk op naar het noorden omdat delen van de wereld voor hen te warm werden. In de oceanen trokken de algen, plankton en vis weg uit de warmer wordende streken.

Een groot gedeelte van de nieuwste bewijzen komt uit nieuwe metingen in de oceanen. Meer dan 80 procent van de warmte die vastgehouden wordt in het klimaatsysteem als gevolg van de gestegen broeikasgassen, wordt de oceaan in geëxporteerd, en wetenschappers hebben vastgelegd dat dit gebeurt. Een andere invloed is een verandering in het zoutgehalte van water: omdat de atmosfeer opwarmt, verdampt meer water vanaf het oppervlak van de oceaan waardoor het water zouter wordt. Dit was het best merkbaar in de subtropische Atlantische Oceaan. Dan is er de gevaarlijke toestand van het oceaanijs op de noordpool dat zich steeds verder terugtrekt. Klimaatwetenschapper Peter Stott van het *Met Office* (het Britse KNMI) heeft berekend dat in elk decennium een gebied ter grootte van Madagaskar is verdwenen. In het gebied van de hogere breedtegraden van het noordelijk halfrond en in grote delen van het zuidelijk halfrond neemt de hoeveelheid regen die er valt ook steeds meer toe, terwijl de hoeveelheid regen is afgenomen in de tropische en subtropische gebieden.

Toekomstige generaties zouden heel goede redenen kunnen hebben om zichzelf af te vragen: 'Wat dachten die ouders van ons? Waarom realiseerden ze het zich niet toen er nog kansen waren?' Die vragen zouden we nu van hen moeten horen.

AL GORE

ZOU NATUURLIJKE VARIABILITEIT KLIMAATVERANDERING KUNNEN VEROORZAKEN?

Broeikasgassen zijn niet de enige mogelijke natuurlijke oorzaken voor klimaatverandering. De zonne-energie volgt een cyclus, gedurende elf jaar neemt de zonne-energie toe en weer af en sommigen denken dat dit de verklaring is voor de veranderende temperaturen in het afgelopen decennium. Het klinkt redelijk, maar is uiterst twijfelachtig zoals het overzicht van Stott bewijst: 'In de afgelopen vijftig jaar is er geen toename van uitvoer van zonne-energie geweest en [het] zou niet het afkoelen van de hogere atmosfeer en het opwarmen van de lagere atmosfeer die we hebben gezien, hebben veroorzaakt,' schreef hij. Als de klimaatverandering volledig veroorzaakt zou worden door zonneactiviteit, zou de atmosfeer van de aarde gelijkmatiger zijn opgewarmd, de troposfeer en de stratosfeer zouden hier beide door zijn beïnvloed, en de temperatuurstijging zou dan eerder in plaats van later in de twintigste eeuw moeten zijn opgetreden. Dat is het tegenovergestelde van datgene wat werkelijk werd gemeten.

CONSEQUENTIES VAN DE OPWARMENDE WERELD

Stijgende temperaturen op de aarde zullen een vernietigende invloed hebben op al het leven. Als alle afschrikwekkende voorspellingen over klimaatverandering uitkomen, wat kunnen we dan verwachten als de planeet begint te koken? In zijn boek *Six Degrees* (*Zes graden*) schetst de Engelse milieuactivist en schrijver Mark Lynas een aantal scenario's voor als de temperatuur omhoog gaat. Wat hij beschrijft, kan ondersteund worden door wetenschappelijk bewijs dat werd geleverd door het IPCC en het Met Office.

Met een stijging van 1 °C zal het zee-ijs op de noordpool voorgoed verdwijnen in de zomer. Hittegolven en bosbranden zullen vaker voorkomen in de subtropen waarbij het mediterrane gebied, zuidelijk Afrika, Australië en het zuidwesten van de VS het zwaarst zullen worden getroffen. Het grootste gedeelte van het koraal op de wereld zal sterven, inclusief het *Great Barrier Reef*. Gletsjers die zoet water leveren voor landbouwgewassen die 50 miljoen mensen voeden, zullen beginnen te smelten en elk jaar zullen 300.000 mensen te maken krijgen met ziektes die met het klimaat te maken hebben, zoals malaria en diarree.

Met een stijging van 2 ^{0}C zullen hittegolven zoals die in Europa in 2003 optrad en die tienduizenden mensen het leven kostte, veel voorkomen. Het Amazonegebied zal veranderen in woestijn en grasland terwijl de stijging van CO_2 in de atmosfeer ervoor zorgt dat de oceanen te zuur worden voor de overgebleven koraalriffen en duizenden andere levensvormen in de zee. Meer dan 60 miljoen mensen, vooral in Afrika, zullen worden blootgesteld aan malaria, dat veel vaker zal voorkomen. De opbrengst van de landbouw zal dalen waardoor een half miljard mensen een groter risico loopt dat ze zullen verhongeren. Het ijs in het westen van de zuidpool en op Groenland zal smelten en de zeespiegel zal in de komende paar honderd jaar met 7 meter stijgen. Gletsjers trekken zich terug waardoor de watertoevoer voor belangrijke grote steden, inclusief Los Angeles, wordt verminderd. Meer dan 10 miljoen mensen extra zullen te maken krijgen met overstromingen aan de kusten. Een derde van de soorten op de aarde zal uitsterven wanneer het warme klimaat hun habitat te snel verandert zodat ze zich niet kunnen aanpassen.

Met een stijging van 3 ^{0}C ten opzichte van het niveau van nu kan de opwarming van de aarde volledig uit de hand lopen en zullen pogingen om het te temperen tevergeefs zijn. Miljoenen vierkante kilometers van het Amazonegebied zouden kunnen verbranden, waardoor koolstof uit het hout, de bladeren en de bodem vrijkomt. Hierdoor wordt de opwarming alleen maar erger, misschien dat de temperatuur met nog eens 1,5 ^{0}C stijgt. In zuidelijk Afrika, Australië en het westen van de vs nemen woestijnen het over. Miljarden mensen worden gedwongen om hun landbouwgronden te verlaten op zoek naar voedsel en water.

Bij een stijging van 4 ^{0}C komt de permafrost in het noordpoolgebied in de gevarenzone. Het methaan en de kooldioxide die nu nog in de bodems opgeslagen zijn, zullen dan vrijkomen en komen in de atmosfeer terecht. Op de Noordpool zelf zal de ijslaag permanent verdwijnen, wat betekent dat ijsberen en andere inheemse soorten die afhankelijk zijn van de aanwezigheid van ijs, zullen uitsterven. Het verder smelten van het ijs op de Zuidpool zal betekenen dat de zeespiegel nog eens 5 meter extra zal stijgen, hierdoor zullen vele eilandstaten onder water terechtkomen. Italië, Spanje, Griekenland en Turkije zullen woestijnen worden en in het midden van Europa zullen in de zomer woestijntemperaturen van bijna 50 ^{0}C worden gemeten. Het klimaat in het zuiden van Engeland zou gaan lijken op het klimaat dat op dit moment in het zuiden van Marokko heerst.

Met een stijging van 5 ^{0}C zal de wereldwijde gemiddelde temperatuur hoger liggen dan 50 miljoen jaar geleden. In het noordpoolgebied zullen de temperaturen veel hoger zijn dan het gemiddelde, tot wel 20 ^{0}C, wat betekent dat de noordpool het hele jaar ijsvrij zal zijn. Het grootste gedeelte van de tropen, subtropen en zelfs gebieden in de gematigde streken zullen te heet zijn geworden om er te wonen. De stijging van de zeespiegel is zo ernstig, dat overal ter wereld kuststeden verlaten worden.

KAN DE WERELD DE UITSTOOT BEPERKEN?

In november 2009 voorspelde een team van wetenschappers van de University of East Anglia (UEA) in Engeland dat de wereld afstevent op een wereldwijde opwarming van 6 °C. En wat nog verontrustender is, het lijkt erop dat het natuurlijke vermogen van de aarde om gas op te nemen aan het afnemen is. Met de *British Antarctic Survey* bestudeerde Corinne Le Quéré van de UEA gegevens van vijftig jaar over de uitstoot van kooldioxide, inclusief schattingen van uitstoot door mensen en andere bronnen zoals vulkanen. Het team schatte ook in hoeveel CO_2 op natuurlijke wijze werd geabsorbeerd door bossen, oceanen en de bodem. Ze ontdekten dat deze natuurlijke zinkputten minder efficiënt worden, ze absorberen 55 procent koolstof, terwijl dat een halve eeuw geleden 60 procent was. Deze daling staat gelijk aan 405 miljoen ton koolstof. Le Quéré toonde ook aan dat CO_2-uitstoot door het verbranden van fossiele brandstoffen met gemiddeld 3,4 procent per jaar is toegenomen tussen 2000 en 2008, terwijl de stijging in de negentiger jaren 1 procent per jaar was. Het allergrootste deel van de recente toename komt uit China en India, hoewel een kwart van hun uitstoot een direct resultaat is van hun handel met het Westen. In de afgelopen jaren is het wereldwijde gebruik van steenkolen groter geworden dan het gebruik van olie.

Als we de gemiddelde temperatuurstijging willen beperken tot 2 °C, waardoor we volgens de wetenschappers de ergste effecten van de klimaatverandering kunnen voorkomen, zal de uitstoot van CO_2 zijn hoogste punt moeten bereiken tussen 2015 en 2020, waarna de wereldwijde uitstoot per hoofd van de bevolking verminderd moet worden tot 1 ton CO_2 in 2050. Op dit moment heeft de gemiddelde inwoner van de VS een uitstoot van 19,9 ton per jaar en Nederlanders zijn goed voor een uitstoot van 14,9 ton.

Le Quéré, die het werk van haar team publiceerde vlak voor de VN-top in Kopenhagen in 2009, riep regeringen op om doelen te stellen voor het beperken van de uitstoot van broeikasgassen om zo de wereldwijde temperatuurstijging te beperken tot 2 °C. Anders zullen ze geconfronteerd worden met de werkelijke dreiging van een rampzalige stijging tot 6 °C. Toen de landen elkaar ontmoetten in december 2009, konden ze het niet eens worden over wettelijk vastgelegde doelen. Terwijl de tijd doortikt en de deadline van 2015 steeds dichterbij komt, zijn we nog steeds aan het wachten.

Het zogenaamde 'hockeystick'-diagram toont de verandering in de wereldwijde gemiddelde temperatuur in de afgelopen duizend jaar. In het diagram wordt het verschil tussen de temperatuur in een bepaald jaar en het gemiddelde tussen 1961-90 getoond.

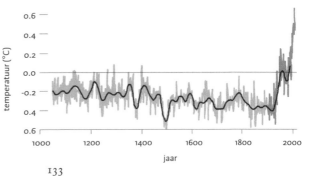

HOE JE EEN AARDE BOUWT

Charles Lyell, mentor van de grote bioloog Charles Darwin, was een van de eersten die geologie, de studie van de aarde, in iets wetenschappelijks veranderde. Maar veel van de grote waarheden die we tegenwoordig vanzelfsprekend vinden, dat bijvoorbeeld de aarde ouder is dan 4,5 miljard jaar, werden pas vastgelegd in de tweede helft van de twintigste eeuw. Het idee dat het oppervlak van de aarde beweegt, waardoor in de loop van miljoenen jaren bergen en oceanen worden gevormd en vernietigd, is zelfs nog jonger.

FRAGMENTEN VAN EEN DODE STER

Voordat er een aarde was, was er een chaotische wolk in plaats van ons zonnestelsel die de restanten van een dode ster bevatte. Ongeveer 5 miljard jaar geleden bereikte een hele grote ster het einde van zijn leven en de ster ontplofte waarna de restanten in de ruimte terechtkwamen. Alles in ons hedendaagse zonnestelsel komt van de hele grote wolk met ronddraaiend stof die ontstond na de supernova. We zijn de gekookte atomen van miljarden jaren sterrenevolutie.

Ongeveer 250 miljoen jaar geleden vormden de continenten op de aarde een grote landmassa die Pangea (Grieks voor 'alle aarde') wordt genoemd.

Door de energie van die supernova-explosie was de stofwolk heet, waardoor de atomen en moleculen en grotere stofdeeltjes snel bewogen. Ze botsten tegen elkaar aan en uiteindelijk kwamen ze samen in bepaalde gebieden. In een van deze gebieden werd de dichtheid zo groot dat de atomen gingen samensmelten en de gaswolk veranderde in een ster, onze zon. De rest van het stof bleef doordraaien in een baan om de nieuwe ster als gevolg van de hele grote zwaartekracht ervan. De zwaartekracht bracht ook inerte stofdeeltjes samen in de loop van miljoenen jaren. Deze stofdeeltjes vormden kleine brokjes, de brokjes kwamen samen en gingen rotsblokken vormen en de rotsblokken samen vormden uiteindelijk het allereerste begin van een planeet. Op deze manier is de aarde ontstaan.

AARDE: DE BEGINJAREN

Toen onze aarde nog een baby was, leek deze helemaal niet op de aanlokkelijke plaats die het tegenwoordig is. Het was een nachtmerriewereld die voortdurend werd gebombardeerd door andere rotsblokken en asteroïden die uit het stof waren ontstaan. Een botsing met een hele grote asteroïde (of misschien was het zelfs wel een kleine planeet) zorgde ervoor dat er een groot stuk van onze planeet afbrak. Dit grote stuk vloog de ruimte in, maar kon niet helemaal ontsnappen aan het zwaartekrachtveld van de aarde. In plaats daarvan ging het in een baan om de aarde bewegen. Toen mensen miljarden jaren later omhoog keken om dit voorwerp te zien, noemden ze deze dichtstbijzijnde metgezel van de aarde de maan.

De vorming van de maan had verschillende langdurige effecten. Het eerste effect was dat de as van de aarde een beetje scheef kwam te staan. Hierdoor ontstonden de seizoenen, verschillende kanten van de aarde komen dichter bij of verder van de zon af te staan tijdens de omloop. Als onze kant van de aarde verder van de zon af staat, is het bij ons winter, het wordt zomer als onze kant weer dichter bij de zon komt te staan. Het tweede effect van de maan was dat het de baan van onze planeet stabiliseerde, hierdoor ontstonden de uitgelezen omstandigheden die nodig waren voor het ontstaan van leven een miljard jaar later.

Als gevolg van de asteroïdenbombardementen die maar doorgingen, en het radioactief verval van de zwaarste elementen die ronddreven op de gesmolten aarde, bleef de oppervlaktetemperatuur maar stijgen. De elementen waren gelijk verdeeld over de aardbol en geen van de structuren en lagen die we vandaag kennen, was al aanwezig. Er waren geen oceanen of zelfs maar een atmosfeer. Uiteindelijk, nadat de oppervlaktetemperatuur gestegen was tot rond 2000 °C, begon gesmolten ijzer in de kern weg te zakken. De aarde begon daarna eindelijk af te koelen en de structuur ontstond die we tegenwoordig kennen: een kern van gesmolten ijzer met daaromheen een mantel die bestaat uit vloeibaar rotsgesteente en daarbovenop een dunne aardkorst.

De atmosfeer en de oceanen, die uiteindelijk het leven mogelijk maakten, waren de gecombineerde resultaten van vulkanische activiteit die zorgde voor gas op het oppervlak van de aarde en asteroïden die insloegen op de aarde. Het grootste gedeelte van het water in

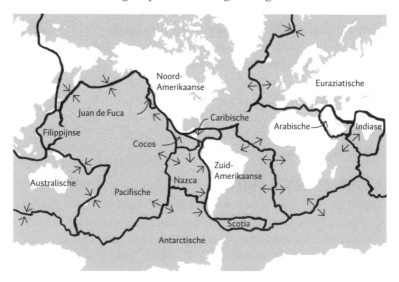

De pijlen tonen de verschillende soorten grenzen tussen de tektonische platen van de aarde. Bij continentale breuklijnen glijden de platen langs elkaar, bij divergente breuklijnen (pijlen wijzen van elkaar af) bewegen de platen van elkaar af, terwijl bij convergente breuklijnen (pijlen wijzen naar elkaar toe) de ene plaat onder de andere schuift.

onze oceanen kwam van ijzige rotsblokken die ongeveer 4 miljard jaar geleden op de aarde insloegen, een periode die het 'zware bombardement' wordt genoemd.

Het leven begon ongeveer een miljard jaar nadat de aarde ontstond en, gedurende de miljard jaar daarna, bleef het klein en niet indrukwekkend, omdat er maar zo weinig zuurstof aanwezig was in de atmosfeer. Maar tijdens deze periode waren micro-organismen bezig met het subtiel veranderen van de samenstelling van de lucht door hun verschillende stofwisselingsreacties totdat er uiteindelijk genoeg zuurstof in de atmosfeer aanwezig was voor de evolutie van complexe levensvormen.

SCHUIVENDE CONTINENTEN

Het idee dat de aarde uit lagen zou kunnen bestaan, was niet iets dat meteen overduidelijk was voor wetenschappers in het verleden. Edmund Halley dacht dat de aarde een lege huls was met een aardkorst die honderden kilometers dik was. De schrijver Jules Verne stelde zich hele grote ondergrondse grotten voor. De moderne geologie vertelt ons dat de aardkorst een hard oppervlak is over een gesmolten, bewegende mantel die duizenden kilometers dik is. Onder de mantel, in het midden van onze planeet, bevindt zich zuiver ijzer. Door de hele grote druk blijft het gesmolten ijzer daar en het is de bron van het magnetische veld van de aarde. Dit veld beschermt ons tegen een groot gedeelte van de schadelijke kosmische stralen waarmee onze planeet wordt gebombardeerd.

De aarde is in beweging en dat is altijd al zo geweest. Op elke tijdschaal is er beweging; de planeet is als een symfonie die gearrangeerd is met behulp van een metronoom die alles vastlegt, van milliseconden tot de eeuwigheid.
RICHARD FORTEY

Het oppervlak van de aarde ziet er vast en stevig uit. Maar de vloeibare mantel 30 km eronder is voortdurend in beweging, terwijl je dat niet merkt. De Atlantische Oceaan wordt bijvoorbeeld elk jaar een paar millimeter breder. De al heel hoge bergen van de Himalaya worden nog hoger opgestuwd terwijl India verder Azië in gaat. Diep onder de Grote Oceaan wordt de zeebodem in een verbazingwekkend tempo vernietigd. Al deze processen worden voortgedreven door iets dat het oppervlak van onze aarde ontelbaar vaak een nieuwe vorm heeft gegeven tijdens zijn geschiedenis van 4 miljard jaar. De platentektoniek is de reden waarom de continenten de vorm hebben die ze nu hebben en waarom ze zo anders zijn dan het supercontinent Pangea dat bestond in de tijd van de dinosauriërs, toen bijna de hele landmassa op de aarde uit één groot continent bestond. Gedurende miljarden jaren heeft de platentektoniek de vorm van continenten, oceanen en ook van landen veranderd.

De zaden van dit idee werden voor het eerst gezaaid in de zeventiende eeuw toen filosofen opmerkten dat de westkust van Afrika en de oostkust van Zuid-Amerika wel heel goed in elkaar pasten. Terwijl we erop terugkijken, lijkt het overduidelijk, maar toch duurde het tot de zestiger jaren voordat platentektoniek als vaststaand idee werd geaccepteerd. Het huidige model voor het oppervlak van de aarde gaat ervan uit dat er twaalf enorme platen zijn die bewegen met de stromingen in de zee van gesmolten rotsen in de mantel onder de aardkorst.

De platen zijn voortdurend in beweging en soms komen ze samen om een heel groot supercontinent te vormen. Dit is voor het laatst gebeurd met Pangea, 200 miljoen jaar geleden.

OPBOUWEN EN VERNIETIGEN

Overal op de wereld worden delen van de aardkorst vernietigd en ontstaan nieuwe stukken land. Waar magma door de korst naar boven komt, kan de tektonische plaat scheuren. Als water de scheur opvult, wordt door dit proces een oceaan gevormd. De Riftvallei in Oost-Afrika is hier een goed voorbeeld van, net als de groei van de Atlantische Oceaan. Oceanen kunnen ook krimpen. Als een continentale plaat tegen een oceanische plaat drukt, kan de laatste onder de eerste schuiven, waardoor een subductiezone ontstaat. Op deze plekken, er zijn er verschillende in de Grote Oceaan, zinkt de korst in de mantel die eronder ligt en wordt de korst ook vloeibaar. Tussen het magma dat omhoog komt en de subductie bepaalt een natuurlijke cyclus wat groeit en wat wegzinkt.

De botsing van continenten zorgt ervoor dat de korst dikker wordt, op het oppervlak zien we dit als bergen. Toen India meer dan 35 miljoen jaar geleden op Azië botste, was dit het begin van het Himalayagebergte. Op het oppervlak zien we de Everest die bijna 9 km boven zeeniveau oprijst. Maar onder het oppervlak is iets wat nog indrukwekkender is: normaal is de aardkorst ongeveer 30 km dik, maar onder de Everest is deze meer dan dubbel zo dik. De Alpen zijn het gevolg van de botsing tussen Europa en Afrika, en de Middellandse Zee is een tijdelijke, met water gevulde barst die door de platen is ontstaan. Vulkanen ontstaan op een andere manier. Omhoogkomend magma komt op bepaalde plekken door de aardkorst heen (dit worden hotspots genoemd) en de plotselinge stroom van magma vormt een vulkaan. Wanneer een tektonische plaat over een hotspot glijdt, is een keten van eilanden (zoals de Filippijnen) of bergachtige vulkanen het resultaat. De eilanden van Hawaï ontstonden op deze manier. Van de top tot de onderkant is de grootste vulkaan op Hawaï, Mauna Kea, een paar kilometer hoger dan de Everest.

WAT AARDBEVINGEN ONS VERTELLEN OVER ONZE PLANEET

Soms, wanneer platen langs elkaar proberen te glijden of als de ene plaat onder een andere duikt, verloopt de beweging niet goed. Misschien dat het door wrijving komt, maar beide platen bewegen zich niet zoals het hoort. In plaats daarvan blijven de platen stil liggen, er wordt heel veel energie opgebouwd in de vorm van heel veel spanning aan het uiteinde van de plaat. Deze spanning ligt ten grondslag aan aardbevingen.

Op een bepaald moment zal de spanning aan het uiteinde van de plaat te groot worden, de wrijvingskracht kan dingen niet meer op hun plaats houden. De opgeslagen energie zal plotseling vrijkomen, waardoor de grond erboven openscheurt en gaat schudden. De effecten kunnen vernietigend zijn, met honderden naschokken in de dagen of weken na de eerste aardbeving. Elke schok of alle schokken bij elkaar kunnen rechtstreeks heel veel schade veroorzaken zoals het instorten van gebouwen, of ze kunnen leiden tot landverschuivingen of tsunami's. Zelfs als de aardbeving ver van bevolkingscentra optreedt, kunnen de effecten catastrofaal zijn. Een van de meest vernietigende aardbevingen die ooit zijn geregistreerd, trad op in een subductiezone in de Indische Oceaan dicht bij Sumatra op tweede kerstdag in 2004. Een aardbeving met een kracht van 9,2 veroorzaakte tsunami's die meer dan 200.000 mensen doodden.

De meeste aardbevingen zijn gelukkig lang niet zo verwoestend als die van 2004. Het grootste deel is niet eens sterk genoeg om gevoeld te worden door mensen. Elk jaar vinden er over de hele wereld ongeveer een half miljoen aardbevingen plaats van verschillende groottes, en maar een vijfde daarvan is zo krachtig dat ze worden gevoeld. Aardbevingen laten hun energie los in de vorm van seismische golven, en de manier waarop deze golven door de planeet gaan, is heel belangrijk voor de wetenschappers. Hierdoor begrijpen ze hoe de aarde intern in elkaar zit. De golven gaan met verschillende snelheden door verschillende materialen heen, en door te kijken hoe ze breken en worden weerkaatst op de grenzen tussen de veranderende structuren van de aarde kunnen geologen een beeld van het binnenste van de planeet opbouwen.

Meer aanwijzingen over wat er binnen in de aarde zit, komen van vulkanen: de lava die naar buiten stroomt, komt van diep onder de korst. Het geeft ons een kijk op hoe de mantel eruit zou kunnen zien, hoewel niemand zeker weet of lava uit de hele mantel komt of alleen maar van de bovenste lagen van de mantel. Als dat laatste het geval is, hebben we geen zicht op de rest van de vloeibare rotsen. Met behulp van computermodellen simuleren geologen de extreme temperaturen en druk waarvan ze denken dat die zich voordoen binnenin de aarde. We kunnen met zekerheid zeggen dat de informatie niet komt van opgravingen. Het diepste gat dat ooit werd gegraven, in Rusland, was maar 12,8 km diep en daarmee ben je nog lang niet door de korst heen.

Aardbevingen treden op bij drie verschillende soorten breuken. Bij een zijschuiving schuiven de twee platen horizontaal langs elkaar. Bij afschuivende en opschuivende breuken is de beweging voornamelijk verticaal. Afschuivende breuken treden op bij divergente grenzen waar de aardkorst groter wordt. Opschuivende breuken treden op waar de korst krimpt bij convergente grenzen.

Zijschuiving

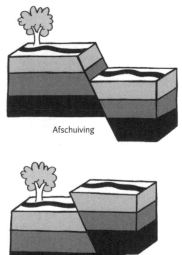

Afschuiving

Opschuiving

ALLES BEWEEGT

Op het oppervlak van de aarde is niets permanent. Over een paar miljoen jaar, zegt de Engelse paleontoloog Richard Fortey, zal het Himalaya-gebergte uit heuvels met ronde toppen bestaan, Hawaï is weggezonken en niet meer zichtbaar en de Grote Oceaan zal door de mantel zijn opgeslokt. Lang nadat de mensen zijn uitgestorven en het klimaat nog vijandiger is geworden dan het tegenwoordig is, zal de aarde blijven veranderen. 'De aarde is in beweging en dat is altijd al zo geweest,' zegt hij. 'Op elke tijdschaal is er beweging; de planeet is als een symfonie die gearrangeerd is met behulp van een metronoom die alles vastlegt, van milliseconden tot de eeuwigheid.'

HOE JE HET WEER KUNT STUREN

- HOE DE AARDE WEER MAAKT
- WIND
- HOE WE HET WEER GEBRUIKEN
- VERWOESTING
- DE LUCHT BEHEERSEN
- REGEN MAKEN
- STORMPREVENTIE
- IDEEËN VOOR DE TOEKOMST
- ALS WE HET WEER KUNNEN VERANDEREN, MOETEN WE DAT DAN OOK DOEN?

Sjamanen en verhalenvertellers hebben al heel lang een verband gelegd tussen het lot van de mens en het weer. Als je het weer kunt sturen, heb je een kracht die op die van een god lijkt. De oorspronkelijke bewoners van Amerika dansen om het te laten regenen; in de Odyssee van Homerus wordt de vloot van de titelheld uit koers geblazen nadat zijn bemanning de vier winden die Aeolus, de beheerder van de wind, heeft geschonken, hebben misbruikt. Tegenwoordig zijn we ook nog steeds afhankelijk van de temperatuur van de lucht of van de luchtvochtigheid. Weersvoorspellingen helpen ons met alles, met het plannen van datgene wat we morgen willen gaan doen of wat voor kleren we gaan dragen, wat mogelijk is in de wereld en zelfs hoe we ons zullen voelen.

HOE DE AARDE WEER MAAKT

Alle regen, wind en temperatuursveranderingen die wij kennen als weer zijn het resultaat van chaotische wisselwerkingen tussen zon, zee en lucht. Het dagelijkse weer dat voor ons van belang is, vindt plaats in de onderste laag van de atmosfeer, de troposfeer. Deze is 6 tot 20 kilometer dik, afhankelijk van waar je bent, en bevat driekwart van de hele massa van de atmosfeer. Hij bevat ook bijna alle waterdamp.

Een gesprek over het weer is het laatste redmiddel van de fantasielozen.
OSCAR WILDE

Alles, van een warme zomerdag tot een natte vernietigende stortbui, begint met de input van energie van de zon. De grote verscheidenheid aan weersoorten rond de aarde is het gevolg van het feit dat de zon niet gelijkmatig over de aarde schijnt en telkens maar één helft van de wereld bereikt. Bij de evenaar komt het zonlicht verticaal van boven, terwijl het ter hoogte van de polen veel schuiner binnenkomt. Het zonlicht is daar zwakker omdat het door meer lucht heen moet voordat het oppervlak wordt bereikt. Wolken absorberen een kwart van de inkomende energie, de atmosfeer absorbeert nog een kwart en de rest gaat door naar het oppervlak. Oceanen slaan grote hoeveelheden zonne-energie op, terwijl continenten geneigd zijn om het grootste gedeelte ervan terug te kaatsen in de lucht als warmte. Dit verklaart waarom een dorp in een door land omgeven savanne gewoonlijk zo veel warmer is dan een stad aan de kust.

Oceanen zijn van wezenlijk belang voor het vervoeren van energie over de aardbol. Ze brengen warmte uit de gebieden rond de evenaar naar de koudere gebieden bij de polen via hele grote waterstromingen die de hele wereld doorkruisen als een soort vrij doorstromende snelweg op het water. Warm water gaat bijvoorbeeld vanaf de Golf van Mexico langs de oostkust van Noord-Amerika naar Groot-Brittannië en dan door naar IJsland. Dit noemen we de Golfstroom en deze oppervlaktestroming bezorgt Groot-Brittannië en Nederland een

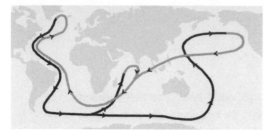

De beweging van water van oceaan naar oceaan staat bekend als de thermohaliene circulatie. De zwarte lijnen zijn koude, zoute diepwaterstromingen, terwijl de grijze lijnen warme stromingen aan het oppervlak zijn.

veel warmer klimaat dan ze eigenlijk zouden moeten hebben gezien de noordelijke ligging. De Golfstroom verwarmt Florida en bezorgt de inwoners van Schotland en Noorwegen veel beter verdraagbaar weer vergeleken met de inwoners die op dezelfde breedte wonen in Canada en Rusland. Tegen de tijd dat de Golfstroom Europa bereikt, is het water afgekoeld door wind op het oppervlak. Hierdoor verdampt een gedeelte van het water, waardoor de stroming zouter wordt en een grotere dichtheid krijgt. Daardoor zinkt de stroming naar de bodem van de oceaan en voegt zich bij de Noord-Atlantische diepwaterformatie waar het water langzaam stroomt. Het water uit de Noord-Atlantische diepwaterformatie komt uiteindelijk in de Zuidelijke Oceaan weer naar boven, dit kan wel meer dan duizend jaar duren.

WIND

De atmosfeer verplaatst ook warmte van de ene naar de andere plaats, maar dit gaat veel sneller dan bij de oceanen. Als lucht warmer wordt, door zonlicht of door warmte die door de grond eronder wordt afgegeven, bewegen de moleculen sneller en drukken ze elkaar verder weg. Als de lucht afkoelt, gebeurt het tegenovergestelde en dan wordt de dichtheid van de lucht groter. Wind is het resultaat van luchtmoleculen die zich verplaatsen tussen deze twee verschillen in luchtdruk op verschillende plaatsen. Als je van de evenaar naar de pool gaat in een rechte lijn, kom je langs drie duidelijk onderscheiden clusters van cellen die als banden gerangschikt rond de aarde liggen. In deze lusvormige luchtstromingen wordt warmte van warme naar koude gebieden gevoerd. Bij de evenaar worden deze convectielussen Hadley-cellen genoemd: warme vochtige lucht stijgt op in een gebied met lage luchtdruk bij de evenaar, verplaatst zich in de richting van de pool en ter hoogte van de 30ste breedtegraad valt de lucht terug naar de aarde in een gebied met hoge luchtdruk. De volgende zone van cellen die naar het noorden of zuiden gaan, worden de Ferrel-cellen genoemd en ten slotte zitten de polaire cellen het verst van de evenaar op beide halfronden. Deze enorm grote cellen en de energiestromingen erdoorheen en tussen de cellen veroorzaken de temperatuurverschillen, neerslag en wind die we ervaren.

HOE WE HET WEER GEBRUIKEN

De Hadley-cellen zijn ook verantwoordelijk voor de passaatwinden waarbij de wind op het oppervlak meestal uit het oosten waait over de tropische gebieden. Vanouds was het de passaatwind die de zeilen van de schepen deed opbollen, waardoor Europeanen de Nieuwe Wereld konden bereiken en handelsroutes over de oceaan in gebruik konden nemen. En hoger in de atmosfeer, waar de met weer gevulde troposfeer de stratosfeer ontmoet, doorkruist een andere heel belangrijke soort winden de aarde. Als je wilt weten waardoor de vliegtijd van New York naar Londen korter is dan andersom, dan moet je weten dat het vliegtuig gedeeltelijk wordt voortgedreven door de straalstroom. De straalstroom ligt daar waar twee convectiecellen de grens tussen atmosferische lagen bereiken. Er zijn windsnelheden van 400 km/u gemeten in de straalstroom en op het noordelijke halfrond waait de wind van het westen naar het oosten. Deze winden voeren vaak meer mee dan alleen maar vliegtuigen: depressies kunnen ook van de ene kant van de oceaan naar de andere worden meegenomen.

VERWOESTING

De mechanismen achter wind en regen worden goed begrepen. Maar het voorspellen van het weer is nog steeds een hachelijke onderneming, zoals iedereen die weleens is overvallen door een regenbui, kan beamen. Het is nog moeilijker om uitzonderlijke weersomstandigheden te voorspellen waarbij de combinatie van oppervlaktetemperaturen en vochtigheid zorgt voor het ontstaan van zeer heftige buien. Vaak kan dit leiden tot heviger versies van normaal weer, hogere windsnelheden, meer regen of grotere hagelstenen. Maar soms laat de natuur ook alleen maar zien hoeveel kracht zij kan oproepen.

De orkaan Katrina veroorzaakte de dood van meer dan tweeduizend mensen in New Orleans in 2005 en leverde voor tientallen miljarden dollars schade op. Orkanen krijgen hun kracht van de zee: hoe warmer het zeeoppervlak, hoe krachtiger een orkaan kan worden. Katrina begon als een lagedrukgebied boven de Bahamas en werd een storm van categorie 5 terwijl deze over het ongewone warme water van de Golf van Mexico trok. Toen Katrina ten zuiden van New Orleans het land bereikte, was de kracht ervan verminderd tot een categorie 3 orkaan. Maar nog steeds bracht ze windsnelheden van 200 km/u met zich mee.

Wervelstormen, die ook tyfoons of cyclonen worden genoemd afhankelijk van waar ze in de tropen voorkomen, ontstaan elk jaar gedurende een paar maanden aan het eind van de zomer wanneer de oppervlaktetemperatuur van het zeewater hoog genoeg is om de stormen van energie te voorzien. Ze beginnen als lagedrukgebieden, zuigen oppervlaktewind naar zich toe en deze wind gaat naar boven. Hierdoor ontstaat een tunnel van opstijgende warme vochtige wind. Dit is het relatief rustige oog van de storm dat wordt omringd door onweersbuien die ontstaan als de vochtige lucht zich verspreidt en afkoelt.

DE LUCHT BEHEERSEN

Als je kijkt naar de schaal waarop dingen gebeuren en de energie die erbij betrokken is, zijn we dan wel in staat om iets te beïnvloeden wat zo complex en zo groot is? Beheersing van het weer lijkt een belachelijk idee, maar er wordt hard aan gewerkt om juist dat voor elkaar te krijgen. De atmosfeer is een chaotisch systeem, de kleinste verschillen in de beginomstandigheden kunnen dagen of weken later een heel andere uitkomst opleveren. Ross Hoffman, hoofd van de onderzoeksafdeling van het Amerikaanse bedrijf Atmospheric & Environmental Research Inc., schreef het volgende over de vraag of het ooit mogelijk zal zijn om

Op elk halfrond zijn er drie cellen waarin de lucht circuleert over de hele hoogte van de atmosfeer. De cellen het dichtst bij de evenaar worden de Hadley-cellen genoemd. Daarnaast liggen de Ferrel-cellen, en het verst van de evenaar liggen de polaire cellen.

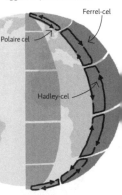

een dergelijk systeem te beheersen: 'Extreme gevoeligheid voor aanvangsomstandigheden houdt in dat kleine verstoringen van de atmosfeer effectief de ontwikkeling van de atmosfeer kunnen beheersen, als de atmosfeer voldoende en goed genoeg wordt geobserveerd en er modellen van worden gemaakt.' Hij zegt dat het allemaal om de voorbereiding gaat.

REGEN MAKEN

Eén manier om het weer te veranderen is al wel succesvol gebleken. In november 2009 sneeuwde het elf uur lang in Beijing terwijl er normaal in dit seizoen bijna nooit sneeuw valt. Volgens de Chinese autoriteiten was de sneeuw het gevolg van 186 raketten die de lucht in waren geschoten, elke raket was geladen met chemicaliën die op wolken 'gestrooid' ervoor moesten zorgen dat er neerslag kwam. In juni 2004 dreigde regen ervoor te zorgen dat Paul McCartney niet op zou kunnen treden. Daarom regelden de promotors van het concert dat er drie vliegtuigen opstegen die droogijs op de wolken boven het Paleisplein van de Russische stad St. Petersburg lieten vallen, waar de voormalige Beatle zijn drieduizendste concert zou gaan geven.

In de tweede helft van de twintigste eeuw probeerden veel anderen overal op de wereld, het Amerikaanse leger in het bijzonder, wolken te 'bestrooien', waarbij meestal een fijne nevel van droogijs of zilverjodide kristallen hoog de atmosfeer in wordt geschoten. De waterdamp hoog in de lucht kan zich daaraan hechten en vormt zo wolken. Het lijkt te werken maar het is moeilijk om te bewijzen dat er iets speciaals gebeurt: wie kan bewijzen dat de regen die hier het gevolg van is ook niet een dag later gevallen zou zijn?

Een andere manier om het te laten regenen is het afvuren van lasers in de lucht. Met behulp van hele korte lichtpulsen lukte het wetenschappers van de Vrije Universiteit van Berlijn en collega's in Duitsland, Zwitserland en Frankrijk om de lucht te ioniseren en condensatie hoog in de lucht te laten beginnen.

STORMPREVENTIE

Zilverjodide kristallen zijn ook gebruikt in een poging om stormen te verzwakken. Van 1962 tot 1983 leidde de Amerikaanse regering het project Stormfury. Het idee was dat de kristallen ervoor zouden zorgen dat het supergekoelde water in de storm zou bevriezen waardoor de structuur van de wind die nodig was om die storm op gang te houden, zou worden verstoord. Er werden verschillende experimenten uitgevoerd boven de Atlantische Oceaan en eerst leek het erop dat ze iets goeds op het spoor waren. Maar verder onderzoek toonde aan dat er gewoonweg niet genoeg supergekoeld water aanwezig was in de stormen om ervoor te zorgen dat het zilverjodide een significant effect had. Daarnaast zagen meteorologen dat niet behandelde orkanen vaak van nature te maken kregen met dezelfde structurele veranderingen waar zilverjodide kunstmatig voor zou moeten zorgen.

IDEEËN VOOR DE TOEKOMST

De kracht van een orkaan wordt bepaald door de oppervlaktetemperatuur van

De atmosfeer van de aarde bestaat uit vijf aparte lagen. De meeste weersverschijnselen doen zich voor in de troposfeer die ongeveer driekwart van de gassen van de atmosfeer bevat en 99% van de waterdamp.

het water. Als je die temperatuur kunt verlagen, zou het mogelijk moeten zijn om een storm minder krachtig te maken. Het Amerikaanse bedrijf Atmocean heeft een mogelijke oplossing met zijn duizend meter lange en anderhalve meter brede plastic buizen. De buizen zitten dichtbij het oppervlak van de oceaan, de golfbeweging wordt gebruikt om koud water van de diepte naar het oppervlak te pompen. Als een stelsel van deze buizen zou worden geïnstalleerd in orkaanhotspots (zoals de Golf van Mexico), zouden ze in staat moeten zijn om genoeg koud water naar het oppervlak te brengen om de temperatuur met een of twee graden te verminderen als er een gevaarlijke storm op komst is.

Een ander idee is om een dunne olielaag op de oceaan aan te brengen in het pad van de orkaan. Deze dunne laag zou voorkomen dat er water uit de zee verdampt, waardoor voorkomen wordt dat de orkaan heel groot wordt. Natuurlijk zijn er problemen met deze aanpak. Tijdens een storm is de zee heel onrustig, het is maar zeer de vraag of je dan nog wel over een zeeoppervlak kunt spreken. Een laagje olie zou onder deze omstandigheden heel snel uitelkaar vallen.

Een derde concept is dat er tonnen waterabsorberende poeder in de lucht worden gebracht, de poeder zou waterdamp uit de lucht moeten halen. Het is een voorstel van een Amerikaans bedrijf dat Dyn-O-Mat heet. Het idee is dat een storm in zijn baan wordt gestuit door wolken uit te drogen. Er zullen dan koude deeltjes in de zee vallen die het oppervlak afkoelen en zo de storm verder verzwakken die er overheen gaat.

ALS WE HET WEER KUNNEN VERANDEREN, MOETEN WE DAT DAN OOK DOEN?

Er is veel waar we sceptisch over kunnen zijn als het gaat over het overmoedige idee om een weersysteem te beïnvloeden dat een doorsnee van een paar honderd kilometer kan hebben en een ontstellende hoeveelheid kinetische energie bevat. Hoe zou het mogelijk kunnen zijn dat menselijk ingrijpen een merkbaar effect heeft op iets dat zo groot is als een orkaan of een tyfoon? En hoe zit het met de onbedoelde gevolgen? Het bestrooien van wolken lijkt een goed idee als je stukje land meer water nodig heeft, maar dat stukje land kun je niet precies als doel aangeven. Wat als je buurman niet wil dat het de hele dag regent op zijn land? In de vs hebben ze wetten die dit soort dingen regelen en dat is niet zo raar gezien de Amerikaanse geschiedenis van pogingen om het weer te veranderen. Voor sommige ideeën zijn vergunningen nodig of het moet publiekelijk bekend worden gemaakt voordat ze mogen worden uitgevoerd. In Oklahoma wordt een uitzondering gemaakt voor religieuze ceremonieën: de oorspronkelijke bewoners van de vs kunnen hun regendansen uitvoeren zonder dat ze bang hoeven te zijn voor wettelijke represaillemaatregelen.

Hoffman laat een waarschuwing horen: 'Het land dat zijn eigen weer stuurt, zal daardoor ook het weer van andere landen sturen. "Weeroorlogen" zijn denkbaar. Wellicht is er een internationaal verdrag nodig om ervoor te zorgen dat weerbesturingstechnologie ten goede komt aan iedereen.' Vandaag kunnen we orkanen, tyfoons en onweersbuien nog niet sturen, maar als het fysiek mogelijk is, zal iemand ergens ongetwijfeld uitzoeken hoe het toegepast kan worden. Hoffman heeft waarschijnlijk gelijk als hij aangeeft dat we ons erop voor moeten bereiden.

24

HOE OVERLEEF JE IN DE RUIMTE?

- DE EFFECTEN VAN GEWICHTLOOSHEID
- DODELIJKE STRALEN
- KOSMISCH STOF EN RUIMTEAFVAL
- RUIMTESCHILDEN
- WAT IS DE VOLGENDE STAP VOOR RUIMTEVERKENNING?

Mensen hebben zich op een kleine afstand van de aarde gewaagd en ze hebben heel veel sondes gestuurd om ons zonnestelsel te onderzoeken. We zijn een erg nieuwsgierige soort en de eerste vijftig jaar van het ruimtetijdperk heeft het soort kennis opgeleverd dat onze nieuwsgierigheid alleen maar verder heeft opgewekt. Maar de uitdaging om verder in de ruimte door te dringen brengt meer gevaar met zich mee. De kleinste stukjes rots en puin kunnen een ruimteschip vernietigen, terwijl straling van verafgelegen kosmologische voorwerpen menselijke cellen kan vernietigen en onze immuunsystemen kan verwoesten.

DE EFFECTEN VAN GEWICHTLOOSHEID

De ruimte is een vijandelijke omgeving voor biologisch leven. Afgezien van het gebrek aan lucht om te kunnen ademen (dat kan in ieder geval nog opgelost worden), is het gebrek aan zwaartekracht datgene wat in eerst instantie de onplezierige effecten geeft voor iedereen die in een ruimteschip in een baan om de aarde gaat zitten. Het menselijke lichaam heeft zwaartekracht nodig om te kunnen bepalen wat boven en onder is. Als daar verwarring over bestaat, zal het lichaam reageren op de enige manier die het kent: door misselijkheid en overgeven. Voor astronauten is 'ruimteaanpassingssyndroom' een natuurlijke reactie op de gewichtloosheid in de spaceshuttle of het International Space Station (iss) in een baan om de aarde. Medicijnen tegen reisziekte kunnen helpen, en na een paar dagen raakt het lichaam gewend aan de situatie. Gewichtloosheid beïnvloedt ook de spieren van astronauten, ze kunnen zwak worden doordat ze te weinig worden gebruikt. Botten kunnen zwakker worden en mineralen verliezen omdat ze niet de effecten van de zwaartekracht voelen die er normaal voor zorgen dat de botten sterk blijven. Beide effecten kunnen geminimaliseerd worden door lichaamsbeweging en de voeding in de ruimte. Het iss bevat hometrainers en loopbanden om ervoor te zorgen dat de astronauten gezond blijven en ze geen last krijgen van de effecten van gewichtloosheid.

Astronauten die teruggekeerd zijn na langdurige missies in een baan om de aarde, hebben tijd nodig om hun lichamen weer optimaal te laten functioneren. Dat ze weer hun normale gewicht krijgen, kan er bijvoorbeeld voor zorgen dat ze niet in staat zijn om de juiste bloeddruk te houden als ze staan. De tijd die astronauten nodig hebben om zich weer aan te passen aan de aarde, is afhankelijk van hoe lang ze in de ruimte zijn geweest. Dit is geen probleem voor astronauten die terugkeren naar de aarde, maar het zou problematisch kunnen zijn voor reizen naar Mars waar een bemanning gedurende een jaar of nog langer met gewichtloosheid te maken krijgt tijdens de reis naar de rode planeet.

DODELIJKE STRALEN

Onzichtbare en nog veel gevaarlijkere dingen verschuilen zich in de straling en de energetische deeltjes die door de lege ruimte zoeven. De atmosfeer van de aarde beschermt het aardoppervlak tegen de meeste schadelijke effecten van deze zogenaamde 'kosmische straling', die uitgespuugd wordt door onze zon en andere sterren, of exotische objecten in ons zonnestelsel en daarachter. Hoewel het straling wordt genoemd, zijn het bijna helemaal stromen van individuele protonen, samen met een paar heliumnuclei en nog kleinere hoeveelheden van andere elementen. Elk deeltje draagt een zeer grote hoeveelheid energie met zich mee, heel veel ordes van grootte meer dan alles wat zelfs in de grootste deeltjesversnellers op de aarde geproduceerd wordt.

Zonder ons atmosfeerschild zou onze kwetsbare biologie overgeleverd zijn aan kosmische straling. De energetisch positief geladen deeltjes kunnen door de huid heen gaan en de moleculen uit elkaar scheuren, inclusief DNA in onze cellen. Het DNA draagt onze genetische blauwdrukken in zich, de instructies over hoe je moet groeien, reguleren, welke hormonen geproduceerd moeten worden en wanneer. Ioniserende straling zoals de kosmische straling kan mutaties in het DNA veroorzaken die een cel kunnen doden, of, wat nog erger is, het kan ervoor zorgen dat een cel een kankercel wordt.

Wetenschappers schatten dat tijdens een reis naar Mars (die drie jaar duurt) een derde van de cellen van een astronaut geraakt wordt door kosmische straling die snelle zware deeltjes met heel veel protonen bevatten. En vrijwel alle cellen zouden geraakt worden door de grotere aantallen lichtere deeltjes. Hoe zwaarder een kosmische stra-lingsdeeltje, hoe meer schade het kan aanrichten. Elke voltreffer vergroot het risico dat een astronaut het soort schade oploopt dat tot kanker of de dood kan leiden.

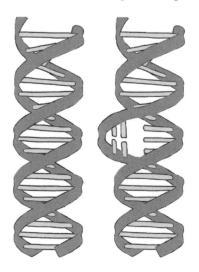

Ioniserende straling kan strengen DNA breken, waardoor de structuur van een molecuul kan veranderen. Als dit niet wordt gerepareerd, kan deze beschadiging veranderen in kanker. Het DNA aan de rechterkant is beschadigd door straling.

KOSMISCH STOF EN RUIMTEAFVAL

Naast de zorgen over hoge energiedeeltjes maakt men zich zorgen over fysieke voorwerpen in de ruimte: alles van kleine stofkorrels in de ruimte tussen de sterren tot rotsblokken en asteroïden die met een ruimteschip kunnen botsen waardoor er een gat in de romp kan ontstaan. De gevaren kunnen ook van mensen afkomstig zijn, het afval van een halve eeuw lanceringen draait in een schil rond de aarde. Deze grote vloot van spullen bevat onder andere schroeven, moeren, schilfers ruimteschipverf, gereedschappen, lensdoppen, uitgewerkte satellieten en stukken bevroren water of koelvloeistof. Dit alles draait rond de aarde met een snelheid van van meer dan 28.000 km/u, dus zelfs het kleinste stukje kan zorgen voor een gat in de metalen romp van een ruimteschip.

RUIMTESCHILDEN

De mogelijke gevaren in de ruimte worden door de ruimteorganisaties onderkend hoewel er nog wel veel werk gedaan moet worden om de effecten op mensen en ruimteschepen van straling of fysieke objecten kwantitatief te meten. In 2003 begon NASA met het Space Radiation Shielding Program op het Marshall Space Flight Center in Huntsville, Alabama om het werk op dit gebied te coördineren en om manieren te vinden om iedereen en alles tijdens lange ruimtemissies te beschermen. Tot nu toe zijn wetenschappers met drie ideeën gekomen voor bescherming tegen de gevaren van ruimtereizen: het bouwen van een stevig schild rond het ruimteschip, het gebruik van magnetische velden, en het elektrisch geladen maken van de romp van een ruimteschip om kosmische straling af te stoten.

Bij het eerste idee, het bouwen van een schild, wordt de atmosfeer van de aarde nagebootst. Fysieke objecten en kosmische straling zouden daarmee buiten worden gehouden en het is, in principe, technisch tamelijk eenvoudig. Eugene N. Parker, emeritus hoogleraar natuurkunde van de University of Chicago en de meest vooraanstaande expert op het gebied van interplanetaire gas- en magnetische velden, zegt dat je voor het nabouwen van het schildeffect van de atmosfeer materiaal nodig hebt dat bestand is tegen een druk van 500 gr per vierkante centimeter. Dit is ruwweg het gewicht van een kolom lucht met een doorsnede van 1 vierkante centimeter op een bergtop van 5500 meter. In een artikel voor *Scientific American* schreef Parker: 'Als het materiaal water is, moet het vijf meter diep zijn. Zo zou een ronde tank om een kleine ruimtecapsule heen een massa van ongeveer 500 ton hebben. Voor grotere comfortabelere leefruimtes zou zelfs nog meer nodig zijn.'

Water heeft heel veel positief geladen waterstofionen (handig voor het afweren van positief geladen kosmische straling) en is ook een goed idee omdat de astronauten het toch al nodig hebben, het is wel duidelijk waarom. Een ander materiaal dat volgens Parker gebruikt zou kunnen worden voor een schild, is ethyleen. Ethyleen bevat zelfs nog meer waterstof dan water en heeft het extra voordeel dat het gemakkelijk in een vaste stof veranderd kan worden. Je hebt er geen tank voor nodig en de kans op lekkage is dan ook niet aanwezig. 'Toch zou de vereiste massa minstens 400 ton zijn, en dat is nog steeds niet haalbaar,' zegt Parker.

Hoe zit het met een magnetisch schild? Als een elektrisch geladen deeltje, zoals die in de kosmische straling, een magnetisch schild tegenkomt, zou het deeltje worden afgebogen zodat het in een rechte hoek teruggaat in de richting van waar het vandaan is gekomen. Afhankelijk van de opstelling van het magnetische schild rond een ruimteschip, kan kosmische straling in bijna elke richting gekaatst worden.

Het probleem bij dit veelbelovende idee zit in de techniek. Kosmische stralingsdeeltjes bewegen heel snel, significant evenredig met de lichtsnelheid, en hun kinetische energie is daardoor erg hoog. Parker zegt dat voor het tegenhouden van de kosmische straling op redelijke afstand rond een ruimteschip het veld rond 20 teslas zou moeten zijn. Dit is 600.000 keer sterker dan het magnetische veld op het aardoppervlak. Het betekent dat er een magneet gebouwd moet worden met supergeleidende draden, net als de magneten die gebruikt worden in de moderne deeltjesversnellers. De kosten van zoiets zouden astronomisch hoog zijn.

Een andere kwestie is dat niemand precies weet wat het biologische effect op het menselijke lichaam zal zijn van zo'n sterk magnetisch veld. Om je hier een idee over te geven, beschrijft Parker hoe een collega van de University of Chicago zijn hoofd in een magnetisch veld van 0,5 tesla stopte: 'Bij elke beweging van zijn hoofd zag hij lichtflitsen in zijn ogen en hij kreeg een zure smaak in zijn mond, waarschijnlijk werd dit veroorzaakt door elektrolyse van zijn speeksel.'

Exploratie is een belangrijke overlevingsstrategie in de evolutie.

RICHARD B. SETLOW

De derde mogelijkheid is het positief opladen van de romp van een ruimteschip. Omdat kosmische stralingsdeeltjes ook positief geladen zijn, zouden ze worden afgebogen door het positieve elektrische veld rond het ruimteschip. Om ervoor te zorgen dat dit gaat werken, moet de buitenste laag van het ruimteschip opgeladen worden met ongeveer 2 miljard volt in verhouding tot de ruimte eromheen.

Opnieuw is het zo dat een elektrisch schild een hele lijst problemen met zich meebrengt. Het grootste probleem is het niet bedoelde effect van het elektrische veld op deeltjes die geen kosmische stralingsdeeltjes zijn. Parker zegt dat elk elektron in de ruimte van duizenden kilometers rond het schip (en elke kubieke centimeter bevat een paar elektronen, zelfs in de 'lege' ruimte) aangetrokken zou worden door de romp. Ze zouden tegen de romp aanbotsen met net zoveel energie als de kosmische stralingsdeeltjes waar het schild het schip tegen

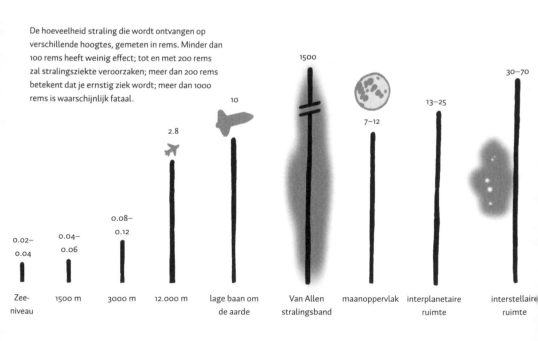

De hoeveelheid straling die wordt ontvangen op verschillende hoogtes, gemeten in rems. Minder dan 100 rems heeft weinig effect; tot en met 200 rems zal stralingsziekte veroorzaken; meer dan 200 rems betekent dat je ernstig ziek wordt; meer dan 1000 rems is waarschijnlijk fataal.

Zee-niveau	1500 m	3000 m	12.000 m	lage baan om de aarde	Van Allen stralingsband	maanoppervlak	interplanetaire ruimte	interstellaire ruimte
0.02–0.04	0.04–0.06	0.08–0.12	2.8	10	1500	7–12	13–25	30–70

moet beschermen. 'De elektronen zouden gammastralen produceren als ze in aanraking komen met het ruimteschip, en de intensiteit van dat bombardement zou ontstellend zijn. Hierbij vergeleken lijkt het aanvankelijke probleem een peulenschil,' zegt hij. De energie die nodig is om het hele ruimteschip in eerste instantie op te laden tot 2 miljard volt is ook verbijsterend: het is gelijk aan de energiebehoefte van een kleine stad.

WAT IS DE VOLGENDE STAP VOOR RUIMTEVERKENNING?

'Het zou toch wel erg jammer zijn als de romantiek van ruimtereizen door de mens smadelijk eindigt met kosmische straling die het onuitvoerbaar maakt,' zegt Parker. 'Competente mensen zijn misschien bereid om naar de maan of mars te gaan, gewoon voor het avontuur, wat er dan ook maar van mag komen. Toch zou het stralingsgevaar de glans van het idee van ruimtereizen door mensen afhalen, en al helemaal van grootschalige ruimtekolonisatie.'

Dat we moeten proberen om ons biologisch materiaal, dat in miljoenen jaren zo geëvolueerd is dat we op aarde kunnen overleven, in stand te houden in de wrede omgeving van de ruimte, is een ernstige beperkende factor die ons heel wat hoofdbrekens kost. Als we geen voordelige oplossing kunnen vinden, moeten we misschien onszelf maar niet sturen. We zouden robotsondes de ruimte in kunnen sturen met geavanceerde sensoren. Dan zouden we kunnen genieten van een *virtual reality tour* van verafgelegen planeten en sterrenstelsels, terwijl we comfortabel op de bank zitten. Maar wat Columbus zou zeggen van een dergelijke ontdekkingsreis op afstand, dat weet niemand.

25

HOE VIND JE DE ONTBREKENDE DELEN VAN HET HEELAL?

- o HET COMARAADSEL
- o HOEVEEL IS ER DAAR?
- o WAT ZOU HET KUNNEN ZIJN?
- o DE ANDERE DUISTERE KRACHT
- o HOE KUNNEN WE DEZE ONTBREKENDE DELEN AAN HET LICHT BRENGEN?

Er is iets fout in het hart van de kosmologie, een probleem dat iedereen met wetenschappelijke belangstelling voor de vraag waarom we bestaan, angst zou moeten aanjagen: het grootste gedeelte van het heelal ontbreekt. Nadat we honderden jaren naar de sterren hebben gekeken, miljarden hebben uitgegeven aan het bestuderen van de kleinste deeltjes en het lanceren van sondes in de ruimte, en heel veel Nobelprijzen werden toegekend voor werk dat licht werpt op de fundamenten van het heelal, hebben we nog steeds geen idee waar het grootste gedeelte van het heelal uit bestaat.

HET COMARAADSEL

De Zwitserse astronoom Fritz Zwicky had in de dertiger jaren een vermoeden dat er iets vreemds aan de hand was met het heelal toen hij sterrenstelsels in de Comacluster bestudeerde. Hij ontdekte dat sterrenstelsels aan de rand van de cluster sneller bewogen dan werd verwacht. Hij kon zien hoeveel materiaal er in de sterrenstelsels aanwezig was in de vorm van sterren, en de zwaartekracht zou niet groot genoeg zijn om te voorkomen dat de sterrenstelsels los zouden breken van de cluster. Hij vroeg zich af of er meer massa in de cluster was dan hij kon zien. Iets dat misschien niet oplichtte, dat in grotere aantallen dan de sterren en het stof aanwezig was, maar dat met zijn instrumenten niet waargenomen kon worden. Een grotere massa in de cluster zou de afwijkende baansnelheid van de buitenste leden van de sterrenstelselcluster verklaren. Hierdoor konden ze met de snelheid bewegen die hij had gezien en bleven ze toch gebonden aan het geheel.

In de decennia daarna bevestigden andere wetenschappers de conclusies van Zwicky. Astronomen weten nu dat de massa van sterrenstelselclusters groter moet zijn dan de totale massa van de individuele sterrenstelsels in de clusters, terwijl sterrenstelsels zelf meer massa hebben dan de sterren en stofwolken die het sterrenstelsel vormen en die door telescopen op de grond en in de ruimte geobserveerd worden. Deze instrumenten hebben aangetoond dat donkere materie iets exotisch is en onze ervaring te boven gaat. Als donkere materie zou zijn opgebouwd uit atomen en deeltjes die we al kennen, dan zou dit een vingerafdruk hebben achtergelaten die opgemerkt zou worden door de steeds gevoeliger experimenten die opgezet worden om het heelal in de gaten te houden. Het belang van donkere materie bij de vorming van het heelal zoals we dat nu kennen, is ook groter geworden. Tegenwoordig geloven kosmologen dat donkere materie de steigers zijn die alles bij elkaar houden, van sterrenstelsels tot superclusters van sterrenstelsels. Brokken donkere materie geven structuur aan het heelal, het zijn de nuclei waaromheen clusters van gewone materie (in de vorm van sterren en sterrenstelsel) zich kunnen kristalliseren.

HOEVEEL IS ER DAAR?

Door indirecte metingen om de snelheid van sterren en sterrenstelsels aan de randen van clusters te verklaren, hebben astronomen berekend dat een kwart van de massa van het heelal uit donkere materie moet bestaan. Net als bij normale materie is het niet gelijkmatig verdeeld over de kosmos. De snelheid van de sterren aan de rand van de melkweg geeft aan dat ons sterrenstelsel is ingebed in een halo van donkere materie, duizend keer groter dan het sterrenstelsel zelf en met een gemiddelde dichtheid van ongeveer een derde van een protonmassa per kubieke centimeter ruimte. Dit is meer dan honderd keer de gemiddelde massadichtheid van de rest van het heelal. Astronomen hebben ook berekend dat donkere materie in 'bakstenen' gemeten kan worden met een diameter van duizend lichtjaren en, als je hun temperatuur zou kunnen meten, wat niet kan omdat ze die niet uitstralen, zou die ongeveer 10.000 kelvin zijn. Er zijn ook lokale variaties die afhangen van de manier waarop voorwerpen zich bewegen: ongeveer tien procent van de donkere materie in de nabijheid van de aarde verandert bijvoorbeeld gedurende het hele jaar terwijl we rond de zon draaien. Onze planeet beweegt in dezelfde richting of in de tegenovergestelde richting van de continue getijdenwind van donkere materiedeeltjes die van de galactische halo komen.

WAT ZOU HET KUNNEN ZIJN?

Het is gemakkelijk om te zeggen wat donkere materie waarschijnlijk niet is. De eerste hoofdverdachten waren neutrinos, die waren overgebleven na de oerknal, kleine deeltjes waarvan er heel veel zijn en die bijna nooit reageren met normale materie. Zelfs met een hele kleine massa, zouden neutrinos bij elkaar opgeteld de missende massa in het heelal kunnen zijn. Maar een snelle berekening laat zien dat dit niet klopt, want zelfs de hele grote aantallen neutrinos waarvan we weten dat ze er zijn, kunnen de hoeveelheid donkere materie *out there* niet verklaren. Opeenvolgende andere verklaringen gebaseerd rond bekende materiedeeltjes zijn ook buiten de boot gevallen: dode sterren, zwarte gaten en clusters met inert stof of planeten. Afgezien van het feit dat er heel veel van is en dat het de effecten van de zwaartekracht ondervindt, is alles wat we weten over donkere materie dat het niet lijkt te reageren met de elektromagnetische kracht: dit betekent dat het niet schijnt. Hieruit volgt dat donkere materie niet gemaakt kan worden van een van de onderdelen van het huidige standaardmodel van de fysica, de kwantummechanische beschrijving van de materie en krachtdeeltjes waarvan we weten dat ze bestaan en waar we in wisselwerking mee treden. Het standaardmodel bestaat uit alle quarks (onderdelen van het proton en het neutron), leptonen (inclusief het elektron en de neutrino) en krachtdragende deeltjes (zoals het foton). Geen van deze deeltjes komt overeen met de beschrijvingen van donkere materie.

Dit betekent dat natuurkundigen op jacht zijn naar volledig nieuwe subatomaire deeltjes, buiten het standaardmodel, die alleen maar gevormd kunnen worden met veel energie in de krachtigste deeltjesversnellers. Deze jacht heeft ertoe geleid dat natuurkundigen die de allergrootste dingen in het heelal bestuderen en natuurkundigen die de allerkleinste onderdelen van materie en kracht bestuderen, zijn gaan samenwerken. Om te helpen bij de zoektocht zijn de kosmologen vrienden geworden met hun collega's verderop in de gang in de laboratoria van de deeltjesversnellers. Beiden wachten vol verlangen op de resultaten van de botsingen in de Large Hadron Collider (LHC) in Genève. In deze deeltjesversneller zullen protonen met elkaar in botsing worden gebracht. De hoeveelheid energie die hierbij betrokken is, is vlak na de oerknal ook aanwezig geweest, maar daarna nooit meer. Tijdens het proces zullen de protonen uit elkaar worden gescheurd en de natuurkundigen hopen dat er deeltjes worden gevormd die we nog nooit eerder hebben gezien. Sommige kosmologen hopen dat sommige van deze deeltjes de donkere materie zouden kunnen vormen.

Kandidaat-donkere-materiedeeltjes staan gezamenlijk bekend als *weakly interacting massive particles* (WIMPs). Net als neutrinos zouden ze maar weinig of geen sporen achterlaten op normale materie, maar anders dan neutrinos kunnen ze honderd keer zwaarder zijn dan een proton.

Een veelbelovende bron van WIMPs komt van een theorie die supersymmetrie wordt genoemd. Deze theorie zegt dat elk materie- en krachtdeeltje in het standaardmodel een tweeling heeft die we nog moeten vinden. Deze 'superdeeltjes'-tweelingen zijn zwaarder dan hun bekendere tegenhangers, ze bestonden in de eerste 10^{-35} seconden na de oerknal, maar daarna niet meer. Maar het is mogelijk dat ze ontstaan door de enorme hoeveelheden energie die bereikt zullen worden in de LHC. Een belangrijke donkere-materiekandidaat is de neutralino, een deeltje dat de supersymmetrische tweeling is van de bekendere neutrino die is achtergebleven na de oerknal. Een andere mogelijkheid is het axion, een elementair deeltje bedacht door theoretische fysici in de afgelopen decennia om probleempjes in de sterke kernkracht te verklaren. De sterke kernkracht bindt quarks samen in het proton en neutron. Zou het axion (of zijn supersymmetrische partner, het axino) in hele grote hoeveelheden rond sterrenstelsels en sterren aanwezig kunnen zijn?

DE ANDERE DUISTERE KRACHT

Het mysterie dat de donkere materie omringt, is nog niets vergeleken met de donkere energie, een mysterieuze kracht (of substantie), die alles bevat in het heelal wat geen donkere of normale materie is. Kosmologen weten dat het moet bestaan omdat het heelal sneller uitdijt dan ze dachten dat het zou doen. Dat het heelal uitdijt, was het grootste gedeelte van de twintigste eeuw al wel bekend, maar het zou nu langzamer moeten gaan als gevolg van de wederzijdse aantrekkingskracht (door zwaartekracht) van geobserveerde (en, dankzij de donkere materie, niet geobserveerde) materie. Sommige theorieën suggereerden zelfs dat het heelal op een bepaald punt helemaal niet meer zou uitdijen en daarna zou gaan imploderen wat zou leiden tot de *big crunch* ergens in de toekomst, een omgekeerde oerknal.

Maar in de jaren negentig toonden observaties van verafgelegen supernova's dat de conventionele denkbeelden niet klopten. Het heelal dijde niet alleen uit, het ging sneller dan ooit tevoren. We weten dat er heel veel materie aanwezig is in het heelal dus moet iets de aantrekking van de zwaartekracht tegenwerken. Als verklaring kwamen ze met het bestaan van donkere energie. Maar niemand weet wat dit spul is. Anders dan bij donkere materie zijn er niet veel levensvatbare theoretische kandidaten. Om het te begrijpen hebben natuurkundigen zich gericht op een aantal van de stukjes van de kwantumtheorie die minder vaak worden aangedaan. De vergelijkingen, bijvoorbeeld, houden rekening met vreemd gedrag in sommige subatomaire deeltjes die leiden tot vloeistoffen met sommige van de eigenschappen die aan donkere energie worden toegeschreven.

Wat is er in plaatsen waar geen materie is? En hoe komt het dat de zon en planeten naar elkaar neigen zonder dichte materie ertussen? Hoe komt het dat de natuur niets tevergeefs doet?

ISAAC NEWTON

Een vloeistof met een negatieve druk – het is zeker moeilijk voor te stellen, maar het is mogelijk onder bepaalde specifieke kwantummechanische omstandigheden – zou zorgen voor een afstotende vorm van de zwaartekracht. Donkere energie zou dan een vloeistof van deeltjes in deze bizarre toestand zijn. Nou ja, bizar voor ons, maar het is duidelijk dat het heel gewoon is in het grootste gedeelte van het heelal. Een ander idee is dat donkere energie een soort nog niet ontdekte vijfde fundamentele kracht van het heelal (de andere zijn zwaartekracht, elektromagnetisme en de sterke en zwakke kernkracht) zou kunnen zijn die zich alleen manifesteert over kosmologische afstanden.

HOE KUNNEN WE DEZE ONTBREKENDE DELEN AAN HET LICHT BRENGEN?

Omdat het de neiging heeft om op zichzelf te blijven, zal het ontdekken van donkere materie moeilijk worden. Maar wetenschappers geven het niet snel op en ze zijn met verschillende detectoren en sondes gekomen die zijn ontworpen om de vaagste aanwijzingen van iets ongewoons op te sporen. Dit zou in ieder geval aanwijzingen kunnen opleveren of indirect bewijs voor het bestaan of de eigenschappen van donkere materie.

In de LHC zullen hoge-energiebotsingen nieuwe deeltjes maken en sommige van deze deeltjes zouden de eigenschappen kunnen hebben die worden toegeschreven aan de WIMPs. Omdat ze niet opgespoord kunnen worden, zouden de WIMPs natuurlijk niet rechtstreeks in de experimenten tevoorschijn komen, maar ze kunnen wel als ontbrekende massa overblijven nadat de fysici bekeken hebben hoe het zat met de massa en de energie die aanwezig was in de versneller voor en na elke botsing.

Eén soort experimenten vertrouwt op het feit dat donkere materiedeeltjes voortdurend door de aarde stromen. Als het zou lukken om een deeltje een wisselwerking aan te laten gaan met een normaal materiedeeltje, zou de botsing een flits van protonen en elektronen veroorzaken die door gevoelige moderne instrumenten waargenomen kan worden. Begraven onder de Gran Sassobergen in Italië ligt een van de experimenten: Xenon10. Hier zit 15 kilo vloeibaar xenon onder honderden meters rots. Berekeningen geven aan dat bijna een miljoen miljard donkere materiedeeltjes iedere week door de detector zouden moeten gaan. Omdat de xenonatomen heel dicht op elkaar zitten, hoopt men dat een heel kleine hoeveelheid donkere materiedeeltjes iets zou raken, waardoor een flits van fotonen en elektronen ontstaat.

Andere detectoren zijn ook in de ruimte op jacht. Neutralinos, de supersymmetrische partners van de neutrino en ook een mogelijke donkere-materiekandidaat, gedragen zich als hun eigen antideeltjes. Dit betekent dat als twee neutralinos elkaar zouden ontmoeten, ze elkaar zouden vernietigen, waarbij energie vrijkomt in de vorm van herkenbare gammastralen. De Fermi-gammastraalruimtetelescoop van de NASA, gelanceerd in 2008, zou in staat moeten zijn om verklikkende gammastraling op te pikken die afkomstig is van de vernietiging van neutralinos in de donkere materiehalo van de Melkweg. Andere experimenten op het oppervlak van de aarde en met ballonnen richten zich ook op het zoeken naar deze aanwijzingen.

Terwijl er heel veel hypotheses en ideeën zijn voor de donkere materie, is de donkere energie veel moeilijker. Mogelijk zal de LHC aanwijzingen geven voor de structuur van ruimte of tijd, die meer licht zullen werpen op deze mysterieuze kracht, maar niemand weet zeker of deze metingen iets anders zullen opleveren dan alleen maar meer vragen. De jacht op dit spul bevindt zich nog maar in de beginfase en is voor het grootste gedeelte nog theoretisch. In de nabije toekomst zou de donkere energie heel goed onwrikbaar in het duister kunnen blijven.

HOE JE GENEN KUNT PROGRAMMEREN

- HET MENSELIJK GENOOMPROJECT
- HOE GENEN WERKEN
- INFORMATIE VERSUS KENNIS
- HIER KOMEN DE PROBLEMEN
- EPIGENETICA
- DE TOEKOMST

In 2000 publiceerden wetenschappers de eerste ruwe versie van het menselijke genoom, de genetische blauwdruk voor het leven. In deze eeuw zullen we deze kennis gebruiken om een aantal biologische puzzels op te lossen. Als we het DNA in onze cellen begrijpen, zal het de behandeling van bijna alles wat er misgaat met ons lichaam vergemakkelijken, van kanker tot slopende neurodegeneratieve ziektes. Het is mogelijk dat er behandelingen worden gevonden voor het verbeteren van de prestaties van atleten of studenten. We zullen in staat zijn om onze genen te programmeren en ons moleculaire lot in eigen handen te nemen.

HET MENSELIJK GENOOMPROJECT

In 1953 publiceerden de moleculaire biologen Francis Crick en James Watson een artikel in het tijdschrift *Nature* waarin ze de structuur van desoxyribonucleïnezuur (DNA) beschreven. Deze ontdekking markeert het begin van de moderne genetische wetenschap. DNA, zeiden ze, is een molecuul in de vorm van een dubbele helix waarin vier nucleotiden (adenine, thymine, guanine en cytosine) een specifieke sequentie vormen. De nucleotiden vormen basenparen, adenine met thymine, guanine met cytosine, en worden vastgehouden door een ruggengraat van fosfaat en suikermoleculen. 47 jaar later was het multinationale menselijk genoomproject klaar met het bepalen van de 3 miljard nucleotideletters van het menselijke genoom.

John Sulston, de wetenschapper die in Groot-Brittannië het project leidde, zei dat de kennis van het menselijke genoom naast de vele praktische uitwerkingen een verrijkend cultureel effect op de mensheid zou hebben. 'Men moet het belang van deze gebeurtenis in de menselijke geschiedenis niet onderschatten. In de komende decennia en eeuwen zal deze reeks doordringen in alle vormen van geneeskunde, alle vormen van biologie, en het zal ons een totaal begrip bezorgen, niet alleen van mensen, maar van al het leven. Leven is een eenheid, en door het begrijpen van een deel begrijp je een ander deel.'

HOE GENEN WERKEN

Het DNA van een persoon zou, als je het in een rechte lijn zou leggen, verschillende keren tot aan de zon komen en weer terug. De 3 miljard nucleotideletters zitten in 46 lange strengen die chromosomen worden genoemd binnen de nucleus van al onze cellen (met uitzondering van eitjes en zaadcellen, die de helft ervan hebben). De chromosomen vormen 23 paren: een helft van elke ouder. Over het chromosoom verspreid zitten de 24.000 genen die de duizenden eiwitten coderen die nodig zijn voor het bouwen van een mens. Voordat je gaat denken dat dit indrukwekkend is: een fruitvliegje heeft 13.600 genen en een gist 6000; maar de zandraket, een veelvoorkomend plantje, heeft 26.000 genen.

Binnen in lichaamscellen zit een versie van DNA met een enkele streng, die RNA wordt genoemd. RNA leest voortdurend de genetische code in de nucleus en voert de informatie uit in structuren, ribosomen, die dan de eiwitten bouwen die worden gecodeerd door de instructies van het DNA. Hoewel elke celkern het volledige genoom bevat, worden alleen delen van de genetische code geactiveerd in verschillende cellen, afhankelijk van de functie van de cel. Gemiddeld is elk gen een paar duizend basenparen lang en bevat codes voor eiwitten om spieren of celwanden te bouwen, of hormonen of neurotransmitters te maken, die een bepaald aspect van gedrag regelen. Het genoom van een persoon is de volledige instructieset, het bevat alles wat je ooit zou moeten weten om die persoon te maken.

Genen vormen minder dan 2 procent van de 3 miljard letters van het menselijke DNA. Voordat wetenschappers de gegevens van het menselijke genoomproject op de juiste manier hadden ingeschat, werden de overige 98 procent van de DNA-sequenties minachtend als junk-DNA omschreven. Niemand wist waarom het er was en wat het deed. Maar in het afgelopen decennium is gebleken dat dit junk-DNA-verhaal compleet fout zou kunnen zijn. Zorgvuldige analyse heeft aangetoond dat het bestaat uit sequenties van genetisch materiaal die zichzelf kunnen kopiëren en naar andere delen van het genoom kunnen springen. Andere stukken lijken op delen van het genoom van andere gewervelde dieren. Dit suggereert dat ze misschien wel iets nuttigs doen, waarom zouden ze anders bewaard zijn gebleven tijdens miljoenen jaren van evolutie? Toch lijken andere stukken van het junk-DNA echt rommel te zijn met letters die eindeloos worden herhaald.

Als je naar iemand kijkt die naast je zit, zul je waarschijnlijk zien dat die persoon heel anders is dan jij bent. Het is waarschijnlijk dat hij of zij een andere lengte heeft, een andere kleur haar, ogen en huid heeft. Minder opvallend is dat deze persoon anders kan reageren op hoofdpijntabletten of een grotere kans heeft op het krijgen van bepaalde ziektes zoals kanker of een beroerte. Veel van deze fysieke eigenschappen kunnen gedeeltelijk verklaard worden door de genetische kaarten die we bij onze geboorte hebben gekregen. Het gaat om verschillen in de genetische code tussen jou en die andere persoon.

Misschien dat je door de grote verschillen in het uiterlijk van mensen nu wel denkt dat deze verschillen worden weerspiegeld in onze genetische sequenties. In werkelijkheid is jouw DNA en dat van de andere persoon die er zo anders uit ziet, voor minstens 99,8% in overeenstemming met elkaar. 'Per duizend genetische letters zijn er twee verschillen tussen mensen,' zei Sulston toen de genoomsequentie werd aangekondigd in 2000. 'De meeste letters van de code zijn hetzelfde, maar dan blijven er toch nog heel veel verschillen over. Ik vind dat we daar twee lessen uit kunnen leren. We zouden onszelf als gelijk moeten beschouwen … maar we moeten ook onze verschillen respecteren.'

INFORMATIE VERSUS KENNIS

Het ontdekken van de sequentie van nucleotideletters in een genoom van een persoon is alleen maar het begin van het proberen om te begrijpen wat het allemaal betekent. Het menselijke genoomproject heeft wetenschappers de basisletters en de woordenschat gegeven waarmee de natuur zijn grootse verhalen van het leven schrijft. Maar de sequentie is alleen maar de eerste stap in het begrijpen van wat deze verhalen ons vertellen. Zoek precies uit wat elk gen doet, hoe het verschilt tussen mensen en hoe het 'gemaakt' kan worden als de fouten erin een ziekte veroorzaken. Dat is het werk dat in de eerste decennia van de eenentwintigste eeuw uitgevoerd moet worden. Het zal een enorme en veeleisende taak zijn, maar dankzij de snelle (en steeds goedkopere) mechanisatie van de biologie komen er snel heel veel resultaten binnen.

Soms wordt een ziekte veroorzaakt door een enkel gendefect. In deze gevallen richt het onderzoek naar verbanden tussen genen en ziektes zich op de bestudering van een paar genen van kleine aantallen monsters, vaak van families waarin een bepaalde ziekte vaker voorkomt. Een klassiek voorbeeld is taaislijmziekte, een erfelijke ziekte die ervoor zorgt dat longen vol komen te zitten met taai slijm. Wetenschappers kwamen erachter dat de ziekte ontstaat wanneer beide kopieën van het CFTR-gen niet goed werken. Maar veel ziektes zijn het resultaat van de gecombineerde acties van tientallen of honderden genen. De benadering die bij taaislijmziekte werd gebruikt, zou hier te bewerkelijk zijn, zelfs voor de gecomputeriseerde biotechnologie van de eenentwintigste eeuw. De identificatie van genen kreeg echt vleugels in 2007 met de introductie van een nieuwe techniek die de *genome-wide association study* heet. Hierbij kijken wetenschappers naar DNA-monsters van duizenden patiënten voor elke ziekte, ze vergelijken ze met controlemonsters van gezonde vrijwilligers en kijken naar de genetische verschillen in elk monster.

Als we het genoom willen manipuleren, is het van cruciaal belang dat we er eerst labels op kunnen plakken. Stel dat je wilt dat je kind een heel goede sprinter wordt. Dan zou je kunnen gaan kijken naar genen die ervoor kunnen zorgen dat je kind de geschikte spieren krijgt, zoals ACTN3. Van een versie van dit gen weten we dat het een eiwit maakt dat alleen wordt gevonden in *fast twitch*-spieren, die sprinters helpen bij explosieve snelheidsuitbarstingen. Toen een groep elitesprinters werd bestudeerd, bleek dat 95% deze explosieve genvariant had. Als je deze variant op de een of andere manier zou kunnen selecteren, kan dit jouw kind een voorsprong bezorgen.

HIER KOMEN DE PROBLEMEN

Misschien heb je het al wel geraden, maar er rennen geen genetisch gemodificeerde atleten rond. Het selecteren van gedrag dat zo complex is als sportaanleg, is niet zo eenvoudig als het kiezen van de juiste versie van ACTN3. Anders dan taaislijmziekte wordt aanleg voor sport bepaald door heel veel genen die van alles bepalen: van hoe je lichaam vet verwerkt tot hoe efficiënt je lichaam met zuurstof omgaat. Er kunnen honderden, misschien wel duizenden genen zijn die samenwerken om een sporter te maken. En de meeste van die genen moeten nog worden geïdentificeerd. Daarnaast is het ook nog zo dat een topatleet gevormd wordt door de toegang tot trainingsfaciliteiten en de uren die zwetend op een atletiekbaan worden doorgebracht. Het selecteren van het juiste DNA biedt zeker geen garantie dat jouw kind op de Olympische Spelen zal schitteren.

Epigenetica bestudeert hoe genen zich gedragen in verschillende situaties, welke genen werken en welke genen zijn uitgezet. Er zijn twee hoofdmanieren om dit gedrag te sturen: de toevoeging van moleculen die methylgroepen worden genoemd (weergegeven door 'Me' hieronder), kan de activiteit van een gen onderdrukken; en de modificatie van de staarten van eiwitten die histonen worden genoemd, die de activiteit veranderen van de DNA-strengen die eromheen zijn gewonden.

Ook is het zo dat de technologie smerig en verspillend is. Als je een gen wilt selecteren, zal een van de ouders dat gen al moeten hebben. En als je een baby met een specifiek gen wilt, moet je in één keer tientallen embryo's maken en op de een of andere manier de embryo's selecteren met de geschikte genen. Deze techniek die *pre-implantation genetic diagnosis* (PGD) wordt genoemd, wordt gebruikt bij reageerbuisbevruchtingen (ivf) voor het selecteren van geschikte embryo's die in de baarmoeder geïmplanteerd zullen worden. Voor het programmeren van een genoom met specifieke genen is PGD erg lomp. Voor het in één keer veranderen van een reeks genen zouden heel veel embryo's (misschien wel honderden) gemaakt moeten worden en daarna zouden ze een voor een bekeken moeten worden om het perfecte embryo te vinden. Denk aan de vele eitjes die worden verspild als je veel verschillende genen uit zou willen kiezen voor je baby. En als je wel de perfecte genen zou vinden, is de kans dat een embryo uitgroeit tot een voldragen baby bij ivf geen honderd procent.

Hoe zit het in plaats daarvan met het genetisch veranderen van een kiembaancel (een eitje of zaadje)? Er is al een techniek beschikbaar waarbij individuele genen zo behandeld worden dat ze niet meer functioneren. Zij wordt gebruikt om zogenaamde *knock-out*-muizen voor onderzoek te maken. Bij deze dieren wordt kunstmatig DNA in stamcellen geplaatst om de actie van een gen te stoppen (*to knock out*). Wetenschappers vergelijken de *knock-out*-muis met een gewone muis en op deze manier komen ze erachter wat de functie van dat gen is. Op dit moment is het illegaal om dit te doen met menselijke stamcellen, maar het veranderen van kiembaancellen zou betekenen dat baby's die hieruit ontstaan, ook de genetische verandering zouden hebben. En ze zouden de verandering ook aan hun nakomelingen doorgeven. In ieder geval is het zo dat ongeveer 15% van de *knock-out*-experimenten met muizen dodelijk bleek te zijn.

histonenstaart

chromosoom

Een nog groter percentage leverde handicaps op bij de dieren. Bij mensen hebben veel genen meerdere functies: een gen dat geassocieerd wordt met een verhoogd IQ en een spierziekte, zou kunnen zorgen voor slimme mensen in rolstoelen.

EPIGENETICA

Er is een manier om het gedrag van genen te veranderen zonder kiembaancellen of het programmeren van foetussen. Al onze cellen bevatten het volledige genoom in hun nucleus. Maar het volledige genoom is niet actief in iedere cel omdat veel genen uit zijn gezet. Wetenschappers hebben een nieuwe wereld van *epigenetica* geopend. Dit wordt gedefinieerd als de veranderingen in de genfunctie die niets te maken hebben met de sequentie van het DNA. Hierdoor kunnen heel veel dingen in een organisme veranderen, van de vorm van bloemen tot de kleur van de ogen van een fruitvlieg.

Er zijn verschillende mechanismen waardoor dit kan gebeuren. Bij een daarvan worden moleculen (methylgroepen) vastgemaakt aan bepaalde delen van een gen. Het effect hiervan is dat de methylgroep het gen uitzet. De methylgroep kan een tijdelijke toevoeging zijn en kan zelfs geïntroduceerd worden via plaatselijke omgevingsfactoren, inclusief chemische stoffen of voedsel. Epigenetica is een snelgroeiend onderzoeksgebied.

Wetenschappers brengen een *epigenoom* in kaart om een lijst te maken van de verschillende manieren waarop genen beïnvloed kunnen worden met behulp van omgevingsfactoren. Het is intrigerend dat het ernaar uitziet dat bepaalde epigenetische veranderingen doorgegeven kunnen worden van generatie op generatie, waardoor het DNA wordt beroofd van de status van het enige molecuul dat erfelijkheid kan doorgeven.

> *We willen een structuur presenteren voor het zout van desoxyribonucleïnezuur (DNA). Deze structuur heeft nieuwe eigenschappen die biologisch behoorlijk interessant zijn.*
>
> FRANCIS CRICK EN JAMES WATSON

DE TOEKOMST

Francis Collins, hoofd van de Amerikaanse afdeling van het menselijke genoomproject, heeft in een artikel dat in 2010 gepubliceerd werd in *Nature*, toegegeven dat genomica nog een lange weg heeft te gaan:

> *Er is een aantal grote stappen voorwaarts gezet: er zijn krachtige nieuwe medicijnen ontwikkeld voor bepaalde soorten kanker; genetische testen kunnen voorspellen of mensen met borstkanker chemotherapie nodig hebben; de belangrijkste risicofactoren voor maculadegeneratie (die leidt tot slechtziendheid) zijn geïdentificeerd; en de reactie op medicijnen kan juist worden voorspeld voor meer dan een dozijn medicijnen. Maar het is wel zo eerlijk om te zeggen dat het menselijke genoomproject nog niet direct effect heeft gehad op de gezondheidszorg van de meeste mensen.*

Technologieën zoals volledige genoomsequenties zullen hun waarde bewijzen als de kosten per persoon minder worden dan duizend dollar. Doordat er zo steeds meer gegevens komen, zal dit helpen bij het identificeren van de meest zeldzame varianten (of de 'donkere materie' van het genoom, zoals Collins het beschrijft). De voorspelbaarheid van ziektes en de waarschijnlijkheid dat ze met bepaalde medicijnen behandeld kunnen worden, zal steeds beter worden. 'Genomica heeft een uitzonderlijk krachtige rol gespeeld bij het mogelijk maken van biomedische vooruitgang in het afgelopen decennium,' schreef Collins. 'De tijd zal leren hoe diep en hoe ver die kracht ons zal brengen. Ik wil best wedden dat het beste nog moet komen.'

27

HOE JE ANDERE UNIVERSUMS KUNT VINDEN

- KOSMISCHE TOEVALLIGHEDEN
- HET ANTROPISCHE PRINCIPE
- ZES SPECIALE GETALLEN
- WAT ZOU ER DAARBUITEN KUNNEN ZIJN?
- KWANTUMMECHANICA VERSCHIJNT OP HET TONEEL ...

Alle complexiteit die we tegenwoordig zien, was voor zijn ontwikkeling afhankelijk van een reeks van zeer specifieke fysieke omstandigheden bij het begin van het heelal. Als een van deze omstandigheden zelfs maar een klein beetje anders was geweest dan we tegenwoordig meten, zou jij dit boek niet zitten te lezen. Wetenschappers vinden het niet leuk dat dingen zonder reden zomaar beginnen, en ze moesten buiten het heelal op zoek naar verklaringen voor deze ogenschijnlijk onwaarschijnlijke toevalligheden. Zij stellen dat ons heelal misschien wel helemaal niet zo speciaal is, het zou gewoon een van de vele kunnen zijn. Het zou kunnen dat elk mogelijk heelal dat kan bestaan, ook bestaat.

KOSMISCHE TOEVALLIGHEDEN

De aarde zou in een baan om de zon kunnen draaien die een beetje dichter bij of verder van de zon ligt dan de baan die nu wordt gevolgd. In het eerste geval zouden de oceanen zijn drooggekookt en in het tweede geval zouden ze helemaal zijn dichtgevroren. Zonder vloeibaar water is leven niet mogelijk. Miljarden jaren geleden, vroeg in het leven van het zonnestelsel, nam de hele grote gasplaneet Jupiter de taak op zich om asteroïden en ander puin dat in het heelal rond zoefde op te dweilen en dat deed die planeet erg goed. Dit onzelfzuchtige gedrag redde de aarde, het voorkwam dat onze planeet nog zwaarder werd gebombardeerd en dat de vroege levensmoleculen die zich ontwikkelden op het oppervlak, werden uitgeroeid. Zonder de maan zou de baan van de aarde rond de zon zeer onstabiel zijn. Onze planeet zou door de ruimte buitelen waardoor catastrofale weersomstandigheden zouden ontstaan die alle kwetsbare levensvormen zouden doden. Geen enkele andere planeet in onze nabijheid heeft een dergelijke grote satelliet op precies de juiste afstand. Het zonnestelsel zelf ligt ook op de juiste plek: op behoorlijke afstand van het wrede stralingsveld dat het zwarte gat in het midden van ons zonnestelsel omringt, maar er wel zo dichtbij dat dit veld een aantal van de zwaardere elementen die noodzakelijk zijn voor het leven, heeft kunnen vormen.

Er zijn nog heel veel meer toevalligheden op het subatomaire niveau. Verander de relatieve sterkte van de vier fundamentele krachten (zwaartekracht, elektromagnetisme, en sterke en zwakke kernkracht) een heel klein beetje en het heelal ziet er ineens heel anders uit. Atomen worden niet gevormd of sterren verbranden hun waterstofbrandstof zo snel dat het leven op dichtstbijzijnde planeten niet kan evolueren tot iets met intelligentie. Het heelal vliegt te snel uit elkaar of DNA kan niet bestaan. Het is onmogelijk om je voor te stellen dat het leven bestaat.

Astronomen hebben een naam voor deze toevalligheden en ongelukken: de Goudhaartje-zone. Net als in het sprookje van Goudhaartje en de beren is het heelal niet te veel van het ene, niet te veel van het andere, maar precies goed. Het lijkt allemaal te toevallig om willekeurig te zijn. Hoe is het de blinde wetten van de natuurkunde gelukt om dit allemaal te maken op een dergelijk kolossale schaal?

HET ANTROPISCHE PRINCIPE

Het idee dat de kosmos op de een of andere manier zo is afgesteld dat er leven ontstaat, wordt het antropische principe genoemd. In één versie van dit idee zit er een bestuurder achter het afstellen die de relatieve sterkte van de krachten heeft ingesteld, heeft georganiseerd hoe materie wordt gemaakt en die de oerknal op precies de goede manier heeft laten beginnen. Dit standpunt staat bekend als het 'sterke antropische principe'. Aan de andere kant stelt het 'zwakke antropische principe' dat we hier niet zouden zijn om deze vragen te stellen als het universum niet voor het leven was ingesteld. 'Het argument kan gebruikt worden om uit te leggen waarom de omstandigheden toevallig precies goed zijn voor het bestaan van het leven op aarde in de huidige tijd,' schreef natuurkundige Roger Penrose in *The Emperor's New Mind.* 'Want als ze niet precies goed zouden zijn, dan zouden wij hier nu niet zijn, maar ergens anders, op een andere geschikte tijd.'

ZES SPECIALE GETALLEN

Het antropische principe benadrukt het aantal dingen dat goed moet gaan zodat complexe structuren zoals intelligent leven kunnen ontstaan. Kosmologen hebben het idee naar voren gebracht dat we in een van de vele miljoenen parallelle universums leven. De wetten van de natuurkunde zijn anders in elk ander universum en in de meeste universums zal zoiets als een levensvorm zich niet hebben ontwikkeld. De Britse astronoom Martin Rees heeft zes getallen geïdentificeerd, constanten van ons universum, die allemaal precies de juiste waarden moeten hebben zodat het leven zich kan ontwikkelen.

Het eerste getal, *epsilon*, heeft een waarde van 0,007. Het is een indicator van de sterkte van de sterke nucleaire kernkracht die de nuclei bij elkaar houdt. Als epsilon de waarde 0,006 zou hebben, is het onwaarschijnlijk dat waterstofatomen ooit zouden zijn samengekomen om helium te maken, in sterren of op andere plekken. Als het 0,008 zou zijn, zou alle waterstof die bij het begin van het universum werd gemaakt, heel snel in helium zijn veranderd en dan zou er geen waterstof meer over zijn om samen te komen in sterren.

Omega is een maat van de dichtheid van materie in het universum een seconde na de oerknal. Een dichtheid die maar een fractie hoger was, een in een miljoen miljard (10^{15}), zou ervoor gezorgd hebben dat het heelal in elkaar zou storten voordat de sterren zichzelf konden vestigen. Als de dichtheid een zelfde fractie kleiner zou zijn geweest, zouden de deeltjes uit elkaar zijn gedreven en zouden ze nooit samengekomen zijn voor het vormen van complexe structuren.

De elektromagnetische kracht is 10^{36} maal sterker dan de zwaartekracht, een getal dat bekend staat als N. Als de zwaartekracht zwakker zou zijn geweest, zouden sterren niet gecondenseerd zijn in gigantische wolken van waterstofgas. Ze zouden nooit de immense temperaturen en druk hebben kunnen produceren die nodig zijn in hun kernen voor het samensmelten van protonen (die elkaar afstoten als gevolg van het feit dat alle protonen een positieve lading hebben). Geen protonfusie betekent dat de sterren niet zouden schijnen en planeten zouden geen energiebron hebben. Als de zwaartekracht sterker zou zijn, zouden sterren veel te snel hun waterstofbrandstof opmaken zodat er geen intelligent leven zou kunnen ontstaan op planeten dicht in de buurt.

De laatste theorieën van de kwantumzwaartekracht tellen ongeveer 10.500 realisaties van het universum, waarin de verschillende fundamentele constanten van de natuur verschillen. In dit multiversum zijn alle universums even echt, hoewel we alleen maar kunnen hopen dat we ons eigen universum kunnen onderzoeken. Als je kijkt naar de ontstellende collectie van alternatieven, is het steeds onwaarschijnlijker dat ons waargenomen universum zelfs maar zou bestaan.
JOSEPH SILK

Sterkere zwaartekracht zou ook sterren, planeten en asteroïden dichter bij elkaar hebben gebracht wat de kans op catastrofale botsingen zou hebben vergroot.

De volgende op de lijst van Reese is *lambda*, de kosmologische constante, die bepaalt hoe snel het universum uitdijt. Een negatieve lambda zou het universum laten samentrekken in een *big crunch*. Een lambda meerdere keren hoger dan de aangenomen waarde voor ons universum betekent dat onze kosmos door zou gaan met uitdijen en dat dit steeds sneller zou gaan waardoor materiedeeltjes niet samen kunnen komen en geen sterren en sterrenstelsels kunnen vormen.

D staat voor het aantal ruimtedimensies die nodig zijn om het leven te ondersteunen. We bestaan in drie ruimtedimensies en daardoor konden complexe structuren zoals onze hersenen zich ontwikkelen. Drie dimensies staat heel veel neuronen toe met overlappende zenuwverbindingen ertussen om een brein te vormen, een structuur die moeilijk voor te stellen is in één of twee dimensies. Maar met vier dimensies zijn planeten niet stabiel in hun banen en elektronen worden ook onstabiel in hun banen rond de nuclei.

Tenslotte is er *Q* die de onregelmatigheden verklaart die worden waargenomen in de microgolfachtergrondstraling die opgemerkt kan worden in alle delen van de lucht, een overblijfsel van het eerste licht van de oerknal. Een kleinere Q dan we tegenwoordig kunnen meten, zou een donker en leeg universum hebben opgeleverd; een grotere Q zou alles veel eerder bij elkaar hebben gebracht in de evolutie van het universum, en deze hele grote structuren zouden snel in elkaar zijn gestort tot zwarte gaten.

De wetenschappelijke manier om uit te leggen waarom de zes getallen van Rees precies goed zijn in ons universum, is om op zoek te gaan naar een manier om alles wat ons universum uniek maakt te verwijderen. Martin Rees gelooft dat de beste manier om te verklaren waarom deze getallen toevallig precies goed zijn in ons universum, simpelweg is dat er heel veel universums zijn. Net zo als een aarde die in een Goudhaartje-zone rond de zon bestaat, impliceert dat er heel veel andere planeten zijn in ons zonnestelsel waar de locaties niet zo perfect zijn, impliceert de kosmische Goudhaartje-zone dat er andere universums bestaan. In andere woorden: wat Rees zegt, is dat als een winkel een uitgebreide voorraad kleren heeft, het niet raar is dat je een overhemd vindt dat past.

Het testen hiervan gaat op dit moment de mogelijkheden van de natuurkunde te boven, daarom zou je kunnen stellen dat het multiversum ons niet veel verder brengt dan het antropische principe. Toch is het zo dat de ideeën rond multiversums voorspellingen doen die we op een dag mogelijk kunnen testen wanneer verbeterde telescopen en zwaartekrachtgolfdetectors worden ingezet om de ruimte af te zoeken.

WAT ZOU ER DAARBUITEN KUNNEN ZIJN?

De kosmoloog Max Tegmark maakt onderscheid tussen drie klassen van multiversums. Het niveau 1 multiversum van Tegmark bevat delen van ons eigen universum die te ver weg staan zodat we ze nog nooit hebben gezien. Hier zouden dezelfde wetten van de natuurkunde gelden als bij ons. Omdat de ruimte zeer waarschijnlijk oneindig is, is het waarschijnlijk dat alles wat mogelijk is, werkelijkheid wordt, hoe onwaarschijnlijk het ook is. Buiten het bereik van onze telescopen liggen delen van de ruimte die identiek zijn aan ons deel van de ruimte, met mensen en planeten die precies zo zijn als die van ons. Zeer waarschijnlijk bestaat er een oneindig aantal van deze parallelle universums achter de horizon van 42 miljard lichtjaren die we op dit moment kunnen waarnemen. Elk universum is in essentie hetzelfde als dat van ons (de zes getallen van Rees zouden allemaal hetzelfde zijn), met uitzondering van de allereerste vorming van de materie. Kosmologen hebben zelfs de afstand tussen jou en een identieke kopie van jou berekend, aan de hand van de mogelijke ordening van atomen in ons universum: rond 10 tot de macht van 10^{118} meter van jou vandaan.

Het niveau 2 multiversum is meer in overeenstemming met wat Rees in zijn hoofd had. Het gaat onder andere om het aanpassen van een proces dat vlak na de oerknal optrad. Tijdens de kosmische inflatie groeide het babyheelal met een ontstellende 10^{43} keer in minder tijd dan jij nodig hebt om met je ogen te knipperen. Er is vastgesteld dat dit de reden is waarom het universum zo eenvormig, groot en plat is.

Men ging ervan uit dat na het einde van de kosmische inflatie het heelal normaal door bleef gaan met uitdijen. Maar niet volgens de 'chaotische eeuwigheid'-inflatietheorie. Volgens dit idee zullen bepaalde gebieden van de ruimte niet verder uitdijen en bellen gaan vormen, hoewel de ruimte in het algemeen voor altijd door zal gaan met uitdijen. Deze bellen staan zo ver van de aarde af dat je ze nooit zou kunnen bereiken, zelfs als je met de snelheid van het licht zou reizen, omdat de ruimte tussen onze bel en zijn buren sneller uitdijt dan jij er doorheen zou kunnen reizen. In verschillende bellenuniversums hebben de zes getallen

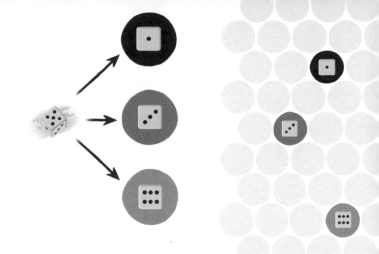

Als je een dobbelsteen gooit, zal deze volgens Tegman op elk mogelijk vlak neerkomen in verschillende universums. Als de dobbelsteen weer stil ligt, zullen de dobbelsteen en degene die naar de dobbelsteen kijkt, naar een van die mogelijke universums gaan zodat de observator ziet dat een vlak van de dobbelsteen boven komt te liggen. In dit geval zit de observator in het universum waar de dobbelsteen op 1 uitkomt.

van Rees verschillende waardes. Met een oneindig aantal bellenuniversums kunnen de zes getallen van Rees volledig anders zijn in elk universum.

KWANTUMMECHANICA VERSCHIJNT OP HET TONEEL ...

Het niveau 3 multiversum van Tegman gebruikt kwantummechanica om uit te leggen hoe het werkt. Een aspect van kwantummechanica is een intrinsieke willekeur, de onmogelijkheid dat een observator de uitkomst van een actie absoluut goed voorspelt. In plaats daarvan voorspelt de kwantumtheorie een reeks van mogelijke scenario's en wordt aan ieder scenario een waarschijnlijkheid van gebeuren toegewezen. In de 'veel werelden'-hypothese komt elk van deze mogelijkheden overeen met een specifiek universum.

Denk aan een dobbelsteen met zes vlakken. Voordat de dobbelsteen wordt gegooid, zijn er zes mogelijke vlakken waarop de dobbelsteen kan neerkomen. Tegmark zou zeggen dat elke mogelijkheid overeenkomt met een ander universum. Als de dobbelsteen op een bepaald vlak neerkomt, gaan de observator en de actiearena naar een van deze zes universums. In de andere vijf mogelijke universums, die allemaal ergens bestaan, komt de dobbelsteen op een van de andere cijfers terecht.

In de classificatie van Tegman kan het niveau 3 multiversum de andere twee soorten multiversums omvatten. Een universum dat bestuurd wordt door de 'veel werelden'-regels splitst zich in de loop der tijd op in universums die eruitzien als niveau 1 parallelle universums. Niveau 2 multiversums kunnen ook verklaard worden door te zeggen dat de kwantumsplitsing plaatsvond in de beslissende momenten na de oerknal toen de fysieke constanten van het universum nog moesten worden vastgelegd. Het niveau 3 multiversum van Tegman leidt tot een aantal interessante ideeën over het wezen van de tijd. Hij schrijft: 'De meeste mensen denken dat tijd een manier is om verandering te beschrijven ... Als parallelle universums alle mogelijke ordeningen van materie bevatten dan is tijd gewoon een manier om deze universums in een reeks te plaatsen. De universums zelf zijn statisch; verandering is een illusie, maar wel een interessante illusie.'

18HW2 8D*0
9209I8S
208E3U
E&0I0JD-WO
IWEHHEI

28

HOE JE CODES KUNT ONTCIJFEREN

- COMMUNICATIE BEVEILIGEN
- HET WISKUNDETIJDPERK
- DE MAGIE VAN PRIEMGETALLEN: DEEL 1
- HET RIVEST-SHAMIR-ADLEMAN-ALGORITME
- DE MAGIE VAN PRIEMGETALLEN: DEEL 2
- KWANTUMENCRYPTIE

In korte tijd, binnen een paar decennia, is het internet een alles doordringende aanwezigheid in onze levens geworden. Een van de redenen hiervoor is natuurlijk dat de hardware steeds minder kost. Maar een andere factor, die aantoonbaar net zo belangrijk is als de hardware, is veiligheid. Al duizenden jaren lang wordt encryptie gebruikt om berichten tussen spionnen, politici of militaire leiders te vervormen. Tegenwoordig gebruik je encryptie elke keer wanneer je een website bekijkt, inlogt op het computernetwerk op kantoor of elektronisch iets betaalt.

COMMUNICATIE BEVEILIGEN

Al zo lang als mensen in staat zijn om te communiceren, hebben ze een manier nodig gehad om de informatie te verbergen die ze proberen over te brengen. De vroegste manier om geheimen te bewaren was dat iets werd opgeschreven. Omdat heel erg weinig mensen konden lezen, was dit een eenvoudige maar effectieve oplossing. De Spartanen verbeterden dit idee door een cilindervormig instrument te gebruiken dat een *scytale* werd genoemd. Degene die een bericht wilde versturen, wond een reep papier in een spiraal rond een cilinder en schreef zijn bericht horizontaal over de lengte van de scytale. Als het papier van de cilinder werd afgehaald, waren de losse letters betekenisloos. Bij de ontvanger werd het papier weer om een scytale gewonden van dezelfde grootte en zo werd de boodschap onthuld. Julius Caesar gebruikt ook encryptie voor het versturen van geheime boodschappen naar zijn bondgenoten. Hij gebruikte een formule (of cijfer) voor het vervangen van elke letter van de boodschap die hij schreef door een andere letter die drie letters verder in het alfabet

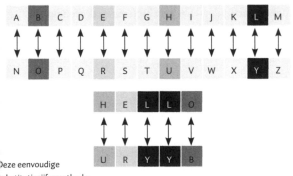

Deze eenvoudige substitutiecijfermethode verbindt de eerste 13 letters van het alfabet met de laatste 13 letters.

staat (dit is de 'sleutel' die het gebruik van het cijfer aanpast). Een 'a' zou vervangen worden door een 'd', een 'b' door een 'e' en zo verder. Op deze manier zou de boodschap 'aanvallen' veranderen in 'ddqydoohq'.

Het is duidelijk dat de codes van Sparta en van Caesar heel gemakkelijk gekraakt kunnen worden. Bij de eerste heb je alleen maar een zelfde scytale nodig. Zelfs als een vijandelijke generaal niet precies zou weten hoe de originele scytale eruitzag, zou het niet zo lang duren als hij ruwweg cilinders van verschillende grootte uitprobeerde totdat hij de juiste vond. De code van Caesar is kwetsbaar voor een aanval met behulp van frequentieanalyse. Omdat elke letter in de cijfertekst (de versleutelde boodschap) verwijst naar een enkele letter in de gewone tekst (de originele boodschap), kun je het feit gebruiken dat verschillende letters vaker of minder vaak worden gebruikt in een taal, zodat je kunt voorspellen welke letter voor welke letter staat.

Een codebreker zal eerst heel veel gewone teksten lezen van degene die de boodschap heeft verzonden (hoewel ook teksten uit andere bronnen zoals kranten of boeken in dezelfde taal gebruikt kunnen worden) en tellen hoe vaak iedere letter voorkomt. Daarna zou dezelfde telanalyse uitgevoerd worden voor de cijfertekst en worden de letterfrequenties van de cijfertekst vergeleken met de normale waarden voor de taal. Als er een paar woorden fout blijken te zijn, kan de codebreker kennis van de taalregels gebruiken. Als de oorspronkelijke tekst in het Engels is, zal de letter 'e' het meest voorkomen, de 'n' staat meestal tussen een 'a' en een 'd', en een 'u' komt meestal na een 'q'. Hoe langer de cijfertekst, hoe groter de kans is dat deze frequentieanalyse zal werken, maar zelfs een korte boodschap met maar enkele tientallen woorden kan op deze manier worden ontcijferd.

Het substitutiecijfer van Caesar was de inspiratiebron voor subtielere encryptie-mechanismes in de eeuwen die erop volgden. De beroemdste was misschien wel de enigmamachine die tijdens de Tweede Wereldoorlog gebruikt werd door het Duitse leger. De machine gebruikte rotors en elektronica voor het veranderen van de substitutietoets nadat iedere letter van een boodschap was getypt. De enigmacodes werden uiteindelijk ontcijferd door een team van codebrekers in het Engelse Bletchley Park, geleid door Alan Turing, de voorvader van de moderne informatica.

HET WISKUNDETIJDPERK

Het moderne tijdperk van de cryptografie begon in de jaren zeventig, toen computerexperts zich ermee gingen bemoeien. Tot die tijd waren versleutelde berichten een taaloefening en steunden ze op de vaardigheden van de personen die de encryptie maakten of ontcijferden. Computers maakten er een wiskundige oefening van.

Een van de problemen met de prewiskundige encryptie was dat de zender en de ontvanger van de boodschap beiden de sleutel moesten hebben. Als je de vercijfering en ontcijfering van een boodschap ziet als het op slot doen en weer openmaken van een deur, was dezelfde sleutel nodig voor het op slot doen en weer openmaken. Op een bepaald moment in het verleden zouden de zender en de ontvanger informatie moeten hebben gedeeld over de sleutel zodat ze goed zouden kunnen communiceren. Dit systeem werkt, maar is omslachtig. De sleutels moeten gestuurd worden naar alle plaatsen waar boodschappen ontcijferd moeten worden, en hoe vaker de sleutel wordt verzonden, hoe groter de kans dat deze wordt onderschept.

Dat probleem werd opgelost (met heel veel hulp van de wiskunde) met de uitvinding van *asymmetrische cryptografie*. In feite is het zo dat een sleutel de deur op slot doet, maar er is een andere sleutel nodig om de deur weer te openen. De sleutel waarmee de deur wordt gesloten, kan zonder problemen aan anderen worden gegeven omdat het bezit ervan je veiligheid niet in gevaar brengt. Iedereen die aan jou een versleutelde boodschap wil sturen, kan jouw sleutel gebruiken om de boodschap te vercijferen. Maar jij alleen kunt de boodschap ontcijferen omdat jij alleen de ontcijfersleutel hebt. Het is zelfs zo dat als de boodschap vercijferd is, de zender de boodschap niet meer kan ontcijferen.

De asymmetrische cryptografie is waarschijnlijk op dit moment bezig met het vercijferen van al je e-mailtjes. Het is bijna zeker dat zij ervoor zorgt dat je online banktransacties veilig worden verstuurd en ze wordt ook gebruikt wanneer je *https://* ziet verschijnen in de adresbalk van je browser.

DE MAGIE VAN PRIEMGETALLEN: DEEL 1

Om te begrijpen hoe de asymmetrische cryptografie werkt, moeten we een klein uitstapje maken naar wiskunde die door de Duitse wiskundige Johann Carl Friedrich Gauss werd ontwikkeld: de *klokcalculator*. Denk aan de wijzerplaat van een klok. Als het tien uur is (het maakt niet uit of dat in de ochtend of avond is) en ik je vraag wat er op de klok zal staan over vijf uur, weet je dat het antwoord drie uur is. Bij een klok werkt het optellen zo: 10 + 5 = 3.

In klokwiskunde waarbij een klok met 12 uur wordt gebruikt geldt 9+4 = 1.

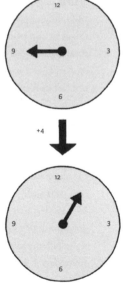

Je hoeft jezelf niet te beperken tot twaalf uur voor je klok. De beroemde Franse wiskundige Pierre de Fermat merkte op dat wanneer je een priemgetal gebruikt, laten we zeggen 'z' voor de uren van je klok, dat er dan iets interessants gebeurt wanneer je de berekeningen uitvoert. Als je een cijfer op je klokcalculator neemt en dit tot de macht van z verhoogt, krijg je altijd het cijfer waar je oorspronkelijk mee bent begonnen. Stel je bijvoorbeeld een klok voor waar z=7, met andere woorden er zijn zeven 'uren'. Als je begint met het cijfer 2 en dit met de macht 7 verhoogt, krijg je 128 in de conventionele wiskunde. Maar met de klokwiskunde is het antwoord 2 in plaats van 128. Je gaat 18 keer de klok rond en houdt 2 over.

Er was iets met de priemgetallen waardoor de klok zichzelf begon te herhalen na een bepaald aantal stappen. Honderd jaar nadat Fermat zijn 'kleine stelling' opschreef, ontdekte de wiskundige Leonhard Euler dat een algemene klok met M uren, waar M het product is van twee priemgetallen 'r' en 't', ook zou beginnen met zichzelf te herhalen na een aantal stappen, bepaald door een vastgestelde formule van r en t. Meer dan driehonderd jaar later zou deze wiskundige rariteit heel handig blijken te zijn voor elektronische encryptie.

HET RIVEST-SHAMIR-ADLEMAN-ALGORITME

Het theoretische fundament voor de eerste asymmetrische cryptografie werd in 1976 ontwikkeld door Whit Duffie en Martin Hellman van Stanford University in Californië. Een jaar later bouwden Ronald L. Rivest, Adi Shamar en Leonard M. Adleman, die toen allemaal aan het Massachusetts Institute of Technology verbonden waren, het eerste echte systeem dat ze het RSA-algoritme noemden (genoemd naar de eerste letters van hun achternamen). Als je iets op het internet koopt, worden de gegevens van je creditcard versleuteld met behulp van een publieke sleutel op de website van de winkel. De sleutel bestaat uit twee cijfers, laten we ze M en N noemen. Het eerste cijfer is het product van twee priemgetallen, r en t, ze geven het aantal 'uren' weer op hun publieke klokcalculator. Het tweede cijfer N wordt het encryptiecijfer genoemd. Om het algoritme te gebruiken, neem je het nummer van je creditcard, je verhoogt dit met de macht N op de publieke klokcalculator en je hebt je versleutelde nummer E. Om het bericht te ontcijferen, gebruikt de eigenaar van de website zijn eigen privé-ontcijfersleutel, een cijfer dat D wordt genoemd. Deze is zo berekend dat wanneer je E, het versleutelde cijfer, D keer met zichzelf vermenigvuldigt op de klokcalculator met N uur, dat je dan het originele nummer van de creditcard terugkrijgt.

DE MAGIE VAN PRIEMGETALLEN: DEEL 2

Het geheim van de veiligheid van RSA ligt in de priemgetallen r en t. Als deze cijfers relatief klein zijn, is het geen grote klus om terug te redeneren van de stappen hierboven om de oorspronkelijke boodschap te berekenen. Maar veilige websites maken het je niet gemakkelijk: de priemgetallen die ze gebruiken voor de encryptie bestaan uit duizenden of zelfs miljoenen cijfers. Dit betekent dat M uit miljarden cijfers kan bestaan en het ontbinden ervan in zijn priemgetalcomponenten, r en t, is een bijna onmogelijke taak die een Hercules waardig is. Zelfs met de snelste computers is het mogelijk om iets zo te versleutelen dat er, en dan alleen met brute kracht, meer tijd dan de leeftijd van het heelal voor nodig zou zijn om het in factoren te ontbinden.

RSA heeft ertoe geleid dat men op jacht ging naar steeds grotere priemgetallen om internetsystemen nog veiliger te maken. Het grootste priemgetal dat tot nu toe is ontdekt en dat werd bekend gemaakt in 2008, is $2^{43112609} -1$, het is een getal met 12.978.189 cijfers. Priemgetallen, die alleen maar door zichzelf en door 1 kunnen worden gedeeld, vormen een wiskundige curiositeit. Het lijkt alsof ze willekeurig opduiken langs de getallenlijn. Het vinden van kleine priemgetallen (2, 3, 5, 7, etc.) is niet zo moeilijk: deel de kandidaat gewoon door alle kleine getallen en kijk of je het door meer getallen kunt delen. Maar als de getallen groter worden, heb je grote computerkracht nodig. Tegenwoordig worden ze gevonden door heel grote internationale projecten die duizenden pc's overal op de wereld in een netwerk met elkaar verbinden. Het duurt ongeveer 25.000 jaar in computertijd om elk groot getal te vinden.

RSA vertrouwt op het feit dat we steeds grotere priemgetallen kunnen gebruiken om de groeiende kracht en snelheid van computer voor te blijven, waardoor een ruwe aanval op het encryptiesysteem gewoon te lang zal duren om te kunnen werken. Maar zoals de geschiedenis al zo vaak heeft laten zien, is het onderschatten van de toekomstige kracht van computers iets voor gekken. Op een bepaald moment zullen snellere computers met wiskundig korte routes die nu nog ontwikkeld moeten worden, snel genoeg kunnen zijn om de tijd die nodig is voor het ontbinden van priemgetallen drastisch omlaag te brengen. Dit brengt de veiligheid van onze hele online wereld in gevaar. Feitelijk is het geheel een wapenwedloop.

KWANTUMENCRYPTIE

Gelukkig zouden er in de toekomst nog veiligere alternatieven voor RSA kunnen zijn. Er is een manier om encryptie bijna volledig veilig te maken. Je kunt uitzoeken of een bedrieger met het bericht heeft geknoeid dat onderweg is van de zender naar jou toe. En omdat het vertrouwt op een van de fundamentele concepten van de natuurkunde kan niemand het omzeilen.

Kwantumencryptie gebruikt de eigenschappen van de kwantumwereld voor het veilig versturen van informatie. In een standaard communicatiesysteem met optische kabel wordt elke *bit* informatie (een 0 of 1) door de kabel vervoerd door miljoenen fotonen, lichtdeeltjes. Een luistervink kan een aantal fotonen afsplitsen (honderd of zo, meer niet) en erachter komen wat voor informatie ze over moesten brengen.

Bij kwantumcryptografie wordt elke bit vervoerd door een enkel foton. Als je dat foton verwijdert, is het voorgoed verdwenen en zal de ontvanger dit foton nooit meer ontvangen. De kwantumfysica vertelt ons ook dat je een enkel foton niet getrouw kunt kopiëren. Als iemand het probeert, zal het foton veranderen en deze verandering kan opgemerkt worden door de zender en de ontvanger. Door te kijken of er veranderingen zijn, kun je er achter komen of je boodschap in gevaar is geweest.

Kwantumcryptografie maakt gebruik van de ongebruikelijke eigenschappen van kwantummechanica voor het beschermen van versleutelde informatie. Als een luistervink probeert om een bericht af te luisteren dat wordt verzonden door een goed ontworpen kwantumcommunicatiekanaal, zal deze onherroepelijk het signaal verstoren en daardoor zijn of haar aanwezigheid onthullen.

MARK HILLERY

Tot nu toe is kwantumcryptografie alleen maar gebruikt in kleinschalige laboratorium-opstellingen en er zijn nog heel veel hordes die moeten worden genomen voordat het geschikt is voor de praktijk. Hierbij gaat het vooral om het betrouwbaar beheren van de kwantuminformatiedeeltjes. Maar binnen een paar decennia zou het alomtegenwoordig kunnen worden. Misschien dat onveiligheid dan iets uit het verleden wordt.

HOE JE MET ONZEKERHEID MOET LEVEN

- DE ATOMISERING VAN ENERGIE
- DE ONZEKERHEIDSREVOLUTIE
- ONZEKERHEID KAN JE VRIJHEID GEVEN
- SPOOKACHTIGE ACTIE
- ALLEMAAL GOED EN WEL, MAAR WAT HEEFT HET VOOR ZIN?

In het uurwerkuniversum van Newton bepaalden deterministische regels alles. Als je de beginomstandigheden kende en wist welke krachten invloed uitoefenden op een systeem, kon je de toekomst ervan berekenen. Dit deterministische systeem werd uitgebreid met licht in de negentiende eeuw, toen James Clerk Maxwell zijn meesterlijke vergelijkingen voltooide die aantoonden dat licht een elektromagnetische golf is. Er waren hier en daar wat kleine details die nog wat aandacht nodig hadden, maar voor het grootste gedeelte leek het alsof de natuurkunde klaar en af was.

DE ATOMISERING VAN ENERGIE

Minder dan een jaar na het begin van de twintigste eeuw begonnen er scheurtjes te ontstaan in dit deterministische model. Max Planck en Albert Einstein startten met wat later de kwantumrevolutie werd genoemd. Ze suggereerden dat licht een stroom van losse pakketjes, of *kwanta*, van energie zou kunnen zijn, in plaats van de continue golf die Maxwell had voorgesteld. Het idee van Planck was dat de energie die in een individuele kwantum licht (een foton) zit, in verhouding was met de gemeten frequentie ervan. Omdat elk foton een heel kleine hoeveelheid energie bevat, zouden er miljarden aanwezig zijn in elke situatie in de echte wereld zodat het licht dat uit een gloeilamp komt eruit zou zien als een golf.

Einstein gebruikte het idee van Planck om een fenomeen te verklaren dat bekend staat als het foto-elektrische effect, dat optreedt wanneer licht op een metalen oppervlak schijnt in een vacuüm. In 1899 had Philip Lenard ontdekt dat als je er licht van één kleur op liet schijnen, er elektronen uit de metaalatomen worden geduwd en dat elk elektron precies dezelfde hoeveelheid energie heeft. Het maakte niet uit hoe fel het licht was, de energie van elk elektron was hetzelfde. Het fellere licht zorgde er alleen maar voor dat er meer elektronen uit sprongen. Maar toen Lenard licht met een hogere frequentie gebruikte, merkte hij dat de elektronen die uit het metaal kwamen, ook meer energie bevatten. Einstein verbond het werk van Planck en Lenard. Hij liet zien dat een elektron alleen maar uit het metaal werd verwijderd als het geraakt werd door een foton met de juiste hoeveelheid energie. Als een foton niet genoeg energie had, slaagde dit er niet in om wat dan ook van zijn plaats te krijgen. Door dit resultaat kon Niels Bohr de conclusie trekken dat de elektronen in een atoom alleen bestaan in aparte banen rond de nucleus, elke baan komt overeen met een specifiek energieniveau. Een elektron kan van de ene naar de andere baan gaan, maar alleen als het een specifieke hoeveelheid energie kan winnen of verliezen, in de vorm van een foton.

De ideeën van Planck, Einstein en Bohr werden in de decennia daarna door natuurkundigen gebruikt om de fundamenten te ontwikkelen van datgene wat uiteindelijk kwantummechanica werd, de meest complete beschrijving die we kennen voor het gedrag van het heelal op de schaal van protonen, neutronen en elektronen. In het begin van de jaren dertig had de natuurkunde van het hele kleine zich werkelijk gevestigd. Het onthulde een soort wetenschap die Newton nooit zou hebben herkend.

DE ONZEKERHEIDSREVOLUTIE

Als een lichtgolf geïnterpreteerd kan worden als een stroom van deeltjes, kunnen deeltjes zoals elektronen dan ook worden beschreven als golven? Louis de Broglie vroeg zich dit af en in 1924 formuleerde hij een manier om de 'golflengte' van materiedeeltjes, zoals elektronen, te berekenen. Het duurde een paar jaar voordat de golf-deeltje-dualiteit werd geaccepteerd. Het hielp dat de Oostenrijkse natuurkundige Erwin Schrödinger aan het werk was geweest met een vergelijking voor het beschrijven van de aard van het elektron die op een golf lijkt, min of meer analoog met de vergelijkingen van Maxwell voor licht. Schrödingers golfvergelijking leverde een van de eerste consistente modellen van het atoom op. Dit hielp bij het gedeeltelijk verklaren van de hypothese van Bohr dat elektronen rond de nucleus bewegen in vaste (of gekwantiseerde) banen. De vergelijking van Schrödinger geeft niet precies aan waar een elektron zit, er wordt beschreven hoe groot de waarschijnlijkheid is dat een deeltje ergens is op een bepaald moment. Deze waarschijnlijkheidsgolf kan zich door de hele ruimte voortplanten, wat leidt tot het rare maar geldige resultaat dat sommige elektronen in de atomen van je vinger een hele kleine (maar groter dan nul) waarschijnlijkheid hebben dat ze aan de andere kant van het sterrenstelsel zijn.

Ik denk dat ik veilig kan zeggen dat niemand kwantummechanica begrijpt.
RICHARD FEYNMAN

Tegen de tijd dat de Broglie zijn Nobelprijs kreeg in 1929, was het duidelijk dat alle golven behandeld konden worden als deeltjes en dat alles wat tot nu toe als deeltjes werd gezien, ook als golven kon worden behandeld. Maar golf-deeltje-dualiteit was niet het eerste vage element dat door kwantumfysica geïntroduceerd werd in de zorgvuldig opgebouwde deterministische wereld van de wetenschap van de negentiende eeuw.

Rond dezelfde tijd dat de Broglie en Schrödinger bezig waren om de grenzen tussen golven en deeltjes te vervagen, was Werner Heisenberg druk doende om onzekerheid aan de wiskunde van de kwantummechanica toe te voegen. Zijn 'onzekerheidsprincipe' zegt, in het kort, dat we de positie en snelheid van een deeltje in de kwantumwereld niet met absolute zekerheid kunnen meten. Hoe nauwkeuriger de kennis van een van de twee eigenschappen is, hoe minder we weten over de andere. Het helpt niet als we een deeltje of golf bekijken als deze actief is, de kwantumtheorie zegt dat het bekijken van wat dan ook in de kwantumwereld het systeem verstoort.

Om een voorwerp te zien in onze dagelijkse macroscopische wereld gebruiken we onze ogen om het licht waar te nemen en te interpreteren dat door het voorwerp wordt weerkaatst. Maar het is moeilijk om een actief elektron te 'zien'. Als je er een foton tegenaan laat stuiteren, geef je het elektron een duwtje en misschien dat je hiermee het pad verandert van het deeltje dat je probeert te meten. Ofwel dat, of het elektron is al niet meer op de plaats waar dit eerst was toen het foton er tegenaan stuiterde, omdat kwantumdeeltjes met grote snelheid bewegen. Doordat je een systeem bekijkt, verandert het.

Het is de moeite waard om op te merken dat de golfvergelijking en het onzekerheidsprincipe niet gewoon maar wiskundige rariteiten zijn die met betere instrumenten of theorieën op een dag opgelost kunnen worden. Ze onthullen de fundamentele beperkingen van dat wat we kunnen weten over het gedrag van de natuur. Op kwantumniveau is het beste wat we kunnen doen, het uitwerken van de waarschijnlijkheid dat iets zal gebeuren, dat twee deeltjes zich op een bepaalde manier zullen gedragen. Anders dan de mechanistische kijk op de wereld van Newton zegt de kwantummechanica dat er maar één ding zeker is: er is niets dat we zeker weten.

ONZEKERHEID KAN JE VRIJHEID GEVEN

Je kunt de onzekerheid van de kwantummechanica van twee kanten bekijken. Als je denkt dat ze leidt tot een onzeker makend verlies van logische beheersing, bevind je je in gerenommeerd gezelschap. Einstein mag dan een van degenen zijn geweest die de kwantumrevolutie hebben opgestart, hij keurde de onzekerheden niet goed, hij vond het idee dat de natuur in essentie willekeurig is, afschuwelijk. Het was zelfs zo dat hij een groot gedeelte van zijn latere leven besteedde aan pogingen om gaten te vinden in de kwantummechanica. 'Ik ben ervan overtuigd dat Hij niet met dobbelstenen gooit,' schreef hij in een brief aan zijn collega Max Born in 1926. De 'Hij' in deze zin was de korte omschrijving van Einstein voor de algemene natuurwetten, en niet voor wat voor bovennatuurlijke godheid dan ook.

Een andere manier om de onzekerheid te bekijken is dat ze de natuur bevrijdt van de dwangbuis van het determinisme. Ze staat toe dat dingen gebeuren die geen enkele rationele verbeelding ooit voor mogelijk zou hebben gehouden vóór de 20ste eeuw. Kwantummechanica leidt bijvoorbeeld tot een opmerkelijk resultaat wanneer er besloten moet worden of een vacuüm werkelijk leeg is.

Het blijkt dat er een inherente onzekerheid is in de hoeveelheid energie die betrokken is bij kwantumprocessen en ook in de tijd die nodig is voor deze processen om zich voor te doen. Een andere manier om het onzekerheidsprincipe van Heisenberg uit te drukken is met energie en tijd: hoe nauwkeuriger je de ene variabele kent, hoe minder zeker je bent over de andere. Daardoor is het mogelijk dat gedurende heel korte tijdsbestekken de energie van een kwantumsysteem heel onbestendig kan zijn. Als het snel genoeg gebeurt, kunnen deeltjes zelfs in een vacuüm verschijnen, als ze maar weer verdwijnen wanneer de hun toegemeten tijd op is. Deze 'virtuele deeltjes' verschijnen in paren (bijvoorbeeld een elektron en zijn antimateriepartner, de positron) gedurende een korte tijd en daarna vernietigen ze elkaar. Volgens de kwantumtheorie is een vacuüm helemaal niet leeg, maar krioelen er paren virtuele deeltjes in rond die ineens opduiken en daarna weer verdwijnen.

Onzekerheid verklaart ook een vorm van radioactiviteit die alfaverval wordt genoemd. Alfadeeltjes, twee protonen en twee neutronen, zijn gewoonlijk verbonden aan een veel grotere nucleus. Om te ontsnappen hebben ze energie nodig om los te breken van de banden die ze op hun plaats houden. Het onzekerheidsprincipe schiet dan te hulp. Het alfadeeltje heeft een snelheid die goed gedefinieerd is (net als die van de nucleus) en dit betekent dat de positie ervan niet zo goed gedefinieerd is. Er is een kleine kans (maar de kans is niet nul) dat het deeltje zich op een bepaald punt buiten de nucleus zal bevinden, hoewel het technisch gezien niet de energie heeft om te ontsnappen. Op dit punt ontsnapt het alfadeeltje en nemen we radioactiviteit waar.

SPOOKACHTIGE ACTIE

De golfvergelijking van Schrödinger vertelt ons waar in de ruimte zich een enkel kwantumsysteem (een elektron bijvoorbeeld) bevindt en hoe de waarschijnlijkheidsdistributie in de loop der tijd verandert. In 1935 vroeg Schrödinger zich af wat er zou gebeuren als twee of meer kwantumtoestanden 'verstrengeld' raakten, met andere woorden, je zou dan dezelfde golfvergelijking kunnen gebruiken om ze allemaal te beschrijven. Verstrengeling betekent dat de systemen dezelfde toestand zullen delen. Wat gebeurt met de een, zal ook gebeuren met de ander. Tot op dit punt volgt dit het klassieke patroon: heel veel systemen kunnen met elkaar verbonden zijn en zo lang ze op de een of andere manier communiceren, kunnen ze hetzelfde lot delen.

Maar dan wordt kwantumverstrengeling erg raar. De lotsverbondenheid werkt voor deze systemen of ze nu een paar meter van elkaar zijn verwijderd of er een paar miljard lichtjaar tussen zit. Verander iets aan een deeltje in het systeem en de verstrengelde partner kan op hetzelfde moment veranderen.

Het klinkt alsof iets dat zo vreemd is de een of andere natuurkundewet zou moeten breken. In zekere zin doet het dat ook: een van de onlosmakelijke onderdelen van de relativiteitstheorie van Einstein is dat niets sneller kan gaan dan de snelheid van het licht. Als twee kwantumsystemen een lichtjaar van elkaar verwijderd zijn, zou het minstens een jaar duren voordat ze met normale middelen een boodschap aan elkaar kunnen overbrengen. Kwantumverstrengeling lijkt die regel te negeren. Dit is een ander aspect van de kwantummechanica dat Einstein niet leuk vond. Toen hij hoorde over verstrengeling, noemde de grote wetenschapper dit 'spookachtige actie op afstand' en haalde hij het aan als een reden temeer waarom kwantumfysica te raar was om juist te kunnen zijn.

Het scepticisme van Einstein was echter misplaatst. Bij experimenten in de jaren tachtig werd voor het eerst verstrengeling bij fotonen waargenomen en recenter hebben testen aangetoond dat de 'communicatie' tussen verstrengelde kwantumsystemen met een snelheid gaat die minstens 10.000 keer sneller is dan de lichtsnelheid. Terence Rudolph, een natuurkundige van het Imperial College in Londen, schreef in het tijdschrift *Nature* dat 'elke theorie die kwantumverstrengeling probeert te verklaren door een beroep te doen op een transmissiemechanisme wel heel spookachtig zal moeten zijn, misschien wel spookachtiger dan kwantummechanica zelf'.

ALLEMAAL GOED EN WEL, MAAR WAT HEEFT HET VOOR ZIN?

Toen de kwantummechanica opkwam in het begin van de twintigste eeuw, begonnen sommige natuurkundigen zich zorgen te maken over wat het allemaal betekende. Is een elektron werkelijk een golf? Wat stelt de golffunctie van Schrödinger precies voor in de echte wereld, buiten zijn wiskundige functie? Maar het succes van de kwantummechanica, ondanks de onzekerheden, is ongeëvenaard. Gedurende meer dan tachtig jaar werd zij meedogenloos bestudeerd en uitgebreid en toch is zij zich nog steeds de uiterste grens van het natuurkundig onderzoek: de kwantumtheorie vormt bijvoorbeeld de basis van de experimenten in de Large Hadron Collider van CERN in Genève.

In de echte wereld hebben de beslissingen van wetenschappers om zich te richten op de vreemde implicaties van de kwantummechanica in plaats van zich te veel te richten op het onbekende, behoorlijk wat opgeleverd. In een artikel in *Scientific American* ter ere van honderd jaar kwantummysteries schreven Max Tegmark en John Archibald Wheeler: 'Kwantummechanica speelde een grote rol bij het voorspellen van antimaterie, het begrijpen van radioactiviteit (wat leidde tot kernenergie), het verklaren van het gedrag van materialen zoals halfgeleiders, en het beschrijven van wisselwerkingen zoals die tussen licht en materie (wat leidde tot de uitvinding van de laser) en van radiogolven en nuclei (wat leidde tot MRI, waarbij met behulp van een zeer sterk magnetisch veld en korte radiogolven in het lichaam signalen worden opgewekt die vertaald worden naar een beeld van het inwendige.).' Hoe kunnen we het beste leven met al deze onzekerheid? Het blijkt dat je er behoorlijk goed in geslaagd bent om er de hele tijd al mee te leven.

HOE KEN
JE JEZELF?

Waar ben je? Niet geografisch, maar in de zin van waar bevindt jouw 'zelf' zich? Heb je een vrije wil? Weet je dat zeker? Het bewustzijn is de laatste buitenpost van het pure mysterie in ons wetenschappelijk begrip van de hersenen. Het is een gebied waar veel wetenschappers zich tot voor kort verre van hielden, ze stelden dat deze concepten te filosofisch zijn voor de experimentele aard van de wetenschap. Maar zoals elke neurowetenschapper of bioloog weet, zit er een groot gat in ons wetenschappelijk begrip van de manier waarop hoofd en lichaam met elkaar in verband staan.

HET MOEILIJKE PROBLEEM

Het 'moeilijke probleem' van het bewustzijn werd geformuleerd door de filosoof David Chalmers. Als we ervan uitgaan dat we alles kunnen begrijpen over hoe de hersenen werken, zei Chalmers, dan zouden we nog steeds geen idee hebben waarom er zoiets als ervaring door dit spul zou worden gegenereerd. Met andere woorden, waarom is er eigenlijk bewustzijn in het heelal?

De hersenen slaan informatie op in netwerken van neuronen of hersencellen. Er zijn meer dan 100 miljard neuronen in het brein. Groepen neuronen reageren in een bepaalde reeks wanneer een persoon een voorwerp ziet of ervaart, en dat patroon is de manier waarop een herinnering van het voorwerp wordt gevormd. De informatie die door netwerken wordt opgeslagen, bestaat niet alleen maar uit herinneringen. Het zouden instructies kunnen zijn over hoe het hormonenniveau gereguleerd moet worden om de lichaamstemperatuur te beheersen, of het zou een instinctieve reactie kunnen zijn op iets dat eruitziet als een roofdier. Tussenverbanden tussen neuronennetwerken vormen feedbacklussen voor het produceren van de eigenschap die we als bewustzijn ervaren, maar hoe dit precies gebeurt, is een mysterie.

Is dit een eend die naar links kijkt of een konijn dat omhoog kijkt? Dit soort beslissingen nemen we de hele tijd als we betekenis geven aan de informatie die bij onze zintuigen binnenkomt.

Wetenschappelijk gereedschap en technieken zijn langzaam aan begonnen het probleem aan te pakken. Neem de kwestie van de vrije wil. In 2008 toonden neurowetenschappers aan dat het besluit om een vinger te bewegen voorafgegaan wordt door meerdere seconden van verwerking in de hersenen, het grootste gedeelte daarvan vindt buiten de bewuste controle plaats. John-Dylan

Haynes van het Max Planck Institute for Human Cognitive and Brian Sciences in Leipzig begon met het plaatsen van vrijwilligers in een functionerende MRI (*magnetic resonance imaging*)-scanner. Deze machine maakt om de paar seconden foto's van de hersenen om zo een twee- of driedimensionaal beeld op te bouwen van real-time hersenactiviteit. De onderzoekers vroegen de vrijwilligers om op een knop te drukken met hun rechter- of linkerwijsvinger wanneer ze maar wilden. Tegelijkertijd keken de vrijwilligers naar een serie letters die op het scherm voor hen flikkerden en ze vroegen de vrijwilligers om de letter te onthouden die op het scherm verscheen op het moment dat ze besloten om op de knop te drukken. De resultaten die werden gepubliceerd in *Nature Neuroscience*, lieten zien hoe laat in het besluitvormingsproces ons bewustzijn actief wordt. Een volledige seconde voordat de knop werd ingedrukt, was de beslissing genomen door het bewustzijn van de vrijwilliger. Maar toen Haynes keek naar de activiteiten in de verschillende delen van de hersenen in de tijd voordat de knop werd ingedrukt, merkte hij veelbetekenende aanwijzingen op van activiteit in specifieke gebieden van de hersenen waarvan men denkt dat ze betrokken zijn bij uitvoerende functies en zelfverwerking. En deze gebieden waren al tien seconden actief voordat een beslissing om een knop in te drukken in het bewustzijn van de vrijwilliger opdook. Betekent dit dat vrije wil niet bestaat?

Ons bewustzijn heeft heel veel verschillende niveaus. Sommige, zoals wakker zijn, kunnen gemakkelijk worden gemeten. Andere, zoals een persisterende vegetatieve toestand, zijn moeilijker te beoordelen: iemand kan totaal niet in staat zijn om te communiceren, maar kan toch een significant bewustzijnsniveau in stand houden.

DE WETENSCHAPPELIJKE STUDIE VAN HET BEWUSTZIJN

Wetenschappers houden ervan om te beginnen met een goed gedefinieerd probleem als ze iets bestuderen wat ze nog niet begrijpen. Hierdoor werd werk aan het bewustzijn opgehouden omdat het zo moeilijk is om het onderwerp te definiëren. Maar er komt verandering in. 'De heldere, ondubbelzinnige definitie komt [vaak] pas aan het einde van het proces van wetenschappelijk onderzoek,' zegt Anil Seth, mededirecteur van het Sackler Centre for Consciousness Science aan de universiteit van Sussex. Het is mogelijk om onderscheid te maken tussen bewustzijnsniveau, tussen volledig in slaap en volledig wakker zijn, en bewustzijnsinhoud, de werkelijke bestanddelen van een bepaalde ervaring. Seth voegt hieraan toe: 'Er is nog een belangrijk onderscheid tussen primair bewustzijn, de ruwe onderdelen van een ervaring op elk moment, en wat mensen verschillend benoemen als hogere orde

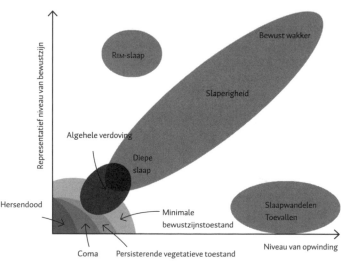

of reflexief bewustzijn. Dit is het deel van onze ervaring dat wordt geprojecteerd op ons concept van "Ik". Er is een ervarend onderwerp voor al deze ervaringen die we hebben. Ik heb het vermoeden dat het moeilijke probleem helemaal geen probleem meer zou hoeven te zijn als we de gemakkelijke problemen echt goed hebben aangepakt.'

ALLEEN MAAR EEN COMPLEXE MACHINE?

'Er zijn zestig gebieden geïdentificeerd in de hersenen,' zegt Igor Aleksander, een elektrotechnicus die probeert om machines te bouwen die het bewustzijn reproduceren. 'Binnen dit complexe systeem kunnen we gaan ontdekken wat de mechanismen zijn die een rol spelen bij onze beraadslagingen. Het bewustzijn moet uit deze wisselwerkingen komen.' Aleksander maakte deel uit van een kleine groep van wetenschappers die een aantal decennia geleden begon met het bekijken van bewustzijn vanuit een mechanistisch standpunt. Maar het werk werd breder geaccepteerd en meer mensen raakten geïnteresseerd toen DNA-pionier Francis Crick in 1994 *The Astonishing Hypothesis* schreef. De conclusie van Crick was dat bewustzijn eenvoudigweg een product is van de wisselwerking van neuronen. Uit bestudering van de hersenen in het begin van de jaren negentig kwam naar voren dat bewustzijn gestuurd moet worden door bepaalde mechanismen. Onderzoekers zagen dat wanneer de hersenen van mensen waren beschadigd, hun bewustzijn, hun kijk op de wereld en hun plaats daarin vaak vertekend werden.

Het bewustzijn bestaat, we weten wanneer we bewust zijn en wanneer niet. We kunnen beginnen met het bestuderen van deze verschillen, op dezelfde manier waarop natuurkundigen ongelooflijk veel vooruitgang hebben geboekt zonder dat ze zich zorgen maakten over de vraag waarom er eigenlijk een heelal bestaat.
ANIL SETH

'We begonnen met het bouwen van machines waarmee we hypotheses konden bestuderen over de vorming van bewustzijn,' zegt Aleksander. De studie is nuttig voor technici en biologen. Aan de ene kant van het continuüm staan degenen die machines willen bouwen die zich gedragen zoals een bewust organisme zou doen: computers, die zouden kunnen reageren op de onvoorspelbaarheid van mensen (bijvoorbeeld bij een telefonische boekingslijn). Anderen werken aan het andere uiteinde van het onderzoek, ze gebruiken modellen van machinebewustzijn in een poging om te begrijpen hoe bewustzijn werkt bij dieren.

DE AXIOMA'S VAN BEWUSTZIJN

Aleksander presenteerde zijn mechanistische visie op bewustzijn in de vorm van vijf kenmerken die een organisme (echt of kunstmatig) moet vertonen voordat het bewust kan worden genoemd. Een organisme moet zich bewust zijn van plaats, een voorstellingsvermogen hebben, aandacht kunnen richten, vooruit kunnen plannen en emoties vertonen.

Het eerste axioma komt van het idee dat we het gevoel hebben dat we het middelpunt vormen van een wereld die 'daarbuiten' is en dat we in staat zijn om onszelf in die wereld te plaatsen. Voorstellingsvermogen, het tweede axioma, is een uitdrukking van het menselijke vermogen om dingen te 'zien' die we in het verleden hebben ervaren en het oproepen van dingen die we nog nooit hebben gezien. Gerichte aandacht betekent dat we niet alleen maar passief weerspiegelen wat er in de wereld gebeurt, we kunnen onze aandacht ergens op richten en we zijn ons alleen bewust van de dingen waar we op letten. Vooruit kunnen plannen geeft ons de mogelijkheid om 'wat als'-oefeningen uit te voeren en scenario's te bedenken voor toekomstige gebeurtenissen. Ten slotte hebben we met emotie een gids waardoor we kunnen herkennen wat goed of slecht voor ons is. In biologie kunnen de axioma's vertaald worden in een manier om te begrijpen hoe hersenbeschadiging het bewustzijn van een persoon kan vervormen. 'In axioma één zijn oogbewegingen belangrijk,' zegt Aleksander. 'Parkinson is een bewegingsziekte door gebrek aan dopamine en zo, en de ogen letten ook niet zo goed op. Dat leidt tot een verstoord bewustzijn.' In dezelfde geest kijkt Anil Seth of psychiatrische stoornissen gedefinieerd kunnen worden als verstoringen van bewuste ervaringen.

BEWUSTE ROBOTS

Robots in boeken hebben altijd een persoonlijkheid: Marvin was paranoïde, c-3po was pietluttig en HAL 9000 was moordzuchtig. Maar de werkelijkheid is teleurstellend anders. Moderne robots zijn domme automaten die niet in staat zijn om een relatie aan te gaan met hun menselijke bestuurders. Ze zijn in staat om instructies op te volgen, maar kunnen niet zelf 'denken'. Een aantal jaar geleden vertelde Aleksander een groep kinderen over zijn werk met betrekking tot kunstmatig zien. Toen hij klaar was, stond een kind van zes jaar op dat totaal niet onder de indruk was. Ze zei heel nuchter tegen de ingenieur: 'Zien is heel gemakkelijk. Ik doe het, mijn kleine broertje doet het.' Het blijkt dat de dingen die mensen het gemakkelijkst vinden zoals het herkennen van gezichten of op een natuurlijke manier omgaan met andere mensen, de moeilijkste dingen zijn om te repliceren in machines.

Voor het bouwen van een kunstmatig bewustzijn is een soort 'brein' nodig. De eenvoudigste manier om dit te doen is nabootsing. Bij de eerste pogingen om dit te doen werden elektrische circuits aan elkaar gesoldeerd om netwerken van neuronen te imiteren. Moderne neurale netwerken zijn veel verfijnder en werken op software die gedrag kan 'leren', gebaseerd op wat ze het meeste doen. Zouden ze, terwijl ze steeds verfijnder worden, uiteindelijk aan de axioma's van bewustzijn kunnen voldoen? Aleksander zegt dat dit een categoriefout is. 'Het is alsof je vraagt of een paard een hond is. Op sommige punten is dat wel zo, op andere punten niet. Als het gaat om bewustzijn, is de allerbelangrijkste vraag die mensen vaak vergeten: als je een bewust object gemaakt hebt, waar is het zich dan bewust van?' Een bewuste robot zou zich er bijvoorbeeld bewust van zijn dat hij een stuk tin is met siliconencircuits, zoals een persoon zich er bewust van is dat hij of zij een biologisch organisme is. Als een kunstmatig apparaat dat geavanceerd genoeg is om te discussiëren met een persoon volhoudt dat hij net zo bewust is als een mens, dan functioneert hij niet goed, zegt Aleksander.

Sciencefiction zit vol met intelligente robots en computers waar het op de een of andere manier slecht mee afloopt en die mensen schade toebrengen of nog erger. Aleksander zegt dat dit technische problemen zijn in plaats van ethische dilemma's. 'Een bewuste machine die goed functioneert, zal je auto gaan besturen en de machine zal dat veilig doen. De machine zal erg tevreden zijn als hij dat doet en zal zich zorgen gaan maken als hij een ongeluk krijgt. Als de machine plotseling besluit om zijn passagier te doden en tegen een muur te rijden, dan is dat een storing,' zegt hij. 'Mensen kunnen ook op die manier gestoord zijn. Voor mensen heb je wetten om het te regelen, voor machines heb je technische procedures.'

WAAROM ZOUDEN WE ROBOTS BEWUST MAKEN?

Hoe zou bewustzijn nuttig kunnen zijn in een machine? Het kan voordelen opleveren voor een robot die een verre planeet verkent als hij zich bewust is van gevaren, blij is met zijn eigen successen. Computerwetenschapper Owen Holland van de University of Essex gelooft dat een bewuste robot interne modellen zou moeten bouwen, een voor het 'zelf' en een ander voor de wereld eromheen. Mensen doen dit soort dingen zonder erbij na te denken. Als we bijvoorbeeld iets realistisch willen plannen, moeten we niet alleen weten wat onze lichamelijke beperkingen zijn (wat we zouden kunnen doen) en wat de beste keuze is als we kijken naar onze opties (wat we zouden moeten doen), maar ook wat we waarschijnlijk zullen kiezen (wat we zouden doen). Holland gebruikt de analogie van een alcoholist die van zijn verslaving af probeert te komen. 'Hij kan naar de bar gaan in het volgende pand of naar de tabakswinkel 500 meter verder. Als hij zichzelf voor de gek houdt dat hij gewoon het café kan binnenstappen en alleen maar sigaretten zal kopen, dan weet hij dat hij ook iets te drinken zal kopen. Om succesvol te plannen moet hij weten wat hij zou gaan doen.'

Deze interne en externe modellen zouden de basis zijn van waaruit de robot ervaring op zou bouwen. Door te experimenteren met hoe het eigen lichaam reageert op de wereld eromheen, zal de robot leren wat goed voor hem is en wat niet. Bewustzijn in een robot zou betere robots opleveren. In plaats van blind te volgen wat geprogrammeerd is, zouden bewuste robots beter in staat zijn om dynamisch te reageren op hun omgeving, hun gedrag aan te passen aan de informatie die ze kunnen verzamelen.

In onze bewuste representatie moeten we constant beslissen wat de voorgrond en wat de achtergrond is. Deze afbeelding kan een vaas of twee gezichten voorstellen, maar het kan niet beide tegelijkertijd zijn.

Voor werkelijke tekenen van bewustzijn zal Holland kijken naar ongewone signalen bij zijn robots. 'Bewustzijn is eigenlijk zeer onvolmaakt. Het zicht dat we aan onszelf presenteren en het zicht op ons eigen verleden is heel erg vervormd. Als ik erachter komt dat het systeem echt dezelfde fouten heeft als [ons] bewustzijn dan denk ik dat we in staat zijn om te zeggen dat het waarschijnlijk is dat het menselijke bewustzijn zijn oorsprong heeft in een systeem van dit type.' Niemand weet nog wat bewustzijn is of hoe het naar boven komt, maar door te proberen het te repliceren, is het waarschijnlijk dat een onwaarschijnlijke coalitie van biologen en technici degene zal zijn die zomaar opeens op de geheimen ervan stuit.

31

HOE JE EEN PSEUDOWETENSCHAPPER HERKENT

- WIE GELOOFT WAT?
- DE VERDUISTERING
- IS HET PROBLEEM DAT WE NIET WETEN HOE WETENSCHAP WERKT?
- HOE JE EEN SCEPTICUS KUNT ZIJN
- DE BEPERKINGEN VAN KENNIS

Het wetenschappelijke denken is een schitterend iets. In slechts een paar eeuwen heeft deze zichzelf corrigerende methode voor het verzamelen van kennis een groot gedeelte van de wereld om ons heen gevormd. Het is een eenvoudig proces: bedenk een idee, test het met een experiment, trek conclusies en verfijn je idee. Herhaal dit totdat wordt bewezen dat je idee fout is of dat het iets toevoegt aan ons groeiend begrip van de natuur. Maar in de afgelopen paar decennia is er iets duisters aan de hand. Ondanks de vooruitgang, ondanks de onmetelijke voordelen, stijgt het geloof in de pseudowetenschap.

WIE GELOOFT WAT?

Een van de best ontwikkelde pseudowetenschappelijke ideeën van tegenwoordig is *intelligent design*. Deze hedendaagse vorm van het bijbelse creationisme stelt dat het leven veel te complex is om toevallig te zijn ontstaan. Daarom moet elk wezen op aarde wel ontworpen en gemaakt zijn door een intelligente entiteit. Ondanks de voortdurende en op bewijs gebaseerde weerleggingen van de evolutionaire biologen blijft het intelligent design sterk, vooral in de VS. Een van de centrale claims is dat als wezens zouden zijn geëvolueerd zoals de wetenschappers zeggen, waar zijn dan de tussenvormen in de fossielengeschiedenis? Waar zijn de wezens die eruitzien als een tussenstadium tussen twee andere wezens?

Als je het zo wilt noemen, is de *Tiktaalik roseae* het ultieme voorbeeld van een tussendier. Dit fossiel van een dier dat op een krokodil lijkt, dat in 2006 werd gevonden, komt uit het Devoon, 417-354 miljoen jaar geleden. Het had dezelfde schedel, nek en ribben als die van de vroege dieren met ledematen die we tetrapoden noemen, en ook primitievere kaken, vinnen en schubben die meer op die van vissen lijken. Het dier was een roofdier met scherpe tanden en een lichaam dat 2,75 m lang kon worden. Net als *Archaeopteryx*, het fossiel dat de kloof tussen reptielen en vogels overbrugde, was *Tiktaalik* een voorbeelddier dat evolutie in actie liet zien. Hier was een belangrijk stuk van de puzzel die een van de meest belangrijke overgangsrituelen in onze evolutionaire geschiedenis

De wetenschap is een manier om jezelf niet voor de gek te houden. Het eerste principe is dat je jezelf niet voor de gek moet houden, en jij bent degene die het gemakkelijkst voor de gek te houden is.
RICHARD FEYNMAN

liet zien: de overgang vanuit het water naar het land. Maar keihard bewijs is nooit genoeg om de intelligent-designlobby op andere gedachten te brengen. Zij zullen beweren dat er eerst een enkele fossiele kloof gaapte tussen twee soorten, maar dat er met de ontdekking van *Tiktaalik* nu twee kloven zijn ontstaan.

Een studie die uitgevoerd werd door de US National Science Foundation in 2006 liet zien dat het geloof in pseudowetenschap significant steeg tijdens de jaren negentig en zelfs nog in de eerste jaren van de eenentwintigste eeuw, voordat het een beetje daalde in 2005. Toch zegt ongeveer 75% van de Amerikanen dat ze in ieder geval één pseudowetenschappelijke overtuiging hebben. Minstens een kwart van de bevolking gelooft in astrologie, terwijl een derde gelooft dat het 'min of meer wetenschappelijk is'.

In Europa zijn de getallen zorgwekkender: 53% van degenen die werden ondervraagd in 2001 was van mening dat astrologie 'behoorlijk wetenschappelijk' is. Bij een andere Eurobarometer-opiniepeiling in 2005 gaf 41% van de ondervraagden astrologie een score van 4 op een schaal van 1-5 over hoe wetenschappelijk astrologie is (5 was meest wetenschappelijk). Economie scoorde hetzelfde. In vergelijking met de Amerikanen waren de Europeanen het ook vaker eens met de stelling dat 'sommige cijfers geluk brengen aan sommige mensen'.

DE VERDUISTERING

De prominente farmacoloog David Colquhoun van University College London stelt dat de afgelopen dertig jaar een tijd van 'verduistering' is geweest, het tegenovergestelde van de eeuwen van verlichting waarin de wetenschap werd geboren. Hij is min of meer wanhopig als hij schrijft: 'Het is een periode geweest waarin de waarheid niet meer zo belangrijk werd gevonden, en dogma en irrationaliteit werden weer achtenswaardig.' Is het echt zo erg? Evolutionair bioloog en aartsrationalist Richard Dawkins is ook pessimistisch. 'De wetenschap heeft een sonde naar Neptunus gestuurd, pokken uitgeroeid en een supercomputer gemaakt die 60 triljoen berekeningen per seconde uit kan voeren,' zei hij in *Enemies of Reason*, een programma waar de pseudowetenschap aan de kaak werd gesteld. 'De wetenschap bevrijdt ons van bijgeloof en dogma, en staat ons toe om onze kennis te baseren op bewijs. Goed, dat geldt voor de meesten van ons.' Hij zegt dat vandaag de dag de rede een strijd moet voeren. Irrationeel denken is een 'miljoenenindustrie die onze cultuur armer maakt en new-agegoeroes op ons pad gooit die ons aansporen om weg te rennen voor de werkelijkheid ... Ik geloof dat dit onze beschaving zwaar ondergraaft.'

In een toespraak voor de Royal Society in 2005 waarschuwde Robert May, die toen voorzitter was, dat de kernwaarden van de wetenschap, waaronder vrij onderzoek, 'ernstig werden bedreigd' door opkomend fundamentalisme:

> *Voor ons liggen gevaarlijke tijden. Er zijn ernstige problemen die voortkomen uit de werkelijkheden van de externe wereld: klimaatverandering, verlies van biologische diversiteit, nieuwe en weer opduikende ziektes, en nog meer. Veel van deze bedreigingen zijn nog niet urgent, maar door hun non-lineaire aard moeten we vandaag al handelen. En we hebben geen evolutionaire ervaring met handelen voor een verre toekomst; het ontbreekt ons zelfs aan een basisbegrip van belangrijke aspecten van onze eigen samenlevingen. Het is triest dat voor velen de reactie is om zich terug te trekken van complexiteit en moeilijkheden door het omarmen van de duisternis van fundamentalistische redeloosheid.*

IS HET PROBLEEM DAT WE NIET WETEN HOE WETENSCHAP WERKT?

Het is waarschijnlijk waar dat velen van ons niet echt weten hoe wetenschap werkt. Maar, tenzij je zelf een wetenschapper bent, waarom zou je alles moeten weten over de discussies, de theorieën waaraan wordt gewerkt, maar waarvan nooit wordt bewezen dat ze kloppen, de nauwgezette aard van vele experimenten en de dagelijkse frustraties die horen bij de details van onderzoek op het scherp van de snede? En dan hebben we het nog niet eens over het begrijpen van het proces van *peer review*, het proces van analyse door onderzoekers in een bepaald gebied dat wordt gebruikt om alle nieuwe ontdekkingen te beoordelen en te bepalen of een onderzoeksverslag in een wetenschappelijk tijdschrift opgenomen zal worden. Bij een opiniepeiling in 2004 in Groot-Brittannië, in opdracht van Science Media Centre en het tijdschrift *Nature*, bleek dat 75% van het publiek niet wist wat dit basisaspect van het wetenschappelijke onderzoek werkelijk was. Als we zelfs niet beschikken over de kennis van wat wetenschap is, hoe kan van iemand worden verwacht dat hij wetenschap van pseudowetenschap kan onderscheiden? Door onderwijs kan hierin verandering komen.

HOE JE EEN SCEPTICUS KUNT ZIJN

De Amerikaanse natuurkundige Robert L. Park heeft een motto voor iemand die vaag denken opspoort. 'Voor buitengewone beweringen is buitengewoon bewijs nodig,' schreef hij in zijn boek *Voodoo Science*. Hiermee geeft hij de gevoelens weer van de grote astronoom en popularisator van de wetenschap, Carl Sagan, en van de filosoof en scepticus David Hume.

Het belangrijkste punt is dat je geen wetenschapper hoeft te zijn om wetenschappelijk te denken. Wetenschappers zijn professionele sceptici die een manier van denken gebruiken die iedereen zou moeten gebruiken. Door deze manier van denken kun je snel onderscheiden of iets geloofwaardig is of gewoon geklets. Het eerste waar je naar moet kijken bij pseudowetenschap is dogma. Op de website van de UK Skeptics staat een uitstekende handleiding voor pseudowetenschap en daar wordt dogma als volgt gedefinieerd:

> *Een dogmatische overtuiging of positie is er een waarvan de voorstanders vinden dat het een geaccepteerde autoriteit heeft; als zodanig kan het niet in twijfel worden getrokken of betwist worden. Pseudowetenschappen hebben zich meestal maar heel weinig of helemaal niet ontwikkeld, omdat het dogma eerst werd vastgesteld. Onderzoek of experimenten die op het gebied worden uitgevoerd, worden over het algemeen meer gedaan om de overtuiging te rechtvaardigen dan om kennis te verbeteren.*

De wetenschap is een continue proces van zelfverbetering. Als iemand een onweerlegbaar bewijsstuk ontdekt dat ingaat tegen de geaccepteerde theorie, hebben wetenschappers maar weinig keus, ze moeten die theorie weggooien en opnieuw beginnen. Pseudowetenschappers werken andersom. Ze beginnen met een conclusie over iets en gaan dan zoeken naar de redenen waarom dat idee juist zou kunnen zijn. Dit leidt tot de hele slechte gewoonte waarbij onderzoek dat het centrale idee tegenspreekt, wordt verworpen terwijl onder-steunend bewijs wordt benadrukt. En je kunt het wel vergeten dat het onderzoek wordt gepubliceerd in wetenschappelijke tijdschriften die peer review toepassen. Het is normaal dat pseudowetenschappelijke 'ontdekkingen' rechtstreeks naar kranten of televisiestations worden gestuurd, het kwaliteitscontroleproces van de normale wetenschap wordt zo overgeslagen.

De kwaliteit van het bewijs is ook belangrijk: over het algemeen is het verzamelen van anekdotes geen slechte manier om ergens informatie over te verzamelen, maar gewoonlijk zijn ze niet goed genoeg voor een juist wetenschappelijk begrip van een onderwerp. Het proces waarmee we verhalen maken over een gebeurtenis, is onvolmaakt, en terwijl een serie anekdotes zou kunnen leiden tot een bepaalde conclusie, zou een andere reeks anekdotes heel gemakkelijk kunnen leiden tot een compleet andere conclusie. Goede wetenschap vertrouwt altijd op onafhankelijk van elkaar controleerbare empirische gegevens.

Een ander kenmerk van de pseudowetenschapper is bevestigingsneiging. Heb je ooit aan iemand gedacht en ben je vervolgens die persoon tegengekomen op straat of werd je door die persoon opgebeld? Zou het zo kunnen zijn dat dit bewijs is voor een psychische band tussen jullie? Waarschijnlijk niet. Dit is meer een voorbeeld van een selectief geheugen. Hoe zit het met al die duizenden keren dat je aan iemand dacht en er niet werd gebeld en je die persoon niet op dezelfde dag tegenkwam?

DE BEPERKINGEN VAN KENNIS

Sommige pseudowetenschappen tarten de beperkingen van onze wetenschappelijke kennis. Als je niet kunt uitleggen hoe iets werkt met de huidige ideeën, zeggen sommige pseudowetenschappers, zou het wel eens zo kunnen zijn dat we nieuwe wetenschappelijke theorieën nodig hebben. Dit begint met een korrel waarheid, er is geen enkele wetenschapper die beweert dat de wetenschap alles kan verklaren. Maar pleiten voor een volledig nieuwe natuurwet is een hele grote stap. Om het motto van Park, Sagan en Hume te parafraseren, je hebt behoorlijk verbazingwekkend bewijs nodig om dat met succes voor elkaar te krijgen. In plaats van het omvergooien van eeuwen van natuurwetten is het veel waarschijnlijker dat je een fout in je experiment hebt gemaakt of iets verkeerd hebt gemeten.

Homeopaten denken dat aandoeningen behandeld kunnen worden door een ingrediënt opgelost in water in te nemen. Kinabast voor malaria of arsenicum voor angsten. Het is pervers dat homeopaten geloven dat hoe sterker verdund een oplossing is, hoe krachtiger de effecten ervan zullen zijn. Dit betekent dat een paar van de meest 'krachtige' homeopathische behandelingen zo sterk zijn verdund dat er een steeds kleinere waarschijnlijkheid is dat zelfs maar een enkele molecuul van het actieve ingrediënt in de oplossing overblijft. Homeopaten zeggen dat het niet uitmaakt, dat het water de ingrediënten 'onthoudt'. Maar ze kunnen niet uitleggen hoe hun behandelingen werken en ze hebben geen aannemelijke theorieën.

Pseudowetenschappers willen zich dan misschien niet vermoeien met wetenschappelijke processen of bewijzen, maar ze zijn zich heel goed bewust van de autoriteit van de wetenschap als een manier om de rest van ons ervan te overtuigen dat iets onze tijd waard is. Om deze reden voegen veel pseudowetenschappers onterecht wetenschappelijke woorden of zelfs volledige wetenschappelijke concepten toe aan hun onzinnige beweringen; ze kunnen dit veilig doen omdat ze weten dat de mensen die ze voor de gek willen houden, het nooit zullen controleren. De ideeën die het meest gebruikt worden, zijn die aan de onvoorspelbare randen van de fysica: homeopaten hebben geprobeerd om de chaostheorie te gebruiken om hun ideeën uit te leggen, terwijl kwantummechanica vaak wordt ingeschakeld om psychische krachten of telekinese te verklaren. Het is waar dat we nog steeds heel veel moeten leren over veel wetenschappelijke ideeën. Maar hoe vreemd chaos- of kwantumtheorie ook wordt, geen enkele serieuze wetenschappers is tot nu toe afgedwaald naar het paranormale.

En ten slotte, als je ooit een actiegroep tegenkomt die denkt dat wetenschap een samenzwering is, een manier om de waarheid te onderdrukken en je te verblinden zodat je niet ziet wat er werkelijk gebeurt in de wereld, loop langzaam achteruit, draai je om en ren heel hard weg.

HOE JE EEN CYBORG KUNT WORDEN

- HET LICHAAM OPNIEUW OPBOUWEN
- VERBETERINGEN VOOR GEZONDE MENSEN
- NIEUWE ORGANEN IN PLAATS VAN DE OUDE
- NEUROVERBETERING
- SOMA VOOR DE MASSA'S
- ZOU JIJ HET DOEN?

'We kunnen hem opnieuw opbouwen, we hebben de technologie,' zo begon elke aflevering van *De man van zes miljoen*, de tv-klassieker uit de jaren zeventig. De hoofdpersoon, Steve Austin, kreeg implantaten ingebouwd nadat hij gewond was geraakt bij een ongeluk. En ook in het echte leven zijn protheses en robotachtige lichaamsonderdelen meestal voorbehouden aan mensen die een bepaalde lichaamsfunctie zijn kwijtgeraakt door een ongeluk of ziekte. Maar als betrouwbare bionische lichaamsonderdelen beschikbaar zijn, waarom zouden we ze dan niet gebruiken om gezonde mensen nog beter te maken? Stel je soldaten voor die elke dag tientallen kilometers door een woestijn zouden kunnen rennen. En wat vind je ervan als je ook je hersenen zou kunnen verbeteren?

HET LICHAAM OPNIEUW OPBOUWEN

Door muren kijken of inzoomen op verre voorwerpen zijn een paar van de speciale talenten die Steve Austin had. Voor zijn moderne tegenhanger zijn wetenschappers aan het werk geweest om aan mensen die blind zijn geworden door een ziekte hun gezichtsvermogen terug te geven. Degeneratieve ziektes van het netvlies leiden tot het afsterven van staafjes en kegeltjes, de cellen die verantwoordelijk zijn voor lichtwaarneming, aan de achterkant van het oog. Wereldwijd lijden meer dan anderhalf miljoen mensen aan een vorm van erfelijke blindheid die *retinitis pigmentosa* heet en, in een ouder wordende populatie, komt zichtverlies steeds vaker voor.

Een bionisch oog werkt door het versturen van een beeld van een hele kleine videorecorder in een bril rechtstreeks naar het netvlies, waar een implantaat het signaal omzet in elektrische stroompulsen.

Daniel Palanker, een natuurkundige van de Stanford University in Californië, had het idee om voorbij te gaan aan de dode staafjes en kegeltjes, en de cellen van het binnennetvlies rechtstreeks te stimuleren met elektrische signalen. Eerder onderzoek had aangetoond dat deze methode zorgde voor waarneming van licht en Palanker bouwde iets om hier gebruik van te maken. Zijn 'bionische oog' bestaat uit een chip van 3mm die geïmplanteerd is in het netvlies en een bril in *virtual reality*-stijl die een videocamera bevat. De bril zet de videobeelden om in een infrarood beeld. Het beeld wordt op het

netvlies geprojecteerd waar het implantaat met lichtgevoelige pixels het omzet in elektrische stroompulsen die de cellen in het netvlies stimuleren.

In 2008 werd een beperkt onderzoek uitgevoerd onder patiënten in het Moorfield Eye Hospital in Londen. Twee mannen van in de vijftig met retinitis pigmentosa kregen hun gezichtsvermogen gedeeltelijk terug door het gebruik van de bionische oogimplantaten. Ze waren in staat om zonder hulp rond te lopen en konden eenvoudige voorwerpen onderscheiden.

De ogen zijn niet de enige lichaamsonderdelen die geholpen kunnen worden met door de computer ondersteunde technologie. Wetenschappers zijn ook bezig met het verbeteren van ledematen. Moderne kunstmatige handen geven bijvoorbeeld hun dragers een betere kwaliteit van leven, maar ze hebben maar weinig van de functionaliteit van de echte handen die ze vervangen. De huidige technologie zou ervoor kunnen zorgen dat een drager zijn hand opent en sluit of zij kan hem een haak geven zodat hij voorwerpen kan verplaatsen, maar veel meer functionaliteit is er niet.

Aan de Rutgers University in New Jersey in de vs heeft William Craelius een kunstmatig handsysteem ontwikkeld dat Dextra heet. Door het registreren van de beweging van spieren in het overgebleven stuk van de arm, wanneer een persoon denkt aan het bewegen van zijn hand, kan Dextra maximaal drie vingers sturen. Verschillende patronen van spierbewegingen komen overeen met verschillende bewegingen en, na een paar minuten om te kalibreren, is de hand klaar om in actie te komen. Dextra zorgt ervoor dat de drager langzaam kan typen of piano spelen. Een van de patiënten van Craelius slaagde er zelfs in om saxofoon te spelen. Craelius werkt nu aan het programmeren van Dextra om meer complexe gecoördineerde bewegingen uit te voeren zoals het vastpakken van een sleutel, het openen van een deur of het vasthouden van een hamer.

Als je ooit problemen hebt gehad met je knie, kun je moed ontlenen aan de ontwikkelingen bij het IJslandse bedrijf Ossur. De *power knee* zorgt ervoor dat traplopen of het beklimmen van een heuvel helemaal geen moeite meer kost dankzij een motortje dat verstopt zit in het gewricht. Bij normale beenprotheses is het de drager die er de energie voor levert doordat deze zijn beenstomp draait en optilt om het kniegewricht te buigen, maar dit kan belastend zijn voor de rug. De beenprothese kan ook uit het gelid gaan lopen met het andere been, waardoor traplopen heel zwaar wordt. De *power knee* 'praat' met een sensor die in de schoen zit van het andere been, zodat de benen in het gelid blijven lopen.

VERBETERINGEN VOOR GEZONDE MENSEN

Tot nu toe hebben we het over verbeteringen gehad voor mensen die een lichaamsfunctie hebben verloren maar, indien gewenst, kunnen technologieën ook aangepast worden voor gebruik door mensen die geen functie missen. Als je verbeteringen wilt om van mensen supermensen te maken, hoef je alleen maar naar het leger te kijken. Een cyborg is niet compleet zonder bovenmenselijke kracht en Homayoon Kazerooni van de University of California in Berkely kan helpen. Zijn technologie is een robotachtig instrument dat een persoon aan kan trekken en hem of haar in staat stelt om moeiteloos een zware last te dragen.

Het Berkeley Lower Extreme Exoskeleton (Bleex) past langs je benen en heeft een frame op de rug van de drager waar een rugzak op past. De maximale belasting is ongeveer 90 kilo en Kazerooni beweert dat de drager hier niets van zal voelen. Bleex combineert de beste aspecten van menselijke interactie en besluitvormingsprocessen met de pure kracht van machines. Het heeft meer dan veertig sensors en een hydraulisch systeem dat, volgens de uitvinders, ongeveer net zo werkt als het menselijke zenuwstelsel. De sensors leveren informatie aan een centraal computerbrein dat voortdurend berekent hoe het gewicht verdeeld moet worden, zodat de drager er maar heel weinig of helemaal niets van voelt.

Steve Austin, astronaut. Een man die nog maar nauwelijks leeft. We kunnen hem opnieuw opbouwen. We hebben de technologie ervoor. We zijn in staat om de eerste bionische man van de wereld te bouwen. Steve Austin zal die man zijn. Beter dan hij eerst was. Beter, sterker, sneller.

DE MAN VAN ZES MILJOEN (TITELROL AAN HET BEGIN VAN ELKE AFLEVERING)

De militaire gebruiksmogelijkheden van Bleex zijn overduidelijk: soldaten die grote lasten kunnen dragen zonder dat ze moe worden, zouden op elk slagveld nuttiger zijn. Maar de bedenkers stellen dat er ook heel veel toepassingen in het gewone leven zijn: brandweermannen die ladders op moeten met zware apparatuur, of hulpverleners bij een ramp die voorraden moeten meenemen naar gebieden waar geen voertuigen kunnen komen.

NIEUWE ORGANEN IN PLAATS VAN DE OUDE

Wat gebeurt er wanneer een supersoldaat die een Bleex-systeem draagt gewond raakt? Wat als die verwonding zo ernstig is dat een orgaan onherstelbaar wordt beschadigd? De oplossing is natuurlijk een transplantatie, maar dat is niet zo eenvoudig. Overal zijn de wachtlijsten lang en het kan moeilijk zijn om een orgaan te vinden dat niet meteen wordt afgestoten. Daarnaast zal de patiënt medicijnen moeten gebruiken voor de rest van zijn of haar leven om te voorkomen dat het nieuwe orgaan wordt aangevallen door het immuunsysteem.

Maar hoe zou het zijn als je eigen organen kunt laten groeien? Onderzoekers hopen dat ze nieuw weefsel kunnen laten groeien uit stamcellen om beschadigd materiaal te vervangen. De logische uitkomst van dit werk zou zijn dat men genetisch passende organen zou laten groeien die niet zouden worden afgestoten door het immuunsysteem. Tot nu toe hebben wetenschappers pezen, kraakbeen en blazen laten groeien uit stamcellen, maar geen van deze weefsels heeft de complexiteit van organen. Dat zijn structuren met tientallen verschillende soorten cellen. In 2007 liet een onderzoeksteam van het Imperial College Londen een gedeelte van een menselijk hart groeien uit stamcellen. Ze produceerden een platte laag cellen die zich op dezelfde manier gedroeg als een hartklep. Dit was een grote prestatie.

Voor een volledig orgaan is meer nodig: een frame waarop het kan groeien. Gelukkig is de vooruitgang hier ook snel verlopen, er zijn hele kleine proteïneframes ontwikkeld waarop stamcellen vastgemaakt kunnen worden en die rechtstreeks in een patiënt getransplanteerd kunnen worden. Het frame, ontwikkeld in muizen door Shugang Zhang aan het Massachusetts Institute of Technology, stimuleert de stamcellen om uit te groeien tot een driedimensionale structuur en is zelf niet schadelijk voor de patiënt.

Het kan nog wel een decennium duren voor er nieuwe organen gemaakt kunnen worden met behulp van deze methode, maar ondertussen zouden we gebruik kunnen maken van een eindeloze voorraad van dierlijke organen. Anthony Warren van het Imperial College Londen heeft gewerkt aan 'vermenselijkte' versies van varkensorganen die zo zijn aangepast dat ze rechtstreeks geïmplanteerd kunnen worden in patiënten. Varkens zijn ongeveer net zo groot als mensen en kunnen in grote aantallen worden gefokt. Genetisch lijken ze genoeg op ons zodat hun organen ook in mensen kunnen werken, maar ze staan ook weer ver genoeg van ons om het risico van de overdracht van infecties te verminderen.

Veel van het onderzoek naar xenotransplantatie, het proces van het gebruiken van dierlijke organen in mensen, werd als pionierswerk uitgevoerd in de jaren negentig in Groot-Brittannië, maar het werk kreeg met problemen te maken. Het grootste probleem is het immuunsysteem van het lichaam. Antistoffen in het bloed zullen zich binden met het oppervlak van elk orgaan dat van buiten komt, zoals een nier, en het binnen uren afstoten. Het doel waar deze antistoffen op afgaan is een koolhydratenstructuur op de organen die *gal epitope* wordt genoemd. Door varkens te fokken die deze substantie niet in hun cellen hebben zitten, wordt de kans op afstoting sterk verkleind.

NEUROVERBETERING

En hoe zit het met de hersenen? Tot aan de laatste jaren van de twintigste eeuw wisten wetenschappers maar heel erg weinig over hoe je de hersenen kunt manipuleren of kunt aflezen op het niveau dat nodig is om de vaardigheden ervan op een betrouwbare manier te verbeteren. Maar dat begon te veranderen in 2006 toen John Donoghue van het hersenswetenschapsprogramma van Brown University in Rhode Island een elektronische chip van 4 mm^2 implanteerde in de hersenen van Matthew Nagle. Deze 25-jarige man uit Massachusetts was vijf jaar daarvoor vanaf zijn nek verlamd geraakt doordat iemand hem met een mes had gestoken, waardoor zijn ruggengraat werd beschadigd. Het implantaat dat BrainGate werd genoemd, zorgde ervoor dat Nagle een cursor op het scherm kon besturen en de hand van een ledemaatprothese kon openen en sluiten door alleen maar te denken aan de relevante acties.

Het implantaat bevat honderd elektrodes, elke elektrode is dunner dan een enkele haar van een mens. Het werd in dat gebied van de hersenen van Nagle geplaatst dat motorische functies bestuurd, ongeveer 1 mm onder het oppervlak. Het instrumentje ving de elektrische activiteiten tussen neuronen op en voerde dit in een computer in die in staat was om de signalen te interpreteren als betekenisvolle instructies.

Dit soort hersenimplantaten zouden op een dag zo ontwikkeld kunnen worden dat ledemaatspieren bestuurd kunnen worden door het denken alleen. Hierdoor kan iedereen met ruggengraatbeschadigingen de opgelopen schade omzeilen. Nog verder in de toekomst zouden implantaten iedereen kunnen helpen met het besturen van elektronische voorwerpen door er alleen maar aan te denken.

SOMA VOOR DE MASSA'S

Als je geen zin hebt in een operatie voor het verbeteren van je hersenvermogen, waarom neem je dan niet gewoon een pil? Het idee dat allerlei gemakkelijk verkrijgbare medicinale middelen gebruikt kunnen worden om het geheugen te verbeteren of de intelligentie te verhogen is iets voor sciencefictiondystopie. In *Brave New World* beschrijft Aldous Huxley een hele planeet die onder de invloed staat van een pretdrug die Soma wordt genoemd en die door de regering wordt gebruikt om mensen meegaand te houden. Maar zouden dit soort middelen ook voor goede doeleinden kunnen worden gebruikt?

Middelen die invloed hebben op de hersenen zijn al heel gewoon. Veel mensen kunnen de dag nauwelijks beginnen zonder de breinverscherpende effecten van cafeïne of nicotine. Maar medicijnen die zijn ontwikkeld om ziektes zoals Alzheimer te behandelen, zullen waarschijnlijk meer gebruikt gaan worden door gezonde mensen die hun perceptie, geheugen, of vermogen tot plannen en oordeelsvorming willen verbeteren. Ritalin, wat wordt voorgeschreven aan kinderen met ADHD, wordt vaak gebruikt door gezonde mensen die hun mentale prestaties willen verbeteren. Modafinil, een medicijn dat werd ontwikkeld om narcolepsie te behandelen, blijkt impulsiviteit te verminderen en helpt mensen om zich te richten op problemen omdat het werkgeheugen en de planning er door verbeterd kunnen worden. Modafinil is al door het Amerikaanse leger gebruikt om soldaten alert te houden. Sommige wetenschappers denken er over na of het mensen in ploegendienst zou kunnen helpen beter om te gaan met de onregelmatige werktijden.

ZOU JIJ HET DOEN?

Alle soorten verbeteringen voor mensen roepen heel veel ethische vragen op, van veiligheidsoverwegingen tot ideeën over het soort samenleving waarin je zou willen leven. Het fictieve leven van Steve Austin is veel rechtlijniger dan de werkelijke vragen rond de toekomstige technologieën die we tot onze beschikking zullen krijgen. Als we dat zouden willen, zouden we in cyborgs kunnen veranderen. Misschien zou je het meeste bezwaar hebben tegen het gebruik van middelen die invloed hebben op je hersenen waardoor je harder of langer kunt werken. Maar in een wereld waar al je collega's het doen, kun jij het je dan veroorloven om achter te blijven?

HOE JE GEDACHTEN KUNT LEZEN

- ○ HERSENSCANREVOLUTIE
- ○ DE HERSENEN LEZEN
- ○ DE VERBORGEN WERKING VAN HET DENKEN
- ○ SOCIALE NEUROWETENSCHAP
- ○ WAARHEIDSDETECTIE
- ○ ETHISCHE KWESTIES

In 2003 voerden neurowetenschappers een moderne versie van de Pepsi Proef uit waarbij mensen moesten aangeven of ze de voorkeur geven aan Coca Cola of Pepsi. De onderzoekers kwamen erachter dat de vrijwilligers besluiten namen die gebaseerd waren op hun herinneringen van een bepaald drankje en op de smaak. **Door het scannen van hun hersenen konden wetenschappers een beeld opbouwen van de factoren die ze in overweging namen wanneer ze aangaven waar hun voorkeur naar uitging. Maar wat zijn de ethische consequenties van deze vooruitgang? De geheime wereld in ons hoofd zal mogelijk niet langer privé blijven, terwijl scans onze verlangens, vooroordelen en zelfs de inhoud van onze gedachten onthullen.**

HERSENSCANREVOLUTIE

Vroeger moesten neurowetenschappers zich beperken tot het bestuderen van objectglaasjes met dood weefsel onder de microscoop of ze moesten heel veel scans bekijken van mensen met hersenbeschadigingen of neurodegeneratieve ziektes om uit te zoeken welk deel van de hersenen verantwoordelijk was voor welke taak. In het verleden ging het bij de hersenwetenschap voor een groot gedeelte over fysiologie en structuur. Voordat scanners de hersenen konden bekijken terwijl ze actief waren, waren de antwoorden op de fundamentele vragen over hoe de *wetware* of de witte en grijze materie in de hersenen netwerkten om ons de zintuigelijke ervaring van de wereld te geven, buiten ons bereik.

Opeenvolgende generaties hersenscanners hebben dit allemaal veranderd. Ze zijn gebruikt om alles te beoordelen: van beschadigingen van cellen door een beroerte tot het lokaliseren en afbeeldingen vormen van tumoren ter voorbereiding op een operatie. En ze worden steeds meer gebruikt om erachter te komen wat voor actieve rol bepaalde delen van de hersenen spelen bij uiteenlopende taken, van taal tot het geheugen, van liefde tot angst, van onze seksuele normen tot ons rechtvaardighcidsgevoel.

DE HERSENEN LEZEN

Machines die een afbeelding vormen van de hersenen, kunnen verdeeld worden in twee basistypes: structureel, voor het opbouwen van beelden van hoe de hersenen eruitzien en wat waar zit; en functioneel, om erachter te komen wat de onderdelen doen. Bij *computed tomography* (CT-) scans wordt een serie röntgenstralen vanuit verschillende hoeken gebruikt om een beeld op te bouwen van het hoofd. Vaak wordt na een ongeluk eerst de CT-scan gemaakt om te kijken of de hersenen zijn beschadigd. Het elektrische zoemen van de hersenneuronen kan gemeten worden door elektroden op de schedel te plakken. Artsen kunnen zo veranderende hersenactiviteit zien op een scherm als een grafiek die *electro-encephalogram* (EEG) wordt genoemd. *Positron emission tomography* (PET) is een techniek die sensors gebruikt om een radioactieve *tracer* (merkstof) waar te nemen die in de bloedstroom van een patiënt is geïnjecteerd. De merkstof gaat uiteindelijk naar de hersenen en stapelt zich op in bepaalde gebieden, afhankelijk van de gebruikte chemische stoffen. Gedurende lange tijd was PET de beste manier om die delen van de hersenen te identificeren die betrokken zijn bij een specifieke taak.

Voor sommige toepassingen, zoals het traceren van de functie van specifieke receptoren in de hersenen, is PET nog steeds het beste gereedschap om een functie te controleren. Maar moderne realtime controle van de hersenen wordt voor het grootste gedeelte uitgevoerd door *functional magnetic resonance imaging* (fMRI), waarbij magnetische velden en radiogolven worden gebruikt om een 3D-beeld van de bloedstroom in de hersenen op te bouwen. Als hersencellen actief moeten worden, gebruiken ze meer brandstof, in de vorm van glucose, en er stroomt veel meer bloed naar de cellen. Door elke paar seconden een foto te maken van deze veranderende bloedstroom kunnen fMRI-scanners vastleggen hoe de hersenen reageren op een prikkel, bijna in realtime. Heel veel delen van de hersenen reageren behoorlijk voorspelbaar wanneer bepaalde taken worden uitgevoerd en door fMRI hebben wetenschappers deze kunnen catalogiseren. We weten bijvoorbeeld dat activiteit in de insula van de hersenen te maken heeft met afkeer, en activiteit in de amygdala, een van de primitiefste structuren in het midden van de hersenen, is verbonden met bezorgdheid en angst.

Er is een belangrijk voorbehoud: fMRI kan wetenschappers vertellen welke delen van de hersenen actief zijn, maar voor het toekennen van betekenis aan de resultaten is nog steeds interpretatie nodig. Deze kan verschillend zijn, afhankelijk van de wetenschapper en het proces dat wordt gebruikt. Stel dat je in een scanner ligt en kijkt naar een foto van een familielid. De scanner laat activiteiten zien in de visuele cortex en in netwerken van neuronen die een bepaalde herinnering coderen en emoties die geassocieerd worden met de foto. Misschien kan de scanner ook activiteiten identificeren in de hogere delen van de hersenen die te maken hebben met bewuste actie en met het denken. De scanner kan zien dat je gedachten hebt, maar is helemaal niet in staat om iemand te vertellen wat je precies denkt. Scanners kunnen hersenen lezen, maar niet je gedachten.

DE VERBORGEN WERKING VAN HET DENKEN

Een oppervlakkig onderzoek van wetenschappelijke tijdschriften zal onthullen dat er in het afgelopen decennium een sterke toename is geweest van het gebruik van fMRI in ziekenhuizen en onderzoekslaboratoria. In 2008 ontwikkelden wetenschappers een manier om te voorspellen waar een persoon naar keek door te kijken naar zijn of haar hersenscans. Een computerprogramma analyseerde scans die waren gemaakt van vrijwilligers terwijl ze keken naar een serie zwart-witfoto's. Het programma was in staat om in negen van de tien gevallen goed aan te geven naar welke foto de vrijwilliger had gekeken. Willekeurig raden zou een score van 8 keer goed op 1000 pogingen hebben opgeleverd. Het zou snel mogelijk kunnen zijn om op deze manier een volledig beeld van de visuele ervaringen van een persoon te reconstrueren door het meten van hersenactiviteit.

Bij een experiment van het University College London (UCL) droegen vrijwilligers *virtual reality*-koptelefoons terwijl ze door een virtueel gebouw zwierven. Een van de uitkomsten was dat bepaalde neurale netwerken lijken te coderen waar een persoon zich bevond in deze virtuele werelden. Door scans te gebruiken van deze cellen waren de onderzoekers in staat om te voorspellen waar elke vrijwilliger was in het gebouw. Het onderzoek bij UCL was een onderdeel van een onderzoek naar de manier waarop herinneringen worden gevormd en opgeslagen in een deel van de hersenen dat de hippocampus wordt genoemd. Wetenschappers hopen dat als ze dit beter begrijpen, ze meer inzicht krijgen in ziektes zoals Alzheimer, die herinneringen kunnen vernietigen.

Ondanks deze vooruitgang zal het nog wel even duren voordat het echte gedachtelezen met behulp van deze techniek mogelijk is. De persoon die wordt gescand, moet meewerken en de computeralgoritmes die de opeenvolgende beelden analyseren, moeten worden getraind met heel veel voorbeelden van elke herinnering. In het experiment werd elke vrijwilliger meerdere keren gescand in elke locatie in het virtuele huis.

Wetenschappers hebben zelfs de hersenen gelezen van mensen die niet in staat zijn om op een andere manier te communiceren. In 2006 vertelde Adrian Owen van de universiteit van Cambridge in een artikel in *Science* hoe zijn team had gecommuniceerd met een vrouw van 23 met een persisterende vegetatieve status (PVS) nadat ze in het jaar daarvoor gewond was geraakt door een ongeluk. Vanuit het neurologische gezichtspunt ligt PVS heel dicht bij een coma. Patiënten zijn niet bij bewustzijn en reageren niet, maar, anders dan mensen die in coma liggen, kennen ze wel slaap- en waakritmes, en sommigen openen regelmatig hun ogen. Het team van Owen praatte tegen de patiënt terwijl ze haar hersenen scanden met fMRI. Ze vroegen haar om zich voor te stellen dat ze tenniste op het Centre Court van Wimbledon of van kamer naar kamer liep in haar huis. Ze kozen voor deze scenario's omdat bij het denken hierover bij gezonde mensen verschillende delen van de hersenen worden gebruikt. De patiënt van Owen met PVS gebruikte dezelfde hersengebieden: de premotor cortex, die bewegingen van ledematen beheerst voor de tennistaak, en de gyrus parahippocampalis, die plattegronden hanteert voor de huistaak. Er bestond weinig twijfel over het feit dat haar hersenen in staat waren om te reageren, hoewel haar lichaam verlamd was door PVS.

SOCIALE NEUROWETENSCHAP

Terwijl hersenkaarten groter worden en scanners goedkoper, ontstaat er een vakgebied dat ver voorbij het ziekenhuis of het biologielaboratorium gaat. Men beweert dat de technieken kunnen worden gebruikt om gevoelens van gewelddadigheid of liefde, ethiek, hoeveel vertrouwen een persoon heeft in anderen en zelfs het rechtvaardigheidsgevoel te bestuderen. UCL-wetenschappers beweren dat ze de essentie van liefde hebben gelokaliseerd tot activiteit in vier specifieke delen van de hersenen. Joshua Greene van de universiteit van Princeton heeft naar morele dilemma's gekeken. Toen aan vrijwilligers het klassieke probleem werd voorgelegd of ze iemand voor een rijdende trein zouden duwen als ze daarmee de levens van verschillende anderen zouden kunnen redden, registreerden wetenschappers activiteiten in de emotionele en logische delen van de hersenen. En een ander team van het Institute of Cognitive Neuroscience in Londen zag dat de amygdala zeer actief was wanneer mensen naar plaatjes keken van mensen die ze onbetrouwbaar vonden.

Een controversiële kant van het onderzoek is de mogelijkheid om vooroordelen te voorspellen. Amerikaanse wetenschappers, onder leiding van Jennifer Richeson van Dartmouth College in New Hampshire, beweren dat ze een manier hebben ontwikkeld om raciale vooroordelen op te sporen. Zouden dergelijke scans een nuttig hulpmiddel kunnen worden voor bijvoorbeeld het screenen van potentiële politiemannen of dienstverleners, om te kijken of ze ingebouwde vooroordelen hebben? Dat gaat iets te snel. Niet alle wetenschappers zijn het er over eens dat mogelijke vooroordelen zo eenvoudig gedefinieerd kunnen worden door alleen hersenscans. Sommigen redeneren dat er ook een aangeleerd element moet zijn bij krachtige emoties zoals racisme. In ieder geval is het zo dat het hebben van een aanleg op een diep niveau in de hersenen en actief iets doen met die aanleg twee aparte dingen zijn.

WAARHEIDSDETECTIE

De hersenleestechnologie heeft interessante implicaties voor rechtbanken. Wellicht kan het ontwikkeld worden tot iets dat in staat zou kunnen zijn om erachter te komen of iemand ooit ergens eerder is geweest, bijvoorbeeld op een plaats waar een misdaad werd gepleegd. CT-scans speelden in 1982 een rol bij het proces tegen John Hinckley Jr., die een aanslag had gepleegd op de Amerikaanse president Ronald Reagan. PET wordt gebruikt om psychische ziektes of hersenbeschadiging vast te stellen die gedeeltelijk het criminele gedrag van een gedaagde zouden kunnen verklaren. fMRI maakte zijn debuut in een Amerikaanse rechtbank in 2009 voor de verdediging van Brian Dugan, die de doodstraf vanwege moord boven het hoofd hing. Kent Kiehl van de University of New Mexico in Albuquerque wilde zien of het mogelijk was om aan te tonen dat Dugan de hersenen van een psychopaat had. Critici stelden dat, omdat fMRI een techniek is die gebruikt wordt om de gemiddelde hersenactiviteit bij groepen mensen te vergelijken, het erg moeilijk is om de betekenis van scans voor individuen te interpreteren.

MRI-scanners zijn grote machines die krachtige magnetische velden vormen rond het voorwerp dat wordt gescand.

ETHISCHE KWESTIES

Neurowetenschappers beginnen te worstelen met het mogelijke gebruik en misbruik van hun werk, op dezelfde manier waarop genetici hebben moeten worstelen met de consequenties van het werk dat ze hebben besteed aan het ontdekken van de aanleg voor ziektes. Het werk van Adrian Owen op het gebied van PVS roept medische en juridische vragen op. Hoe weet je of iemand werkelijk hersendood is en daardoor niet meer geholpen kan worden? Wat als je patiënt zich op een bepaald niveau bewust is van zijn situatie, maar niet in staat is om met iemand in de omgeving te communiceren? Is het nog ethisch om het systeem dat het leven in stand houdt, uit te zetten zonder toestemming van de patiënt? Donald Kennedy, redacteur van het tijdschrift *Science*, gelooft dat hersenscans te persoonlijk zijn om in handen van grote commerciële bedrijven te geven. Omdat deze scans kunnen aangeven of de mogelijkheid bestaat dat iemand in zijn latere leven last krijgt van psychische

Misschien hebben we het punt bereikt waarop dit soort informatie [hersenscan] zich onderscheidt van andere soorten informatie waar verzekeringsmaatschappijen om kunnen vragen, zoals röntgenfoto's.
SANDY THOMAS

aandoeningen, of, wanneer de technologie wordt verbeterd, aanwijzingen kunnen geven over iemand zijn zedelijk of ander gedrag, zegt hij dat niemand anders dan de eigenaar de details zou moeten kennen.

Zelfs als het nooit mogelijk is om gedrag te voorspellen, bestaat er geen twijfel over dat hersenscans nuttig zullen zijn voor het screenen van psychische ziektes en neurodegeneratieve ziektes zoals Alzheimer. Hierbij treden er veranderingen in de hersenstructuur op voordat de symptomen zich voordoen. Paul Glimcher van het Centre for Neuroscience van de New York University stelt dat eerder vroeger dan later wetgeving moet komen waardoor toegang tot hersenscans van mensen verboden wordt. Het zijn vooral verzekeringsbedrijven die steeds meer interesse krijgen voor dit soort informatie. Het vermogen om ziektes te diagnosticeren zal beter worden, marketeers zullen er beter in slagen om dingen aan ons te verkopen en dat wat eens onze meest persoonlijke gedachten waren, zal op een dag toegankelijk zijn voor iedereen met de juiste apparatuur. Misschien zijn ze nu nog niet in staat om gedachten te lezen, maar het zal niet meer lang duren voordat ze dat wel kunnen.

HOE KUN JE DENKEN ALS EEN MIER?

- o DE SUCCESVOLSTE SOORT OP AARDE?
- o DE WERELD VOLGENS DE MIEREN
- o HOE BESTUUR JE ZOVEEL INDIVIDUEN?
- o ONZICHTBAAR TEAMWERK
- o INZICHTEN IN HET MENSELIJKE BREIN

Mieren hebben corporatief leven geperfectioneerd. Ze ontwikkelden architectuur en bouwden boerderijen miljoenen jaren voor onze voorouders de primaten zelfs maar dachten aan het lopen op twee benen. In een typische mierenkolonie nemen individuen collectieve beslissingen zonder centraal leiderschap. De bestudering van mieren wordt een belangrijke taak van de biologie, omdat we proberen om het gedrag van dit 'superorganisme' te begrijpen. De manier waarop mieren 'denken' is anders dan wat dan ook op aarde.

DE SUCCESVOLSTE SOORT OP AARDE?

Iedereen die op zoek is naar een metafoor voor hard werken, macht of de kracht van teams heeft op een of ander moment het voorbeeld van mieren gebruikt. Sinds de eerste mieren ontstonden, meer dan 150 miljoen jaar geleden, hebben de insecten zich over alle continenten verspreidt, met uitzondering van Antarctica. Ze vulden elke ecologische niche als jagers, aaseters of boeren en ze evolueerden in duizenden vormen en groottes. Leptanilline-mieren zijn minder dan 1mm lang, je ziet alleen kleine zwarte stipjes; de buldogmieren in Australië kunnen 5 cm groot worden en kunnen hun slachtoffers doden door ze te steken. Mieren eten hetzelfde voedsel als andere insecten, maar ze zijn veel succesvoller. Waarom? 'Dat is gemakkelijk,' zegt sociobioloog Edward Wilson van Harvard, 'ze leven in groepen.'

Fantastische theorie, verkeerde soort.
EDWARD O. WILSON

Mierenkolonies kunnen heel klein of heel groot zijn, van een tiental mieren tot miljoenen mieren. De populatie bestaat voor het grootste gedeelte uit steriele vrouwtjes die specifieke taken moeten uitvoeren als werkers, soldaten of verzorgers. Daarnaast is er een vruchtbaar vrouwtje dat heerst over het nest, soms zijn het er een paar. Mannetjes zijn meestal maar tijdelijk aanwezig, ze zijn relatief nutteloos en blijven alleen maar totdat ze de koningin hebben bevrucht. Daarna worden ze uit het nest weggejaagd of ze worden gedood. Een koningin kan het sperma van een mannetje wel tien jaar lang bewaren, ze kan het gebruiken om miljoenen eitjes te bevruchten. Dit systeem heeft een aantal verbazingwekkende resultaten opgeleverd: door evolutie hebben mieren, tientallen miljoenen jaren voor mensen dat deden, de principes van de Industriële Revolutie ontdekt.

DE WERELD VOLGENS DE MIEREN

Een van de beroemdste industriële soorten is de Atta, of de bladsnijdermier die in Amerika voorkomt. Een kenmerkende kolonie kan tot 8 miljoen mieren bevatten waarbij de grootste mieren 200 keer zwaarder zijn dan de kleinste mieren en elke groep gespecialiseerd is in een specifieke taak. De grootste mieren snijden de bladeren van een boom of struik met krachtige kaken die per seconde duizend keer kunnen trillen. Een andere groep neemt de stukjes blad mee naar het nest en een derde groep snijdt het blad in nog kleinere stukjes. De kleinste mieren gebruiken de bladstukjes om compost te maken voor de schimmel die de kolonie kweekt als voedsel. Ze wieden de schimmeltuin en gebruiken bacteriën die antibiotische stoffen produceren om ervoor te zorgen dat hun gewas niet ziek wordt.

Het werktempo van de mieren is verbazingwekkend. Een nest bladsnijdermieren kan in een dag een volledige citrusboom ontbladeren en in de regenwouden van Zuid-Amerika oogsten mieren ongeveer een vijfde van de jaarlijkse groei. Tijdens de levensduur van een kolonie (10-15 jaar) kunnen ze 40.000 kilo grond omzetten en luchtig maken. Mierenboerderijen kunnen vee houden. Veel koloniën houden bladluizen die worden verdoofd met bepaalde stoffen om ze rustig te houden en ze 'melken' ze met hun voelsprieten voor de suikerrijke honingdauw die de mieren als voedsel gebruiken. Mieren verspreiden ook zaden, met name in de woestijngebieden van Afrika en Australië. Verschillende plantensoorten zijn zo afhankelijk van de insecten dat ze speciale structuren op de buitenkant van hun zaden hebben ontwikkeld die *elaiosomen* (mierenbroodjes) worden genoemd en die door mieren als voedsel kunnen worden gebruikt.

Ponerine-mieren vormen de meest veelsoortige mierenfamilie met meer dan duizend soorten. Dit zijn ook de oudste mieren en ze geven ons inzicht in hoe mieren leefden voordat ze de zeer sociale samenlevingen ontwikkelden die we nu kennen. Ponerine-mieren leven in relatief kleine groepen en omvatten een aantal van de grootste individuele mieren. Ze specialiseren zich in het jagen op maar een paar soorten prooidieren en de meeste leden van een kolonie kunnen zich voortplanten, dit zorgt voor heel veel competitie (en daardoor kleine aantallen) binnen een nest.

Odontomachus ('valklemkaakmieren') hebben de snelste kaken in het dierenrijk. Ze kunnen hun kaken dichtklappen met een snelheid van meer dan 225 km/u, ze doden of verwonden hun prooi zodat deze terug naar het nest kan worden gebracht. De kaken van grotere legermieren worden in sommige delen van de wereld gebruikt voor het hechten van wonden: mieren worden rond de wond geplaatst en de insecten bijten in de randen van de wond zodat de huid wordt samengetrokken. De lichamen van de mieren worden weggesneden, de kaken blijven op hun plaats rond de wond. Sommige soorten legermieren gebruiken hun lichamen om gaten in de bosbodem op te vullen zodat er een plat oppervlak ontstaat voor colonnes foeragerende mieren om terug te kunnen rennen naar hun nest. Twee of meer mieren grijpen zich aan elkaar vast als er een behoorlijk groot gat is. Woestijnmieren

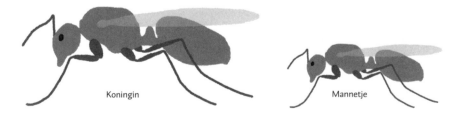

Koningin

Mannetje

vinden de weg buiten het nest met behulp van visuele oriëntatiepunten en reuk. Gewoonlijk scheiden mieren chemische stoffen af om sporen uit te zetten naar interessante objecten of om de weg terug te vinden naar het nest, maar deze vluchtige chemische stoffen zouden snel worden afgebroken in de droge woestijnomstandigheden. In plaats daarvan maken woestijnmieren, die tot honderd meter of meer van hun nest rondzwerven, zich de geur van hun nestopening eigen en gebruiken ze die om naar het nest terug te keren als er te weinig visuele aanknopingspunten zijn.

De hele dag en iedere dag zijn de mierennesten op de hele wereld actief: ze zoeken naar en verwerken voedsel, ze vechten en verzorgen hun jongen. Dit coherente werken is zo belangrijk voor het welzijn van de mieren dat een individuele mier snel sterft als deze uit een kolonie wordt verwijderd. Al hun werk is gericht op het welzijn van de kolonie.

HOE BESTUUR JE ZO VEEL INDIVIDUEN?

Een manier voor mieren om te communiceren is klikken en zingen voor elkaar, ze maken geluid door lichaamsonderdelen tegen elkaar aan te wrijven. Deze basiscommunicatie kan tegen de mieren gebruikt worden door andere soorten dieren. Sommige mieren zullen een bedrieger in hun nest gaan verzorgen, een rups bijvoorbeeld, als de bedrieger de juiste geluiden maakt. Wetenschappers lieten zien hoe werkmieren in de houding gingen staan en zelfs de speakers van een geluidsinstallatie gingen begroeten toen ze de geluiden van een koningin lieten horen. Als de mieren net zoals wij zouden beschikken over cognitie, in staat zouden zijn om te denken en te redeneren, dan zouden ze in staat zijn om vriend van vijand te onderscheiden en kunnen voorkomen dat hun voorraad en werk verloren zouden gaan. Maar als ze cognitie zouden hebben, zouden ze in de eerste plaats al niet in een dergelijke sociale samenleving wonen. Een groep chemische stoffen die feromonen wordt genoemd speelt een sleutelrol bij de complexiteit van het gedrag dat in mierensamenlevingen wordt aangetroffen. Ongeveer 24 verschillende chemische stoffen sturen de instincten van elk insect, ze vertellen aan welke kant ze het nest uit moeten gaan om voedsel te vinden, welke nestmaatjes doodgaan en daarom verwijderd moeten worden uit de kolonie, welke mieren gevoed moeten worden, wie de soldaten zijn, wie de koningin is en welke mieren het afval van de kolonie verwerken. Als je deze chemische stoffen weghaalt, raken de mieren volledig de weg kwijt.

Feromonen liggen ook aan de basis van de manier waarop een kolonie complexe groepsbesluiten neemt. Laten we als voorbeeld het vinden van een plaats voor een nieuw nest nemen. Als een verkenner een mogelijke plaats vindt,

Binnen een nest kunnen er verschillende aparte klassen mieren zijn, elke klasse vervult een specifieke rol voor de kolonie. De werkers en soldaten zijn allemaal steriele vrouwtjes.

Werker

Soldaat

zal ze de eigenschappen beoordelen zoals grondoppervlak, lichtniveaus en de grootte van de ingangen. Als het een geschikte plaats is, zal ze terugkeren naar de kolonie en medeverkenners de weg naar de nieuwe plaats leren met behulp van een techniek die tandemrennen wordt genoemd. Hierbij volgt een individu de leider door contact te houden met de voelsprieten. Op deze manier kan een aantal mieren een nieuw nest bouwen en als het aantal mieren een bepaalde drempel overschrijdt, dit wordt de *quorum*-drempel genoemd, zullen de mieren overschakelen van tandemrennen naar het oppakken van hun nestmaatjes die ze dan gaan dragen.

ONZICHTBAAR TEAMWERK

Gebaseerd op aanwijzingen in de omgeving en feromonen nemen individuele mieren beslissingen over wat ze moeten doen, of ze voedsel gaan zoeken, tegen een roofdier gaan vechten of een gewonde nestgenoot gaan helpen. Maar wanneer het aantal mieren dat een bepaalde beslissing heeft genomen een omslagpunt bereikt, is de volledige kolonie gebonden aan de beslissing. Er zijn verschillende drempels voor verschillende acties: er zou er eentje kunnen zijn voor het verlaten van het oude nest als dat niet goed is, eentje voor het accepteren van een nieuw nest als ze met tandemrennen beginnen.

Mierenkolonies zijn voor wetenschappers van onschatbare waarde om empirische gegevens te verkrijgen over hoe het leven in samenlevingen zich heeft ontwikkeld. Vergelijk het biologische ontwerp van een mierensamenleving met dat van de mensen en je ziet snel dat een groot gedeelte van de menselijke samenleving gebouwd is op cultuur in plaats van op genetica. De basisontwerpen voor de samenlevingen in onze genen zijn veel eenvoudiger dan de ontwerpen die bij mieren zijn gecodeerd.

Mierennesten kunnen een complexe architectuur hebben met verschillende kamers voor het uitkomen van de eieren, het oogsten van schimmels en andere activiteiten. Geen enkele individuele mier heeft de kennis om een nest te bouwen. In plaats daarvan wordt de kennis op het niveau van de hele kolonie vastgehouden.

Dit gecompliceerde genetische ontwerp binnen mieren was voor Edward Wilson, die langdurig samenwerkte met Bert Holldobler, een bioloog van de Arizona State University, de reden om een volledige nieuwe levensklasse voor te stellen: het superorganisme. 'Een superorganisme is een hechte groep die onbaatzuchtig het werk tussen de leden verdeelt,' zegt Wilson. 'Er zijn individuen die zich voortplanten in de groep en worden gestimuleerd om zich voort te planten, en er zijn degenen die zich niet voortplanten en werkers zijn. Hierdoor is de groep in staat om als een heel groot organisme te functioneren.' Denk aan een superorganisme als een zich verspreidend organisme dat zijn ledematen uit kan strekken om op hetzelfde moment op veel plaatsen tegelijk te zijn, naar buiten gaat om voedsel te zoeken en zich daarna terugtrekt in het nest nadat alles wat in de buurt is, is binnengehaald. In een boek, *Superorganism*, waarin het concept wordt geschetst, beschrijven Wilson en Holldobler hun idee door elke mier in een kolonie te vergelijken met een cel in, laten we zeggen, het menselijke lichaam; elke mier is gespecialiseerd voor een taak en werkt (tot zijn eigen waarschijnlijke dood) voor het welzijn van het organisme als een geheel.

Superorganismes kunnen de competitie met individuen winnen omdat ze een groep bij elkaar kunnen roepen die alles wat probeert om de voedselbron over te nemen, kan verdrijven. Een solitair insect zou voorzichtig zijn met het riskeren van zijn leven bij het verdedigen van een gevonden stukje eten en zal zich waarschijnlijk terugtrekken. Dit is bij mieren niet het geval. Ze zijn bereid om te vechten totdat de dood erop volgt en de kamikazecapriolen hebben niet zoveel invloed op de kolonie. De groep zou een beetje minder krachtig kunnen zijn als werkers sterven in gevechten, maar de koningin kan gewoon vervangers produceren.

INZICHTEN IN HET MENSELIJKE BREIN

Wat de besluitvormingskracht van mieren tot veel meer dan een wetenschappelijke rariteit maakt, is dat het collectieve gedrag van wat in de basis automaten zijn die chemische stoffen waarnemen, aanwijzingen geeft over hoe onze hersenen zouden kunnen werken. Hersencellen zijn individueel relatief dom, maar met miljarden die samenwerken in onze hersenen terwijl ze reageren op niveaus van neurotransmitterstoffen, komt er iets creatiefs en opmerkelijks tevoorschijn. Biologen vinden overeenkomsten als ze modellen maken van mierenkolonies en verzamelingen van neuronen. Misschien is de handeling van het nemen van een beslissing in de menselijke hersenen (het bewegen van je ogen van links naar rechts als reactie op een bedreiging bijvoorbeeld) analoog aan een drempelaantal mieren die een kolonie aanzet om in een bepaalde richting te gaan. De eerste stukjes bewijs die aantonen dat dit inderdaad de manier is waarop de hersenen werken, zijn al gepubliceerd in wetenschappelijke tijdschriften. In 2009 maakten computerwetenschappers modellen om te laten zien dat groepen hersencellen in de hersenen van primaten beslissingen lijken te nemen op ruwweg dezelfde manier als een mierenkolonie.

Het superorganisme-idee voert de hersenanalogie nog verder, zegt Holldobler. De actie van de mierenkolonie betekent dat het een soort collectieve intelligentie heeft. Het is een probleemoplossende eenheid. Bladsnijdermieren bouwen nesten die tot 8 meter onder de grond zitten en ze bestrijken een gebied van 50 vierkante meter. Een enkele mier zou dat nooit kunnen bouwen of zelfs maar dit soort bouwwerken kunnen bedenken. Maar de interactie en het gedrag van miljoenen individuen, reagerend op bepaalde prikkels die worden gevormd door andere werkers, leiden tot deze fantastische structuren.

In zekere zin is een mierenkolonie een probleemoplossend instrument, met de mieren als de individuele cellen die samen meer zijn dan alle delen bij elkaar opgeteld. En het is toevallig zo dat jouw hersenen net zo 'denken' als een mierenkolonie.

HOE WE DE WERELD KUNNEN REDDEN

- HET BROEIKASGASPROBLEEM
- DE WIGGEN VAN PACALA EN SOCOLOW
- INGRIJPEN IN HET KLIMAAT
- KUNNEN WE HET?

De wereld wordt steeds warmer terwijl de hoeveelheden broeikasgassen, vooral kooldioxide, toenemen in de atmosfeer. De exacte details van hoeveel, hoe snel en welke gebieden de grootste impact zullen voelen van de klimaatverandering, worden voortdurend aangepast, maar er bestaat geen twijfel over wat er gebeurt. Eén reactie op de klimaatverandering is het aanpassen van de manier waarop we leven. Een andere manier om iets te doen is het verminderen van de hoeveelheid kooldioxide die in de atmosfeer terechtkomt. Als dat niet genoeg is om het opwarmen tegen te gaan, dan zou het noodzakelijk kunnen zijn om rechtstreeks aan het klimaat te gaan sleutelen.

HET BROEIKASGASPROBLEEM

Het huidige niveau van kooldioxide in de atmosfeer is ongeveer 380 ppm (*parts per million*). Elk jaar stijgt het met 2 ppm. Voor de Industriële Revolutie was het CO_2-niveau ongeveer 280 ppm. Sinds het begin van de Industriële Revolutie is de wereld ongeveer 0,8 °C warmer geworden. Veel landen hebben zich ten doel gesteld om ervoor te zorgen dat de wereldwijde temperatuur niet meer dan 2° C zal stijgen boven het pre-industriële niveau. In klimaatmodellen komt dit ongeveer overeen met CO_2-niveaus van 400-500 ppm. Is het mogelijk om dit ambitieuze doel te halen?

De wetenschappers Stephen Pacala en Robert Socolow van de universiteit van Princeton geloven dat de technologie om broeikasgasemissie terug te dringen al bestaat. Er is geen enkele technologie die het in zijn eentje voor elkaar kan krijgen, maar het doel kan gehaald worden door het combineren van een aantal technologieën. Als de wereld en zijn emissies blijven doorgroeien zonder ingrijpen (het *business as usual*-scenario), is de verwachting dat de hoeveelheid broeikasgassen in de atmosfeer in het midden van de eenentwintigste eeuw verdubbeld zal zijn. Om de ergste effecten van wereldwijde opwarming te voorkomen en binnen de 500 ppm voor broeikasgassen te blijven in 2050, stellen Pacala en Socolow dat de netto globale emissies onmiddellijk moeten worden bevroren.

DE WIGGEN VAN PACALA EN SOCOLOW

Pacala en Socolow geven de verschillende emissiescenario's weer in een grafiek, waarbij de kloof tussen de langzaam stijgende *business as usual*-lijn en de platte stabilisatielijn een driehoek is die laat zien hoeveel broeikasgassen de atmosfeer niet zouden moeten bereiken in de komende vijftig jaar. De driehoek is verder verdeeld in wiggen, elke wig staat voor een andere strategie om de CO_2-uitstoot te verminderen. Ze zeggen dat het implementeren van zeven van de vijftien strategieën die ze in overweging nemen, zou zorgen voor een stabilisatie van de broeikasgassen in 2050.

De stabilisatiewiggen van de Princeton-wetenschappers verdelen het hele grote probleem van het verminderen van de broeikasgassen in relatief behapbare stukjes. Elke wig staat voor het verschil tussen het wel of niet uitvoeren van een bewezen idee voor het verminderen van de kooldioxide-uitstoot. Ze nemen het hele scala van technologieën mee: van energie-efficiëntie en het verminderen van de hoeveelheid koolstof in energie en brandstof tot het opslaan van meer koolstof in bossen en bodems.

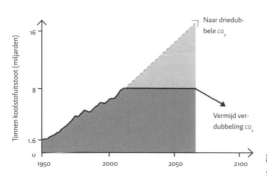

De grafiek van Pacala en Socolow laat zien de hoe koolstofuitstoot is gestegen sinds 1950. De gestippelde lijn laat zien hoe de uitstoot zal toenemen in de toekomst als de huidige trends worden voortgezet.

Voor het verkeer betekent dit het verminderen van de afhankelijkheid van auto's met beter openbaar vervoer en betere stadsontwikkeling. Het halveren van de jaarlijkse afstand die wordt gereden door 2 miljard auto's in de hele wereld levert een stabilisatiewig op. Een andere wig kan bereikt worden als de brandstofefficiëntie van de 2 miljard auto's zou worden verdubbeld. Het verbeteren van de energie-efficiëntie van gebouwen met een kwart zou voor nog een wig zorgen.

Energiecentrales die met kolen worden gestookt, hebben maar een efficiëntie van 32% en in 2000 waren ze verantwoordelijk voor ongeveer een kwart van de koolstofemissie op de hele wereld. Ervan uitgaande dat er dubbel zoveel op kolen gestookte energiecentrales op de wereld zullen zijn in het midden van de eeuw, zou een stabilisatiewig gehaald worden als we het voor elkaar zouden krijgen dat de efficiëntie van die centrales wordt verhoogd tot 60%.

Meer wiggen kunnen komen van het vervangen van op kolen gestookte energiecentrales door relatief schone energiecentrales die op aardgas werken of het installeren van energiecentrales met koolstofopvang en -opslagtechnologie (ccs). Het Internationaal Energie Agentschap voorspelt dat het energieverbruik in 2030 met 50% zal zijn gestegen, waarvan ruim driekwart komt van fossiele brandstoffen. Ccs zou maximaal 90% van de koolstofemissie kunnen voorkomen door het opvangen en begraven van de broeikasgassen.

Het verdubbelen van het aantal kernenergiecentrales op de hele wereld zou ook voor een wig zorgen, en ook een vijftigvoudige uitbreiding van de windenergie of 2000 gigawatt aan zonnepanelen (700 keer zoveel als in 2004). Het verbouwen van biobrandstoffen op een zesde van het totale areaal van landbouwgrond, het produceren van waterstof (het gebruik van duurzame energie om water te splitsen) ter vervanging van fossiele brandstoffen in auto's of het voorkomen van ontbossing zouden allemaal voor een wig zorgen.

Pacala en Socolow hielden er na vijftien ideeën mee op, maar er zijn er tientallen meer die bij elkaar opgeteld kunnen zorgen voor de vermindering van de CO_2-uitstoot die de wereld nodig heeft. Wat ze wilden laten zien, was dat ze niet één oplossing wilden voorschrijven, maar hoe collectieve wilskracht significante resultaten op zou kunnen leveren.

INGRIJPEN IN HET KLIMAAT

Maar wat als de collectieve wil om het gebruik van fossiele brandstoffen te beperken niet sterk genoeg is? Dit kwam spectaculair naar voren tijdens de klimaatconferentie van de Verenigde Naties in Kopenhagen in 2009. Of wat als de vermindering waarover we het eens zijn geworden maar een gedeeltelijke oplossing is? Al meer dan vijftig jaar hebben ingenieurs en klimaatwetenschappers in de marge van de wetenschappelijke wereld nagedacht over radicalere manieren om het klimaat te veranderen. Velen zouden de drastische ideeën die onder de paraplu van *geo-engineering* vallen, ongetwijfeld als roekeloos afwijzen. Een paar ideeën zijn het vormen van kunstmatige wolken om het zonlicht te weerkaatsen, het vormen van gigantische massa's bloeiende oceaanalgen om CO_2 uit de atmosfeer op te zuigen of gigantische zonneschermen voor de aarde.

De kans op een ingrijpende en gunstige verandering van het klimaat door het toepassen van technische middelen, woog tot nu toe niet op tegen het risico van onverwachte bijwerkingen met wereldwijde gevolgen voor het complexe systeem dat ons klimaat nu eenmaal is. Maar terwijl de matigingstechnologieën een last beginnen te worden voor de groeiende economieën, wordt geo-engineering binnengehaald. John Shepherd, een klimaatwetenschapper van de universiteit van Southampton, stelt dat radicale en mogelijk gevaarlijke oplossingen nu serieus moeten worden overwogen omdat regeringen maar niet begrijpen dat maatregelen om klimaatverandering tegen te gaan heel hard nodig zijn.

Er zijn verschillende opties beschikbaar voor het opslaan van opgevangen koolstof in ondergrondse holtes. Sommige holtes ontstonden toen fossiele brandstoffen werden gewonnen.

❶ Lege olie- en gasreservoirs

❷ Gebruik van CO_2 in olie- en gasterugwinning

❸ Diepe zoutlagen op het land en in de zee

❹ Gebruik van CO_2 bij 'coal bed methane'-terugwinning

❺ Diepe steenkoollagen die niet gewonnen kunnen worden

❻ Basalt, olieschalie, holtes

Bij een paar van de meest extreme ideeën voor het ingrijpen in het klimaat gaat het om het verminderen van het zonlicht dat op de aarde valt. Op deze manier zou de toename van de temperatuur die veroorzaakt wordt door de uitstoot van broeikasgassen tegengegaan kunnen worden. Ken Caldeira, een toonaangevende klimaatwetenschapper van Carnegie Institution in Stanford in de vs, heeft berekend dat het weerkaatsen van maar 2% van het zonlicht van de juiste plaatsen op de aarde (voornamelijk het

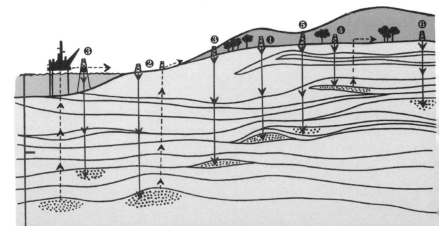

noordpoolgebied) genoeg zou zijn om het verwarmende effect van een verdubbeling van kooldioxide in de atmosfeer tegen te gaan.

Eén benadering is het vormen van wolken met kleine deeltjes, zoals zwaveldioxide, in de bovenste atmosfeer, waar de kleine deeltjes het zonlicht zouden verspreiden. Door het verspreiden van ongeveer 1 miljoen ton zwaveldioxide per jaar over 10 miljoen km² van de atmosfeer zou er genoeg zonlicht teruggekaatst worden. Als dit idee je fantastisch in de oren klinkt, denk er dan aan dat zulke ingrepen in het klimaat al van nature optreden door vulkaanuitbarstingen. Toen Mount Pinatubo in de Filippijnen bijvoorbeeld uitbarstte in 1991 daalde de temperatuur op de aarde het jaar daarop met 0,5 °C door het stof dat hoog in de atmosfeer terechtkwam. Het stof reisde verder de hele wereld rond en hield een deel van het zonlicht tegen. Bij een ander idee zouden er schepen van 300 ton gebouwd moeten worden die druppeltjes zeewater ter grootte van een micrometer in de lucht zouden kunnen spuiten onder stratocumuluswolken. Het is een voorstel van Stephen Salter van de universiteit van Edinburgh. Door deze technologie zouden de wolken witter worden zodat ze meer zonlicht reflecteren.

Ingrijpen in de systemen van onze planeet brengt grote risico's met zich mee, met winnaars en verliezers, en als het ons niet lukt om politieke actie te ondernemen op het gebied van schone energie en efficiëntie, dan is consensus over geo-engineering een droombeeld.

DOUG PARK

Nog verder in het rijk van de fantasie zijn er ideeën om glanzende ruimtevaartuigen te gebruiken om het zonlicht tegen te houden. Wetenschappers hebben voorgesteld om een verzameling van vrij vliegende ruimtevaartuigen te lanceren die tussen de zon en de aarde zouden gaan vliegen. Ze zouden een cilindrische wolk moeten vormen rond de helft van de diameter van de aarde en tien keer langer. De wolk zou genoeg stralen van de zon weghouden om ervoor te zorgen dat er 2% minder zonlicht op de aarde terechtkomt. Maar de kosten zouden een verblindende honderd miljard dollar per jaar zijn.

Hoewel technieken om het zonlicht tegen te houden zodat de aarde niet opwarmt, de temperatuur zou verlagen, zouden ze niet het fundamentele probleem oplossen dat aan de basis ligt van de klimaatverandering: de aanwezigheid van meer CO_2 in de atmosfeer. Een andere klasse van de geo-engineeringtechnieken richt zich op het aanpakken van deze kwestie. Algen in de zee en ander fytoplankton vangen grote hoeveelheden CO_2 uit de atmosfeer, maar het aantal algen wordt vaak beperkt door een gebrek aan essentiële voedingsstoffen in het zeewater rond de algen. Als je deze voedingsstoffen zou toevoegen, gaan deze organismen hard groeien en bloeien. Als ze sterven zinken ze naar de diepte van de oceaan en nemen ze het koolstof met zich mee.

Co_2 zou ook mechanisch uit de lucht kunnen worden gezogen. Klaus Lackner van de Columbia University heeft een apparaat ontworpen dat, als het op werkelijke grootte wordt gebouwd, per jaar de uitstoot van 15.000 auto's op zou kunnen zuigen. Er zouden maar 250.000 van deze machines nodig zijn om net zoveel CO_2 uit de atmosfeer te verwijderen

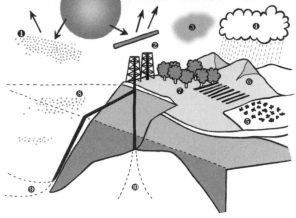

als de wereld er tegenwoordig inpompt. Het Engelse Institute of Mechanical Engineers is een fan van het idee, het heeft berekend dat 100.000 van deze kunstmatige bomen ongeveer 60% van de totale Britse jaaruitstoot van 556 megaton CO_2 zouden kunnen absorberen. Het berekende ook dat bossen met kunstmatige bomen die op duurzame energie werken en dicht bij uitgeputte olie- of gasvelden worden geplaatst waar de gevangen CO_2 zou kunnen worden begraven, duizenden malen efficiënter zouden zijn dan het planten van bomen in hetzelfde gebied.

De belangrijkste geo-engineeringprojecten die tot nu toe zijn voorgesteld:
❶ Aerosolen in de stratosfeer
❷ Gigantische reflectoren in een baan om de aarde
❸ Chemische stoffen voor het sparen van ozon
❹ Regen maken
❺ Woestijnen groen maken
❻ Genetisch gemanipuleerde voedingsgewassen
❼ Bomen kweken
❽ IJzerbemesting van de zee
❾ Pomp vloeibare CO_2 naar de diepzee
❿ Pomp vloeibare CO_2 in rotsen

KUNNEN WE HET?

Aan het einde van het Royal Society-rapport van 2009, waarin gekeken werd naar de wenselijkheid van geo-engineering, was de conclusie dat, hoewel het niet direct geo-engineering aanbeval, experimenten op het gebied van sommige ideeën zo snel mogelijk zouden moeten beginnen. Dit om ervoor te zorgen dat dergelijke megaconstructieplannen beschikbaar zijn als een vangnet voor het geval dat wereldwijde conferenties voor het bestrijden van klimaatveranderingen zouden mislukken. De meest veelbelovende ideeën waren volgens hen het vangen van CO_2 uit de atmosfeer met behulp van kunstmatige bomen en het afschieten van kleine deeltjes naar de bovenste atmosfeer om zo het zonlicht terug te kaatsen. Maar ze benadrukten dat alle geo-engineeringtechnieken grote onzekerheden met zich meebrengen voor wat betreft hun eigen impact op het milieu. Niemand weet er nog genoeg vanaf om een beslissing te kunnen nemen.

In ieder geval zouden technische en wetenschappelijke kwesties niet de lastigste problemen kunnen opleveren als het gaat om het inzetten van geo-engineeringtechnologie. Sociale, wettelijke, ethische en politieke kwesties zouden net zo belangrijk zijn en voor het invoeren van projecten wereldwijd zijn internationale overeenkomsten nodig. Critici vragen zich af of het mogelijk is om de politieke stabiliteit en samenwerking te bereiken die nodig is om dit soort plannen wereldwijd te laten werken. Ken Caldeira stelt dat al deze kwesties op heel korte termijn moeten worden uitgezocht omdat we snel te maken kunnen krijgen met de vraag of en wanneer en hoe we een klimaat willen bouwen dat we beter vinden. De slechtste situatie zou zijn dat we de opties niet testen en vervolgens reageren op een klimaatnoodtoestand met het inzetten van een optie die we nog niet getest hebben, 'een parachute omgespen die je nog nooit hebt uitgetest, terwijl het vliegtuig neerstort'.

VERKLARENDE WOORDENLIJST

Absolute nulpunt
Nul kelvin, de laagst mogelijke temperatuur volgens de thermodynamica.

Adenosinetrifosfaat
Het molecuul dat energie transporteert van het ene deel van een cel naar een ander voor gebruik bij de stofwisseling.

Alkali
Een base die oplost in water en een pH heeft die hoger is dan 7. Reageert gemakkelijk met zuren.

Atoomgewicht
Het totale aantal protonen en neutronen in een nucleus.

Atoomnummer
Het totale aantal protonen in een nucleus.

Axon
Uitloper van een zenuwcel (neuron) die de elektrische impulsen geleidt die gebruikt worden om te communiceren met de andere delen van het lichaam.

Bacteriën
Een dierendomein dat bestaat uit eencellige micro-organismen. Ze kunnen heel veel verschillende vormen hebben, van staafjes tot rondjes, en ze behoren tot de eenvoudigste levensvormen op de aarde.

Bit
Eenheid van computerinformatie die een 1 of een 0 kan zijn.

Boson
Fundamentele deeltjes, zoals fotonen en gluonen, die de vier fundamentele krachten vervoeren.

Brownse beweging
De willekeurige beweging van kleine deeltjes zoals die werd waargenomen onder een microscoop. Genoemd naar de Schotse botanicus Robert Brown.

Cellulose
De primaire structurele component van de celwanden bij groene planten.

Celreceptor
Een eiwit op de buitenkant van een biologische cel die toestaat dat hormonen of andere chemische stoffen de cel binnengaan of uitgaan.

Chlorofyl
Een pigment dat wordt gevonden in planten en algencellen (en in sommige bacteriën), dat de energie uit het zonlicht haalt om te helpen bij het vormen van suikers.

Chloroplast
Een deel van de plantencel dat chlorofyl bevat en fotosynthese uitvoert.

Chromosoom
Een stuk DNA binnen de nucleus van een biologische cel die een deel van de genen van een organisme bevat. Mensen hebben 23 paren chromosomen.

Dendriet
Het vertakte deel van een zenuwcel dat contact maakt met andere zenuwcellen of lichaamsdelen die met de hersenen moeten communiceren.

DNA
Desoxyribonucleïnezuur, het molecuul in de vorm van een dubbele spiraal die de instructies bevat voor het maken van een levensvorm.

Eiwit
Complexe polymeer gemaakt van aminozuren. Eiwitten zijn de basismaterialen waarvan al het leven is gemaakt. Ze zijn ook betrokken bij het vervoeren van berichten door het lichaam en bij het reguleren van de functies van het lichaam.

Entropie
De mate van wanorde in een systeem.

Fermionen
Het soort fundamentele deeltjes die materie vormen, inclusief quarks en leptonen.

Foto-elektrisch effect
Het fenomeen, uitgelegd door Einstein, waarbij metalen elektronen uitstoten wanneer ze verlicht worden door licht met bepaalde frequenties.

Foton
Een lichtdeeltje, zonder massa, dat ook de elektromagnetische kracht tussen deeltjes vervoert.

Fundamentele krachten
De vier natuurkrachten: elektromagnetisme, sterke kernkracht, zwakke kernkracht en de zwaartekracht

Fusie
De combinatie van twee lichte nuclei (zoals waterstof) voor het maken van een nieuw element, een proces waarbij energie vrijkomt.

Gen
De reeks van nucleotidebasen die de code bevatten voor alle eiwitten in onze lichamen. Mensen hebben er ongeveer 25.000.

Genoom
De volledige verzameling van DNA in een organisme dat bestaat uit genen en niet-coderende DNA (wat eerst junk-DNA werd genoemd).

Geo-engineering
De grootschalige implementatie van maatregelen om de temperatuur op aarde te verminderen. Voorgestelde ideeën richten zich op het weerkaatsen van de energie van de zon of het weghalen van broeikasgassen uit de atmosfeer.

Gluon
Het deeltje dat de sterke kernkracht tussen de quarks overbrengt.

Higgsboson
Deeltje van het theoretische higgsveld; men denkt dat het massa op andere deeltjes overbrengt.

Hormoon
Een chemische boodschapper in het lichaam, wordt gebruikt om de stofwisseling van bepaalde cellen of organen te besturen.

Ideaal gas
Een model van een gas waarin wordt aangenomen dat alle moleculen zich gedragen als biljartballen die rond een volume stuiteren.

Ion
Een geladen atoom, als gevolg van de aanwezigheid van een extra elektron (negatief ion) of een gebrek aan een volledige hoeveelheid elektronen (positief ion).

Ionisatie
De omzetting van een atoom of molecuul in een geladen deeltje door het toevoegen of verwijderen van elektronen of ionen.

Isotopen
Verschillende types van atomen van een chemisch element, waarbij elk type een ander aantal neutronen heeft.

Kelvin (K)
Temperatuurschaal waarbij 0 is gedefinieerd als de laagst mogelijke temperatuur die bereikbaar is in het heelal. $0 \text{ K} = -273,15 \,°\text{Celsius}$.

Kinetische energie
Bewegingsenergie.

Kosmische inflatie
De plotselinge expansie van het heelal heel kort na de oerknal. Elke 10^{-35} seconden werd het heelal meer dan dubbel zo groot en tegen de tijd dat de inflatie ophield, 10^{-32} seconden na de oerknal, was de kosmos minstens 10^{43} keer zo groot geworden.

Leptonen
Een soort van materiedeeltjes inclusief elektronen en neutrinos.

Lorentztransformatie
De mathematische functie, genoemd naar de Nederlandse natuurkundige Hendrik Lorentz, die waarnemers in staat stelt om te berekenen hoe lengte en tijd veranderen tussen verschillende referentiekaders.

Metamaterialen
Kunstmatige materialen die eigenschappen hebben die in de natuur niet voorkomen, zoals een negatieve brekingsindex.

Neuron
Een cel in het zenuwstelsel, in de hersenen of verderop in het lichaam.

Neutrino
Bijna volledig massaloos neutraal geladen elementair deeltje dat zich voortbeweegt op bijna de lichtsnelheid en recht door normale materie gaat.

Nucleotidebase
De letters van het menselijke genoom, C, G, A en T, die een reeks vormen langs een DNA-molecuul. De nauwkeurige reeks van basen bepaalt voor welk eiwit het molecuul zal coderen.

Pathogeen
Een besmettelijk agens dat ziekte veroorzaakt wanneer het binnendringt in een gastdier of -plant.

pH
De mate waarin een oplossing zuur of basisch is. Een lage pH betekent een hoge concentratie van waterstofionen, terwijl een hoge pH een lage concentratie betekent.

Prion
Niet-levende besmettelijke agens dat ervoor zorgt dat een eiwit verkeerd opvouwt in het lichaam. Prionen veroorzaken ziektes zoals *bovine spongiform encephalopathy* (BSE) bij vee en het creutzfeldt-jakobsyndroom bij mensen.

Quark
De fundamentele component van protonen en neutronen. Quarks zijn er in zes smaken: up, down, top, bottom, charm en strange.

Radioactiviteit
De emissie van straling vanuit de nucleus van een atoom. Het kan in de vorm van alfadeeltjes, betastraling of gammastralen zijn.

Reproductief klonen
Kerntransplantatie, *somatic cell nucleus transfer* (SCNT), wordt gevolgd door het laten groeien van het ontstane embryo tot het geboren wordt om zo een levend organisme te produceren.

RNA
Een versie van het DNA-molecuul met maar één streng. RNA wordt in lichaamscellen gebruikt voor meerdere functies inclusief het lezen van de DNA-code en het maken van eiwitten door middel van de instructies.

Seksuele reproductie
De combinatie van delen van het genoom van twee ouders om nakomelingen te maken. Deze vorm van reproductie levert grotere genetische diversiteit op in een populatie dan andere vormen van reproductie zoals aseksuele reproductie.

Senescentie
Beginnende ouderdom, de verandering in een biologisch organisme na de volwassenheid. Het kan verlies van functie met zich meebrengen door ouderdom of een verandering in de manier waarop genen aan worden gezet of worden uitgedrukt.

Somatic cell nuclear transfer/klonen
De techniek voor het klonen van dieren waarbij het DNA van een lichaamscel van een donor geïmplanteerd wordt in een leeggemaakt eitje dat vervolgens in een surrogaat baarmoeder wordt ingebracht en uitgroeit tot een embryo.

Splitsing
Het splitsen van de nucleus van een zwaar atoom waarbij energie vrijkomt.

Stamcellen
De hoofdcellen van het lichaam die, afhankelijk van hoe primitief ze zijn, kunnen veranderen in elk weefseltype in het lichaam.

Standaardmodel van de natuurkunde
Een kwantummechanische beschrijving van alle materie- en krachtdeeltjes die het heelal vormen. Bevat alle quarks, leptonen en bosonen.

Statines
Medicijnen die het cholesterolniveau in het bloed kunnen verminderen.

Sterrenstelsel supercluster

Een groepering van meerdere sterrenstelselclusters. De supercluster die de melkweg bevat, is 110 miljoen lichtjaar in doorsnede.

Stofwisseling

De volledige verzameling van chemische reacties die de levensprocessen in een organisme beheersen.

Subductie

Een proces aan de rand van tektonische platen waarbij een plaat onder een andere schuift.

Supernova

De grote ontploffing aan het einde van het leven van een ster, kan gedurende een korte periode een volledig sterrenstelsel doen verbleken.

Telomeer

Het beschermende kapje aan het einde van chromosomen dat korter wordt elke keer wanneer een biologische cel wordt gereproduceerd. Als de telomeer te kort is, kan de cel zich niet meer reproduceren. Men denkt dat hiermee het optreden van kanker en ook de opstapeling van gevaarlijke mutaties in het DNA van een levend organisme wordt voorkomen.

Tesla

De meeteenheid voor een magnetisch veld. Het veld rond de aarde is ongeveer 31 microteslas; een magneet van een hersenscanner is rond 10 teslas.

Theorie van alles

De wiskundige vereniging van alle vier fundamentele natuurkrachten in één kader. De snaartheorie is een kandidaat voor de theorie van alles.

Therapeutisch klonen

Precies dezelfde techniek als bij reproductief klonen, maar het embryo wordt niet geïmplanteerd en het levert geen nakomelingen op.

Thermodynamica

De natuurwetten die de omzetting van warmte in mechanisch werk beheersen.

Valentie

Een maat voor het aantal chemische verbindingen die een element kan vormen. Gewoonlijk gerelateerd aan het aantal elektronen dat beschikbaar is in de buitenste schil van een atoom.

Virus

Een besmettelijk deeltje gemaakt van DNA of RNA binnen in een eiwitomhulsel dat levende cellen binnengaat en de mechanismen die daar aanwezig zijn, gebruikt om zichzelf te reproduceren. Nadat een cel het virus heeft gereproduceerd, sterft de cel gewoonlijk.

Vlindereffect

Het idee in de chaostheorie dat een hele kleine verandering in de beginomstandigheden van een systeem een heel groot effect kan hebben op de uitkomst ervan. Een vlindervleugel die heen en weer wordt bewogen kan bijvoorbeeld het pad van een tornado veranderen op een andere plek in de wereld.

Vrije radicalen

Zeer reactieve bijproducten van de chemische reacties die betrokken zijn bij de stofwisseling. Dit zijn moleculen met ongebonden elektronen en ze zijn zeer gevaarlijk voor lichaamscellen.

Zuur

Een verbinding die, opgelost in water, een oplossing met een pH-waarde lager dan 7 oplevert. Reageert met een base door waterstofionen te doneren.

REGISTER

WOORD VAN DE AUTEUR

Het verschijnen van dit boek zou niet mogelijk zijn geweest zonder de jarenlange aanmoediging en inspiratie van mijn collega's bij de *The Guardian*. Veel van de ideeën in dit boek zijn geheel of gedeeltelijk gebaseerd op de gesprekken die ik in de loop der jaren gevoerd heb met deze opmerkelijke groep mensen. Dus Emily Wilson, Ian Sample, David Adam, James Randerson, Tim Radford, Sarah Boseley, Juliette Jowit, John Vidal, Simon Rogers, Clare Margetson, Mike Herd, Ben Goldacre, Robin McKie, Nick Hopkins, Ian Katz, Alan Rusbridger, Janine Gibson, Chris Elliott, Nell Boase en James Kingsland, ik dank jullie hartelijk.

Als de onovertroffen Ruth Francis van *Nature* me niet onbeperkt toegang had gegeven tot de archieven van het beste wetenschappelijke tijdschrift ter wereld, dan zou dit boek veel armzaliger geworden zijn. Wanneer ik inspiratie geput heb uit wetenschappelijke artikelen of boeken, dan heb ik mijn best gedaan om de relevante personen te vermelden in de hoofdstukken zelf. Maar de volgende mensen verdienen wat mij betreft een aparte vermelding vanwege hun tomeloze inzet om wetenschap in heldere bewoordingen uit te leggen: Geoff Brumfiel, Kate Ravilious, Richard Fortey, Roger Highfield, Peter Atkins, Paul Davies, Michio Kaku, Phillip Ball, Michael Brooks, Marcus du Sautoy, Jim al-Khalili, Vivienne Parry, Bill McGuire, David Bodanis, John Ellis, Jenny Hogan, Ian Stewart, Mark Lynas, Robert L. Park, Laura Spinney, John Emsley, John Gribbin en Anil Ananthaswamy. Ik ben ook dank verschuldigd aan de redactie en medewerkers van het tijdschrift *Scientific American* voor de sleutelinzichten in en uitleg van een aantal van de meer complexe ideeën die in dit boek besproken worden.

Oorspronkelijke titel: *How to live forever*
Vertaling: Afineke de Vries
Omslagontwerp, opmaak en illustraties binnenwerk: Marieke Oele en Nathan Martin

ISBN 978 90 0030249 9
NUR 910

© 2011 Alok Jha
© 2011 Nederlandstalige uitgave: Uitgeverij Unieboek | Het Spectrum bv, Houten – Antwerpen
1e druk
Oorspronkelijke uitgave: Quercus Editions Ltd

www.winklerprins.com
www.unieboekspectrum.nl

Winkler Prins maakt deel uit van Uitgeverij Unieboek | Het Spectrum bv, Houten – Antwerpen, Postbus 97, 3990 DB Houten